密航のち洗濯

ときどき作家

文　宋恵媛・望月優大

写真　田川基成

柏書房

1946年夏。

占領下にあった朝鮮と日本の間の海を合法的に渡ることはほぼ不可能だった。それでも生きていくために船に乗った人々の移動は「密航」と呼ばれた。

その経験を書き残した人は少ない。その後の人生を書き残した人も少ない。だが全くいなかったわけではない。

一人の「密航者」の手になる様々な文章をたどりつつ、この海の両側を歩いた。蔚山、釜山、山口、東京。

すでに70代となった彼の子どもたちにも話を聞いた。両親のこと。子ども時代のこと。日本社会で生きた、自分自身の歴史。

それぞれの人生が、ずっと続いている。

山口県の海岸、海の向こうは朝鮮半島

青海島（おおみじま）、山口

仙崎（せんざき）、山口

釜山港

釜山（プサン）港大橋

佐世保浦頭港（させぼうらがしら）

黒井（くろい）、山口

方魚津（パンオジン）、蔚山（ウルサン）

大村湾、長崎

下関港

温山国家産業団地、蔚山

長生浦、蔚山

青海島

青海島（おおみじま）、山口

月陰山（タルムサン）、釜山（プサン）

江陽里（カンヤンニ）、蔚山

仙崎(せんざき)湾、山口

中目黒、東京

横浜港

江陽里

江陽里、蔚山

丸の内、東京　　久保山墓地、神奈川

江陽里　　西生浦倭城、蔚山

清瀬（きよせ）、東京

チャガルチ市場、釜山

南浦洞（ナムポドン）、釜山（プサン）

隅田川（すみだがわ）、東京　　多摩川（たまがわ）、東京

影島（ヨンド）、釜山　　草梁（チョリャン）、釜山

日山津（イルサンジン）、蔚山（ウルサン）

現代
現代
現代
HYUNDAI
104
HYUNDAI
102

仙崎（せんざき）、山口

密航のち洗濯

ときどき作家

プロローグ

１９５７年春。

東京都目黒区の外れに「徳永（とくなが）ランドリー」が開店した。

その「洗濯屋」の店主には別の顔があった。彼は昼の仕事を終えたあと、深夜に日本語で書く無名の「作家」でもあった。ほとんど読まれなかった彼の物語には、朝鮮から日本への「密航」の様子が詳しく描かれている。店主はおそらくかつて「密航者」だった。


１９４６年夏。

日本敗戦の翌年、山口県北部の仙崎（せんざき）湾には大量の朝鮮人を乗せた米軍船が係留していた。米ソの分割占領下で混乱する朝鮮半島を逃れ、小さな船で（再）渡日した人々[1]の間では、コレラの感染が拡大する。ＧＨＱ／ＳＣＡＰ（スキャップ）（連合国軍最高司令官総司令部）の指示のもと、山口県沿岸部の警察や住民は「密航船」の警戒にあたった。各地で上陸する朝鮮人たちを捕らえ、急ごしらえの施設に閉じ込め、あるいは巨大な船内に何週間も隔離した。

誰かを異物と名指し、見つけ出し、外部へと放逐（ほうちく）するまでの一連のプロセス。現在も続く過酷な入管収容、強制送還の始源的な光景が、そこに出現していた。悪名高い大村収容所（大村入国者収容所、長崎県大村市）が創設される、4年も前の話だ。

当時、こうした経験を通過した人々は決して少なくない。朝鮮と日本はそれぞれ占領下にあり、その間の海を合法的に渡る術はほぼなかったからだ。１９４６年に警察が検挙したとする「密入国者」の数が2万人弱。加えて、検挙されなかった人々も当然存在する[2]。

いずれにしても、かれらの多くはその経験を語らなかった。語れないほうが普通だろう。書けないことが普通だと思う。だが、書いた人がいなかったわけではない。

山口県北部の青海島から見た仙崎港。敗戦後の主要な引揚港の一つとして知られるが、同時期に別の機能も担っていた

「徳永ランドリー」の店主・尹紫遠（１９１１－64年）は、日本による韓国併合の翌年に、植民地となった朝鮮半島南東部の蔚山で生まれた。「尹紫遠」は戦後に用い始めた筆名で、本名は「尹徳祚」という。

尹紫遠はまだ12歳だった１９２４年に故郷を離れて「内地」に移り、関東大震災直後の横浜で、戦時下の東京周辺で、底辺の労働者として生き延びた。進学の夢は叶わなかったが、短歌に出会い、故郷の山の名を冠した歌集『月陰山(タルムサン)』（１９４２年）を出版している。この頃、日本人が経営する新宿のクリーニング工場で働いた経験が、戦後の生き様に影響を与えた。

当時、日本から朝鮮に多くの人が植民し、朝鮮から日本へも多くの人が移り住んだ。朝鮮生まれの日本人が増え、日本生まれの朝鮮人も増えた。両民族間の結婚もあった。強制的な動員もあった。「内鮮一体(ないせんいったい)」が謳(うた)われ、朝鮮人の言葉や名前が変えられていった。尹紫遠は里帰りの往復を含め、１９２４年から４６年の間に、合計で5回海を渡っている。

１９２４　朝鮮→日本　最初の渡日、横浜の兄のもとへ（12歳）
１９３９　日本⇅朝鮮　蔚山への15年ぶりの里帰り往復（27歳）
１９４４　日本→朝鮮　日本での徴用を逃れて朝鮮北部へ（32歳）
１９４６　朝鮮→日本　朝鮮の混乱を逃れて日本に戻る（35歳）

日本の敗戦後、朝鮮人が最終的に日本国籍を喪失させられたのは、連合国軍による日本の占領が終わった１９５２年だ。そのため、尹紫遠によるこれら5回の移動は、いずれも日本国籍を持つ人物の移動であったことになる（最初の4回は大日本帝国内部での移動）。

日本はかつて植民地化で一方的に「大日本帝国臣民」とみなした人々を、またもや一方的に「外国人」とみなした。そして、たとえ生き延びる術を求めて日本に戻ってきた人々であっても、日本にいてはならない「イリーガルな存在」として、追い出し得るし追い出すべき「密航者」として、印をつけて、炙り出そうとした。

晩年に発表した「密航者の群」（1960－61年）という小説で、尹紫遠は故郷・蔚山から山口のK村、下関、仙崎へと至る「密航」をその内側から描いた。船出、航海、逮捕、収容、移送、感染、隔離、逃走。2年ぶりに東京に戻ったとき、彼はすでに35歳だった。

尹紫遠と大津登志子は1949年に結婚し、同年に長男・泰玄が生まれた。東京・中目黒の小さな長屋暮らし

尹紫遠は戦後の中目黒やその周辺で、在日朝鮮人として生きた。日本人の妻・大津登志子（1924－2014年）との間に3人の子をもうけ、筆では稼げない代わりに洗濯屋を開業した。極貧の生活、過酷な肉体労働、狭すぎる家の中で、命を削って自伝的な要素の色濃い作品を書き続けた。

様々な理由で同時代の在日朝鮮人たちが書かなかったことと、書き得なかったことを、尹紫遠は書いた。彼の一番得意な言語である日本語で、歴史を刻み続けた。小説としてならば書けたのかもしれない。ぎりぎりの行為として、できたのかもしれない。

尹紫遠は、1923年の朝鮮人虐殺についての聞き書きをもとにした「憲兵の靴」を遺作の一つとして、1964年9月5日、東京五輪の開幕直前に東京で死んだ。53歳だった。豊かさに向かって加速していく東京のど真ん中で、彼の生活はずっと貧しかった。

生前唯一書籍の形で公刊できた小説が『38度線』（1950年）だ。同年6月に朝鮮戦争が勃発し、朝鮮半島への関心が高まる中で出版された。尹紫遠がそこに書き込んだのは、自身が恐らく1945年の後半、朝鮮半島の北部から故郷・蔚山（ウルサン）のある南部へと、米ソが恣意的に引いた境界線を通過した際の経験だ。もちろん「非合法」のそれであっただろう。

詰まるところ、彼の「密航」は一つではなかった。連続していたのだ。1945年の夏まで、35年間にわたって大日本帝国の内地と朝鮮という形で一体化していた領域は、突如3つのブロックに分割された[3]。その間に出現した二つの境界線を、彼の身体は続けざまに通過している。いずれの当局や権力による承認も得られない中で、二つの越境はなされた。

そんな無名の洗濯屋／作家の尹紫遠をめぐって、2022年にある事件が起きる。彼が東京に戻った直後からつづり始めた日記（1946－64年）が出版されたのだ。数々のノートやメモ帳からなる尹紫遠の日記は、2014年に90歳で亡くなった妻・登志子の手を経て長男・泰玄（テヒョン）のもとに渡り、50年以上もの間、段ボール箱の中で静かに眠っていた。

2019年に泰玄と知り合い、その日記を家族外の人間として初めて目にしたのが、在日朝鮮人文学史などの研究に長く取り組んできた宋恵媛（ソンヘウォン）である。本書の著者の一人だ。彼女によると、植民地期に渡日した在日朝鮮人一世が日本語で書いた当時の日記は極めて珍しく、貴重なものだという。少なくとも公刊物としてはほとんど存在しない。

尹紫遠の日記を読むことで、在日朝鮮人として生きた戦後の彼の生活が詳細に明らかになった。そこには目を背けたくなるような、妻との壮絶な格闘も含まれる。尹紫遠の小説には夫婦間の葛藤や暴力、あるいは信仰に打ち込む女性と対決する男性の姿がたびたび登場するが、それらの描写もほとんどが現実の反射であることがわかった。

「38度線」や「玄海灘（ヒョネタン）」[4]の越境など、様々な意味で「危険」な過去の出来事については、このプライベートな日記にすらほぼ書かれていない。だが、毎日のように書き継がれた微細な記述の中には、尹紫遠自身が朝鮮北部の兼二浦（日本製鉄の巨大な製鉄所があった）にいたことなど、小説で描かれた越境と現実の経験とを結びつけるクリティカルな情報がいくつか含まれていた。

本書は元々『ニッポン複雑紀行』の企画として始まった。認定NPO法人難民支援協会が主催するウェブマガジンで、もう一人の著者である私（望月優大）が、2017年の立ち上げから関わってきた小

尹紫遠の日記（1946－64年）

さなプロジェクトだ。ウェブから書籍へと広がるのは初めてのことになる。

これまで日本各地で移民や難民をめぐる様々なテーマでの取材や聞き取りを行い、記事をつくってきた。周縁化された外国人の労働、ルーツを別にする夫婦や親子間の葛藤、故郷を離れざるを得なかった人々の経験、在留資格や国籍を持たない少数者たちの生。それらの一つひとつが、本書の色々な側面と響き合っているように思える。

この本は**１９４６年の密航**（宋と望月で分担）を軸に、概ね植民地期にあたる**密航の前の時代**（宋が担当）と、現在まで続く**密航の後の時代**（望月が担当）からなる。

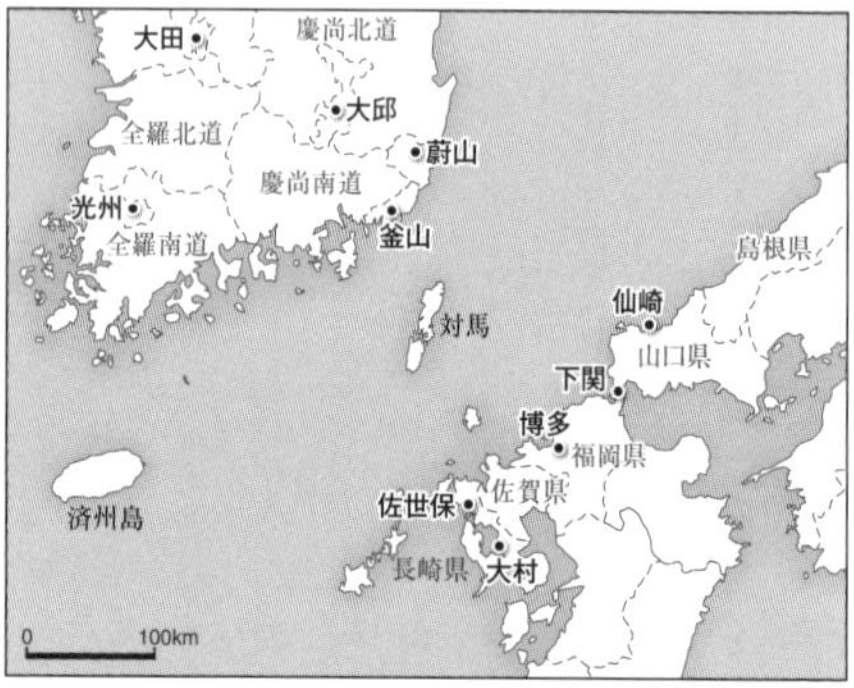

朝鮮と日本のあいだの海。かつて関釜連絡船が往来した下関と釜山、尹紫遠の故郷・蔚山、米軍船での隔離が行われた仙崎などをめぐった

百年を超える尹紫遠とその家族の歴史の背景には、植民地、警察、戦争、占領、移動、国籍、戸籍、収容、病、貧困、労働、福祉、ジェンダーなど、様々なテーマが見え隠れする。誰かが「書くこと」と「書けること」についても、重要な主題となった。

執筆にあたっては、宋と望月が取材や調査に共同で取り組んだ。尹紫遠自身の作品群や日記はもちろんのこと、写真、手紙、各種の公的な証明書なども細かく内容を確認し、家族へのインタビュー、各種の文献との突き合わせも行いつつ過去を再構成した。そして、『ニッポン複雑紀行』でも長く撮影を担ってきた写真家の田川基成(たがわもとなり)とともに、韓国・蔚山にある尹紫遠の出生地をはじめ、彼の人生に縁(ゆかり)のある釜山(プサン)、山口、東京などをめぐった。

長男の泰玄(テヒョン)と長女の逸己(いつこ)には貴重な資料の数々を提供いただき、それぞれからお話も聞かせていただいた。父だけでなく、母について、そして自らの人生についても教えていただいた。母の登志子(としこ)と次男の泰眞(テジン)は２０１４年に相次いで亡くなっており、直接お話を聞くことは叶わなかった。１９６４年に尹紫遠が亡くなったあとも、50年間、二人の人生は続いた。本書は尹紫遠(ユンジャウォン)一人の物語ではなく、登志子(としこ)、泰玄(テヒョン)、逸己(いつこ)、泰眞(テジン)の物語でもある。


１９５７年春。尹紫遠は、東京都目黒区の外れに「徳永ランドリー」を開店した。当時45歳。それは極貧の彼が選んだ大きな勝負だった。

知人のツテで借金をし、通り沿いの一軒家を借りあげ、店舗、洗い場、干し場、住居が渾然一体となった建物に改装した。自転車で飛び込みの営業に走り回り、家族総出で毎日働いた。その合間に日記をつづり、作品も書いた。

その「洗濯屋」の店主はかつて「密航者」だった。朝鮮も日本も占領下にあり、合法的に海を越えることがほぼ不可能だった時代に、彼は海を越えた。

彼の人生はどうだっただろうか。家族の人生はどうだっただろうか。

密航のち洗濯。それを今からつづろう。

目次

子ども時代の長男・泰玄にとって、父は「作家」であるよりも「洗濯屋の親父」だったという。1954 年、神奈川県川崎市の向ヶ丘遊園で。42 歳と 4 歳の頃の写真

この本をつくった人

宋恵媛 ソン ヘウォン	研究者。2019年に泰玄と出会い、尹紫遠の日記と作品集を2022年に刊行する。 **担当：第1章 植民地の子ども／送還 1946／エピローグ／補遺**
望月優大 もちづき ひろき	ライター。ウェブマガジン『ニッポン複雑紀行』を中心に、日本における移民や難民のテーマに取り組む。 **担当：プロローグ／密航 1946／第2章 洗濯屋の家族**
田川基成 たがわ もとなり	写真家。長崎県の離島出身で、移民と文化、土地と記憶などをテーマに作品を撮る。2020年に写真集『見果てぬ海』を出版。

尹紫遠と妻･登志子、長男･泰玄、長女・逸己。1950年代初頭の写真。家族は当時、東京の中目黒駅近くにあった6畳一間の長屋で暮らしていた。次男の泰眞はまだ生まれていない

2023年。主に長男・泰玄のもとに残っていた日記や写真、手紙など、貴重な資料を数多く提供いただき、100年を超える家族の歴史を読み解くための作業に取り組んだ

主な登場人物

尹紫遠とその家族

尹紫遠 ユン ジャウォン	1911－64年。本名は尹徳祚（ユントクチョ）で、尹紫遠は戦後の筆名。朝鮮南東部の蔚山（ウルサン）生まれ。植民地期に12歳で渡日し、戦後に「密航」で再渡日する。洗濯屋などの仕事をしながら、作家としての活動も続けた。1946－64年に日記を書いた。
大津登志子 おおつ としこ	1924－2014年。東京・千駄ヶ谷の裕福な家庭に生まれる。「満洲」で敗戦を迎えたのちに「引揚げ」を経験。その後、1949年に12歳年上の尹紫遠と結婚したことで「朝鮮人」となった。
泰玄 テヒョン／たいげん	1949年－。長男。東京生まれ。朝鮮学校、夜間中学、定時制高校、上智大学を経て、イギリス系の金融機関に勤めた。
逸己 いつこ／イルギ	1951年－。長女。東京生まれ。朝鮮学校、夜間中学、定時制高校を経て、20歳で長男を出産。産業ロボットの工場（こうば）で長く働いた。
泰眞 テジン／たいしん	1959－2014年。次男。東京生まれ。兄と同じく、上智大学卒業後に金融業界に就職。幼い頃から体が弱く、50代で亡くなった。

＊泰玄、逸己、泰眞の名前は、それぞれ二つの読み方で呼ばれてきた。本書では泰玄と逸己に確認のうえ、きょうだい間でより日常的に使用してきた読み方を主として、ルビを振っている

両親	父・尹俊澤（ユンチュンテク）と母・金燁比（キムヨプピ）。尹紫遠が12歳で最初に渡日してから数年後に二人とも亡くなった。
きょうだい	3人の兄（成守（ソンス）、奉守（ポンス）、奉学（ポンハク））、2人の弟（五徳（オドク）、六徳（ユクトク））、1人の姉（奉徳（ポンドク））。成守、奉守、六徳は日本で暮らした経験があるが、日本で亡くなったのは尹紫遠のみ。
金乙先 キム ウルソン	尹紫遠の最初の妻。朝鮮南部の大邱（テグ）生まれ。両親とともに5歳で渡日し、山口で育つ。1943年に尹紫遠と結婚（朝鮮で婚姻届を出したのは翌1944年）。

尹紫遠の家族に提供いただいた様々な種類の資料に、
尹紫遠による自伝的な作品や日記を突き合わせた

作品

『月陰山(タルムサン)』 (1942年)	植民地期に出版された歌集。「朝鮮人初の歌集」と言われた。母の思い出につながる朝鮮の情景、15年ぶりの一時帰郷、東京での青春などを詠んだ。
『38度線』 (1950年)	朝鮮北部の兼二浦(キョミポ)で1945年8月の朝鮮解放を迎えた柳福樹(ユボックス)と花順(ファスンヌ)夫婦。二人はその約3か月後、兄や姪とともに、米ソ両軍の間で引かれた「38度線」を越え、南の故郷を目指す。
「人工栄養」 (1954年)	GHQ占領下の東京。自分の赤ちゃんの粉ミルク代を捻出しようと、夫の李俊吉(イチュンギル)が「パンパン」相手にストッキングの行商をしている間、妻の蛍子(けいこ)は製薬会社に自らの血液を売りに行っていた。
「密航者の群」 (1960−61年)	1946年6月下旬、安景俊(アンキョンジュン)と妻・甲順(カプスン)らの一行は、蔚山の日山津(イルサンジン)から日本へ「密航」した。山口県のK村で捕えられたかれらは占領軍に引き渡され、下関水上署ではコレラ患者が発生した。その後、二人は山口県北部の仙崎港に移送され、900人近くの「密航者」たちとともに、巨大な米軍船内へと隔離される。

資料と作品

本書は、泰玄・逸己兄妹から提供いただいた多種多様な個人文書（エゴドキュメント）群、お二人への長時間のインタビュー、自伝的要素の色濃い尹紫遠の文学作品（作中の人物や出来事に自身の経験が強く投影されている場合が多い）などをもとに書かれた。当時の時代状況等に鑑みれば、「密航」を経験したある在日朝鮮人の周辺でこれだけの「資料」や「作品」が書かれ、記録され、その多くが残されたこと自体が、稀有な出来事だと言える。

資料

日記	・「尹紫遠日記」（1946－64年） ・「尹泰玄日記」（1965－74年）
手紙	・釜山在住の兄・奉守（ポンス）から尹紫遠に宛てた手紙（朝鮮語）、大津登志子に宛てた手紙（日本語）、尹泰玄に宛てた手紙（朝鮮語） ・ソウル在住の作家・金素雲（キムソウン）から尹泰玄に宛てた封筒（尹紫遠「人工栄養」が掲載された新聞の切り抜きが入っていた） ・アメリカ在住の英子（ヨンジャ）（奉守の娘、米兵と結婚）から尹泰玄に宛てた手紙（英語）
公的機関の証明書等	・日本：戸籍謄本、死亡届、外国人登録原票、帰化許可書、母子手帳など ・韓国：戸籍謄本、土地台帳、建築物台帳
写真	・尹紫遠と家族の写真：朝鮮国際タイムス社時代、登志子と子どもたち、釜山在住の親族、泰玄の学生時代や会社員時代など ・大津家の写真：大津登志子の家族、学生時代、「満洲」時代など
録音テープ	・泰眞の誕生日の家族だんらん（1964年） ・尹紫遠自身による死の直前の作品朗読（1964年） ・英子の日本訪問時の会話（1970年）
インタビュー	・泰玄へのインタビュー ・逸己へのインタビュー
その他	・日記に貼られた新聞記事の切り抜きや名刺など ・死の直前まで入院していた安方（やすかた）診療所で処方された薬袋

・本書で引用する「尹紫遠日記」は『越境の在日朝鮮人作家　尹紫遠の日記が伝えること』(琥珀書房、2022年)を、歌集『月陰山』は『月陰山(復刻版)』(同)を、小説「嵐」、「人工栄養」、「密航者の群」は『在日朝鮮人作家　尹紫遠未刊行作品選集』(同)を、その他の作品は『尹紫遠全集(電子版)』(同)を、それぞれ底本としている。なお、小説『38度線』の引用部分では、尹紫遠『38度線』(早川書房、1950年)の頁数を示した。
・引用文中の亀甲括弧〔　〕は著者による補足である。また、引用文は読みやすさを考慮して、旧字体・異体字・旧仮名遣いは適宜新字体・新仮名遣いに改め、行詰めを行った。適宜ルビも振った。
・引用文中の日本語訳は、言及がない限り著者による試訳である。また、朝鮮語文献の出典は日本語訳のみを記載し、発行地を［南朝鮮］、［韓国］、［日本］と示した。
・引用文中には、現在では差別的表現と認識される語が散見されるが、当時の時代状況に鑑み、表現を変えずにそのまま引用、訳出した。
・本書に登場する人物の名は原則敬称略とした。
・人名や作品名の朝鮮語読みのルビは慣用に従った。
・「在日朝鮮人」という用語について。本書では政治的立場の違いや、朝鮮籍、韓国籍、日本国籍等のいずれかにかかわらず、戦後日本に居住する朝鮮人全体を指す。
・「密航」という用語について(「密航者」や「密航船」などについても同様)。本書では正規の渡航手続きを経ずにある領域から別の領域に移動する行為を指す。国家間に限らず、植民地と「内地」の間や、被占領地域の間など、領域間の移動が公権力や軍により規制された状況を広く含む。戦争、迫害、貧困、家族分離などその背景は様々だが、正規のルートが断たれているか、厳しく規制されている場合に、生き延びるための手段として非正規の移動を選ぶ人々もいる。戦後の日本は、植民地化により日本国籍とされていた朝鮮人など、旧植民地ルーツの人々をも外国人登録の対象とし、「密航者」の取締りを進めた。だが、渡航先の国籍の有無に着目し、外国人のみに「密航」を重ね合わせる見方を本書はとらない。日本人による日本への「密航」も定義上起こり得るし、歴史上も実際にあった(敗戦後の公式船以外での「引揚げ」など)。

密航　1946

関釜のあいだの海

2023年の3月上旬、私たちは山口県の下関（しものせき）港に集合した。19時45分発の関釜（かんぷ）フェリー[1]に乗ると、翌朝8時には釜山（プサン）港に着く。旅の目的は尹紫遠の「密航」を再構成すること。1946年の夏を描いた自伝的作品「密航者の群」を片手に、西日本と韓国を巡る。

朝鮮半島と日本列島はそれなりに遠い。関釜フェリーはその最も近い部分を結んでいるが、それでも下関と釜山の直線距離はおよそ200キロメートルある。その航路の中ほど過ぎには対馬（つしま）が位置していて、対馬と釜山とは50キロほどの距離だ。

現代の難民がボートや小船で渡ろうとする海と比較してもいい。英仏間のドーバー海峡が最短距離で30キロ強。トルコ西岸からギリシャのレスボス島までは10キロ強しかない。逆に、北アフリカのリビアからイタリアのランペドゥーザ島までは300キロ近くもある。

2015年、トルコの砂浜に打ち上げられた3歳の男児の写真が、SNSで瞬（また）く間に拡散した。彼はシリア北部のコバニで生まれ、家族（両親と2歳上の兄）と一緒にトルコに逃れたクルド人だった。当時、コバニではイスラム国とクルド人勢力の戦闘が激化していたが、シリアでの市民権やパスポートがないかれらには隣国でも法的地位が与えられず、親戚のいるカナダを目指したトルコ出国の試みは、すでに三度も失敗に終わっていた。

四度目の脱出の試み。最後の海はわずか4キロの距離で、ギリシャのコス島はすぐ目の前だった。しかし、23人を乗せた二つのボートは、出発直後に高波に呑まれて沈没してしまう。4人家族で生き残ったのは父親だけだった。彼はBBCの取材にこう答えている。

「子どもたちと妻に向かって手を伸ばしました。でも、望みはなかった」[2]。
浜辺に横たわる男児の写真は、#KiyiyaVuranInsanlik というトルコ語のハッシュタグとともに広まった。#HumanityWashedAshore。つまり、岸へと打ち上げられた人間性。

尹紫遠は、その自伝的な短編小説「人工栄養」（１９５４年）の中で、「闇船」と題した小説の執筆に取り組む主人公・李俊吉（イチュンギル）の姿を描いている。まだ「密航者の群」（１９６０－６１年）を書く前のことで、彼がこのテーマを長く考え続けていたことの消えない証だ。

> どうしても生きる道のない人たちは、きりきり舞いのていで日本へ密航する、その命をハッタありさまを描き上げようとするものだ。幾日もの漂流の果てに船ごと海へ呑まれた人の数も夥しい（おびただしい）。俊吉はおのれのペンがいき悩むと、よく——この一篇を玄海灘に眠る同胞の霊に捧ぐ——と書いてはじいっと考え込んだ。（尹紫遠「人工栄養」24頁）

２０２３年。私たちの移動は安全で、とても快適だった。新型コロナウイルス対策で船内のレストランは営業を停止していたが、下関のスーパーで買い込んだ惣菜を食べ、大浴場でゆっくりお湯につかることもできた。あとは、寝ているうちに釜山に着くはずだ。

関釜フェリーは日韓国交正常化（１９６５年）後の１９７０年に定期運行を開始した。その前身とも言えるのが日露戦争直後の１９０５年９月に就航した関釜連絡船で、同年１月に開通した京城（現・ソウル）と釜山をつなぐ鉄道（京釜線）にも接続していた。京釜線は日露戦争をはじめ、日本の軍隊や物資の輸送にも大いに活用された。

1910年に日本が大韓帝国を植民地化すると、関釜連絡船による人の往来はさらに活発化する。尹紫遠が1924年に12歳で最初の渡日をした際も利用しただろうし、15年後の里帰りの往復や、1944年に朝鮮に戻ったときにも乗った可能性が高い[3]。

だが、尹紫遠がどうしても渡日したかった1946年の夏、関釜連絡船はすでに消えていた。戦争で多くの船が沈み、残った船は引揚げ輸送などに転用されていた。関門海峡にはB29が飢餓作戦で投下した大量の機雷が残り、下関港や門司港の利用を困難にしていた。

私たちを乗せたフェリーが釜山港に滑り込んだのは朝の6時ごろだった。まだ太陽がのぼる前で、下船時刻の8時までは少し時間があった。デッキに出ると、周囲を山に囲まれた釜山には、高層ビルやマンションがところ狭しと聳え立っていた。下関とは規模が全く違う。よく見ると、フェリーが停まる国際ターミナルのビルは、大きな鯨の形をしていた。

蔚山からの密航船

尹紫遠が生まれた蔚山は釜山からほど近く、韓国南東部の海沿いに位置する。その中心街から東に10キロほど行くとカフェやレストランが並ぶ海水浴場があり、白い砂浜の向こうには赤と白のクレーンが立っている。1972年に設立された現代重工業の巨大な造船所だ。尹紫遠はこの日山津（現・日山洞）の入り江を、「密航」の出発地として描いた[4]。

「露艦戦士の墓碑」（山口・青海島）。日露戦争の日本海海戦で戦死したロシア兵の遺体が漂着した。すぐ隣には、同じ戦争で沈んだ「常陸丸遭難者の墓碑」もある

蔚山・日山津（現・日山洞）の海岸

彼らは六月下旬のある夜、南朝鮮の東海岸蔚山の日山津の入江から密航船に乗った。三ヵ月、四ヵ月、人によっては半年以上前からの船主との密約が実現したわけだった。午前二時、合図の時間になると、まっくら闇の葦(あし)の茂みに密約のひとびとが集って来た。

（尹紫遠「密航者の群」48頁）

船主は出航を深夜に設定した。沿岸警備隊に見つからないためだ。30数人の朝鮮人たちは明かりもつけず、小さな「発動船」にすぐさま乗り込んだ。だが、そこで大きなトラブルが起きる。この夜、日本への船が出ると聞きつけた別の人々が押しかけてきたのだ。船にしがみついて懇願する20数人の男女。「どうか助けて下さい。乗せて下さい。金はいくらでも出します」。しかし船内はすでに満杯で、船上の人々は船べりにすがるいくつもの手を踏みつけ、棒でつき飛ばし、急いで船を出した。「ちきしょう。船が沈んでフカ〔サメ〕にみんなくわれっちまえ」——。

「密航者の群」の主人公は安景俊(アンキョンジュン)という青年だ。この騒動の最中、船に乗っている側にいた彼の心中では、別のざわめきが巻き起こっていた。彼は、船主との約束なく突然やってきた者たちに文句の一つでも浴びせようとした。だが、なかなか言葉が出てこない。なぜなら「朝鮮語では何ひとつまとまったことは言いあらわせない」からだ。

安景俊の人物像には、尹紫遠自身を思わせる特徴が多々散りばめられている。こうした言語状況もその一つだ。朝鮮で大人になるまで育ってから渡日した典型的な「一世」とも、最初から日本で生まれ育った「二世」とも違う。その狭間（はざま）の年齢で朝鮮を離れ、家族や友人のいない環境、日本語が支配的な社会の中で生活し続けてきた。「物ごころついて朝鮮人との接触を完全に絶たれて、東京で日本人の下宿や、間借り生活を十七年間送ってきた」という安景俊のプロフィールは、まだ12歳の子どもだった1924年以来、ほぼ単身で日本暮らしをしてきた尹紫遠のそれとぴったり重なっている。1939年に尹紫遠が蔚山に初めての里帰りをし、家族や友人との再会を果たす頃には、最初の渡日からすでに15年もの時間が経過していた。彼は27歳の大人になっていた。

1946年夏、日山津を出た密航船は、現代の関釜フェリーとは違って一晩では日本に着かなかった。正確に言えば、日本に接近はしたものの、どこにも着岸できなかったのだ。

> 裏日本の沿海を彼らは三昼夜にげまわった。警戒がきびしくて、船をつけるすきがなかった。飛行機が見えると、船主は血相をかえてひとびとの上に大きなテントをかぶせた。漁船をよそおうためだった。何回も陸ちかくまで行っては「そら見つかった」とにげまわる。六回目は島根県の岩見（ママ）〔石見（いわみ）ら〕へんに船をつけようとして、漁船に追いかけられた。それからまた日本海を漂流した。
>
> （尹紫遠「密航者の群」52頁）

この「飛行機」がどの国のもので、何のために飛んでいたか、想像できるだろうか。当時の日本は連合国軍の占領下にあり、島根、山口、福岡、長崎などの日本海側では、占領軍、警察、地元住民が一体となって、朝鮮からの渡航者に対する取り締まりを強化していた。その中で、飛行機による監視も行っていたのだ(5)。

だとすると、これはアメリカ軍の飛行機だったのだろうか。実はそうではない。連合国軍の中心はもちろんアメリカだったが、中国・四国地方での任務はイギリス連邦占領軍（英・豪・NZ・英印）が担っていた。

戦闘機で海上の監視をしていたニュージーランド軍のパイロットによる回想も残っている。朝鮮人の尹紫遠が「下」から描いた状況を、ニュージーランド兵のブライアン・コックスは空の「上」からこう眼差していた。

私は2機のコルセア〔戦闘機〕のうちの1機に乗り、夕暮れどきのパトロールをしていた。何マイルか先の海上に船を発見した。〔…〕我々はマストの高さで轟音を立て、何度か急降下した。甲板にぞろぞろと出てきた人々は明らかにパニックに陥っていて、ブローニング機関銃で撃たれるのではないかという恐怖が顔に浮かんでいた(6)。

もちろんこの戦闘機がそっくりそのまま、安景俊（尹紫遠）たちが見上げた飛行機であったわけではない。だがこの時期、陸上、海上、そして空からの動きが連動し、「密貿易」や「密航」に関わる船を見つけ出そうとしていたのは事実だ。日山津を出発した船が、「三日三晩」を費やしてもなお陸地に近づけずにいたのは、この警戒網に阻まれていたからである。

蔚山からの密航者たちは、実ることのない行ったり来たりの末に我慢の限界を迎える。かれらは「船の上を飛行機が一機ゆっくり二回せんかいし」ているにもかかわらず、船主に対して「もう捕まっても何でもかまわないから、速く陸につけてくれ」と詰め寄った。

その声に気押され、船主は海岸へと船を近づけていく。しかし、案の定、船の存在はすぐに近傍の村の監視者によって感知されてしまった。村から大きなサイレンの音が鳴り響く。安景俊たちは急いで船から降りたが、その後一斉に捕まってしまった。

K村の警防団

尹紫遠は、かれらが辿りついた土地の名を「K村」とぼかして書いている。だが、そのテクストを注意深く読めば、K村が山口県の黒井村を指していることがわかる。[7] 黒井村はかつてこの地域に存在した村の名前で、現在でも山口県下関市豊浦町大字黒井という住所に、地名が残っている。

「密航者の群」によれば、海岸で捕まった人々は「K村小学校の講堂」に八日間収容された。その後、夜の雨の中を二列縦隊で「K

山口県西部と山陰本線

村駅」まで歩かされ、「密航者を運ぶ臨時列車」に乗せられた。その列車は「正明市、伊上、長門、粟野、滝部、小串、川柵〔ママ〕、梅ケ峠、等々の周辺で捕えられ、監禁中の密航者をひとまず下関に集めるのだった」。これらの地名は山陰本線の駅名で、川棚温泉駅と梅ケ峠駅の間に黒井村駅がある。

『山口県警察史』には、1946年4月ごろから「無許可で入国する朝鮮人」が増加したと書かれている。その現場は「下関から阿武郡須佐方面にかけての北浦沿岸一帯」であり、中でも「下関市の武久海岸から小串町にかけては「密航銀座」とまでいわれるほど集中した」という(8)。小串から5キロほど南の黒井村は、まさに「密航銀座」の真っ只中にあった。

黒井村駅

尹紫遠が記した通り、旧・黒井村の周辺は「老い松の林におおわれ」ていた。この松林については、学校での収容中に病死した5歳ほどの男児と女児とを描いたエピソードがある。我が子を喪った二人の母親はそれぞれの遺体から離れようとせず、最後には無理やり引き離されてしまう。警防団が監視する中、子どもたちの遺体は近くの松林に埋められた。

八日間の収容が終わっていざK村駅に向けて歩き出すというとき、二人の母親は泣き声をあげながらその松林に向かって突然走り出した。警防団員たちは二人をすぐに引きずり戻し、駅への道を再び歩かせる。このとき若い団員が数えあげ、制服の巡査に伝えた朝鮮人の数は33人だった。蔚山（ウルサン）で船に乗ったときには、おそらく35人だったのだろう。二組の母子はそれぞれかつて島根県と青森県に住んでいて、戦後に一度は朝鮮に帰還し、そののち「密航」での再渡日を選んだとされている。亡くなった子どもたちは日本生まれかもしれない。そんな人々が「密航者」だと名指され、捕らえられ、送還させられた。

朝鮮人たちを最初に捕まえ、学校の講堂に監禁し、K村駅まで移送した地域の「警防団」についても触れておこう。警防団は１９３９年に各市町村の単位でつくられた防空や消防のための住民組織で、地域の人々が警察の指揮下で様々な治安活動に従事した(9)。山口県では同年に211もの警防団が結成され、団員数は4万2千人超にものぼったという(10)。

この警防団は敗戦後どうなったのか。実はすぐにはなくならなかった。もはや防空の必要はなく、１９４６年初めにはその任務から防空が削除された。だが翌１９４７年に廃止されるまで、警防団の組織は残り続けていた。だからこそ、１９４６年夏に舞台が設定された「密航者の群」でもまだ、地元の警防団員たちが大きな役割を果たしているわけだ(11)。

尹紫遠は、戦後のこの微妙な時期における警防団の「力」を、次のように描く。

講堂の正面入口に四人、その両側の四つの窓の外に三人ずつ、地元の〈警防団員〉が戦時中そのままの戦闘帽に黒のゲートルを巻きつけて、木刀や竹槍をつき立てている。

〔…〕用便のほかは一歩も外へはゆるされなかった。戦前か戦争中だったら、おそらくこれらの朝鮮人は竹槍や木刀のよいえじきになったかも知れない。しかし、いまは公のことは一切「進駐軍の命令」にしたがうだけだった。だから日本人には、この密航者共(ども)の朝鮮人が何ともいまいましい限りだった。

（尹紫遠「密航者の群」34頁）

警防団は収容された人々の監視を任されており、朝鮮人たちが校庭の向こうの便所に行く際にも二人の団員が一緒についていく。「なまいき言いやがると、承知しねえぞ」と声を荒らげることもあるが、だからと言って思いのままに手を出すこともできない。進駐軍の支配下で、日本の警察や警防団員たちの力は大きな制約を被っていた。朝鮮人たちをK村駅に移送すべき具体的な時刻すら、かれらはその直前まで知らせてもらえない。

山陰本線の沿線各地で朝鮮人たちを拾い上げながら南下してきた臨時列車。その7両目に、K村の33人もまた押し込まれた。南に向かう列車の中では、隣の車両の窓から逃げ出した朝鮮人に対して、占領軍の兵士が軽機関銃で発砲する一幕もあった。「タタタタタッタタタタタッタタタタタッ」。下関駅に着いた頃には、すでに深夜の0時を回っていた。

下関での感染拡大

山口県の各地から列車で下関に集められた「密航者」たちは、博多(はかた)や佐世保(させぼ)の港に移送され、そこから朝鮮へと送還されるはずだった。だが、そうはならなかった。

安景俊(アンキョンジュン)たちは深夜に下関駅に到着したのち、下関水上(すいじょう)警察署へと移送された。その直後、蔚山(ウルサン)からの船に同乗していた30代前半の男が突然うめき声をあげ、床に倒れ込み嘔吐(おうと)し始める。駆けつけた医師は、症状を見て「コレラです」と警官に告げた。医師は夫にしがみつく妻を引き離し、男を自動車に乗せて運び去った。病院で隔離するためだ。

水上署ではすぐに消毒が始まる。朝鮮人たちは眠ることもできず、朝の4時過ぎに署から叩き出され、かつて関釜連絡船の待合室だった建物まで徒歩で移送された。朝日が昇る頃には、数時間前に同じ臨時列車に乗っていた人々が再び集合していた。その数950人超。かれらはコレラ感染の可能性を持つ一群として、この建物に隔離されたのだ。

下関港。中央右の船が関釜フェリー

尹紫遠は、千人近くの朝鮮人がぎゅうぎゅうに詰め込まれた待合室の中で、コレラの感染が日ごと広がっていくさまをじっくりと描いた。そこには患者を隔離するのに必要な設備などなく、急ごしらえでしかない仮の便所に、症状が発覚した人々を次々と横たえていくしかなかった。終わりの見えない収容は十日近くも続き、その間に50人以上もの患者がここで発生する。

1946年6月12日、GHQは「日本への不法入国の抑制に関する覚書(SCAPIN(スキャッピン)1015)」を出した[12]。蔚山からの密航船が出発した6月下旬の直前に出されたこの指令は、朝鮮におけるコレラの感染拡大を背景に、日本の港に許可なく入港しようとする船を見つけ、捕らえ、その乗員や積荷とともに、仙崎（山口）、佐世保（長崎）、舞鶴（京都）の港まで回航し、そこで米軍当局に引き渡せと日本政府に対して指示するものだった。乗員は上陸させることなく、船ごと直接持ってこいというわけである。

だが現実には、船に乗っている状態で全員を捕らえられるわけではない。蔚山から来た30数人のように、地上で捕らえた人々はどうすればいいのか。海から近い学校の講堂に一旦収容し、八日後に下関駅まで移送し、そこでコレラが発生した。これが尹紫遠の描写だ。

現実にも同様の事態が起きていたのだろうか。当時発行されていた下関のローカル紙を読んでいくと、1946年7月30日付で、「留置中の密航鮮人（ママ）が疑似コレラ發病す」という見出しの記事があった(13)。手書きでガリ版刷りの『関門報知』という新聞だ。

なお、「疑似コレラ」とは、確定診断はまだ出ていないものの、急性の下痢などコレラ感染が疑われる症状が認められるという意味だ。その後、検便でコレラ菌が検出されれば「真性コレラ」との診断が下される。

> 近時北浦方面への鮮人（ママ）密航者が続々と上陸し下関水上署ではこれが取締りに大童であるが　それにもかかわらず毎日二、三百名の上陸者があり　小串署で逮捕したものだけでも数千名に登り　収容しきれず昨　廿九日　四百四十名を下関に連行し　陸署に二

三〇名 水上署二一〇名収容したが その中陸署収容中の××××、×××××、×××
×、×××の四名が疑似コレラ発生 水上署でも五名発病し××××（四）は今朝死
亡 両署では取敢ず消毒を実施するとともに 被患者（□□）を隔離する事となった。

〔引用文中「□」は判読不能、「×」は人物名を伏せた箇所を指す、以下同〕

同じく7月30日付の別の地元紙、『防長新聞』の記事はこう始まる。「豊浦郡北浦一帯の沿岸に毎日の如く上陸する密航鮮人は、所轄小串署で各地警防団の協力を得て片端から逮捕している」[14]。やはり、当時は警察と警防団とが協力して取締りにあたっていたのだろう。この記事は、7月25日までの逮捕者数が1862名、拿捕船が12隻であったことや、小串署に400名近くの朝鮮人が収容された状況も伝えている。同署ではコレラ感染の疑いが出たり、出産する女性がいたりで、「文字通りの戦場の如き騒ぎである」とも。

この時期、小串署の施設だけでは管轄地域で捕らえた人々を収容しきれず、その一部を各地域の学校などで収容したり、まとめて下関に移送したり、といった対応を取っていたのかもしれない。『関門報知』には早くも翌7月31日に続報が出ていた。

昨報、下関水陸両署に留置中の朝鮮人逆密航者五百九名中 疑似コレラ患者発生し、
□本日午前十時迄眞性十二名、外に死亡者七名に達し 尚続出するものと見られ 両署
は市と協力、防疫に大童である

収容者の総数が1日で440名から509名に増え、患者や死亡者が続出する様子を伝えている。その後、8月2日の記事では、死亡者が12名、16日には20名にまで増えたものの、症状が回復した24名が仙崎港にトラックで送られたことも合わせて書かれていた。

当時の地元紙が伝えた下関の様子と、尹紫遠が描いたシーンはとてもよく似ている。だが、当時の新聞をつぶさに読んでも、「密航者」たち自身の言葉はそこに存在しない。

私が今、1946年について得られる情報は決してニュートラルではない。そこには「書く者」と「書かれる者」との非対称性が埋め込まれている。あるいは、「恐れる者」と「恐れられる者」、「迷惑がる者」と「迷惑がられる者」との非対称性が埋め込まれている。

だからこそ、尹紫遠が書いた意味は大きい。「密航者」として対象化された人々自身はそのとき何を感じていたのか。何を思っていたのか。飢え。におい。のどの渇き。感染の恐怖。死の恐怖。家族と離別する恐怖。家族の死の恐怖。こういう機微を、尹紫遠は描いた。

誰もが生き延びたい。家族と一緒にいたい。その同じ目的のために、症状を隠そうとする者もいれば、できるだけ早く患者を見つけ出そうとする者もいる。緊張は不可避だ。

あるいは、ここまでの過酷な経験をしてもなお日本にとどまりたいのか、朝鮮に戻るべきなのか、その狭間での葛藤もある。「どうせ死ぬなら朝鮮の土の上で死にたい」という感情もあれば、朝鮮で「密航」の失敗者と見られたくないという「見栄や虚栄心」もある。(15)

朝鮮では得られなかった生活の糧をなんとか得なければという執念。あるいは、日本で自分が生まれ育った場所の風景をもう一度見てみたいという念願。そして、どこまで悩んだところで、結局のところ自分で決められる余地などほとんど残されていないという現実。

尹紫遠はこれら一つひとつを作品に書き込んだ。そのすべてが彼の中にもあっただろうか。それとも彼も、想像したのだろうか。すぐ隣の運命を生きた「密航者」たちの思いを。同じ待合室の中で、毎日少しずつ数を減らしていく千人近くの人間。かれら一人ひとりには名前があり、背景があり、日々揺らぎ続ける感情があった。尹紫遠のテクストは、かれらを「群」ではなく「個」として見ることを迫る。そして、かれらを都合の悪い「群」としてのみ眼差し、うまく処理して済ませようとする、力のありかを直視することも迫る。

仙崎港の朝鮮人たち

「密航者の群」の終着点は仙崎だ。蔚山（ウルサン）の日山津（イルサンジン）を出航して三日三晩の漂流、K村の小学校での八日間の収容、そして下関でも十日間近くの収容、そこから「ふとった進駐軍の高官」が日本の警官に指示し、最後に列車で送られた先が山口県北部の仙崎港だった[16]。

なぜ仙崎だったのか。それは、仙崎が朝鮮や中国、「満洲」などから引き揚げる日本人を受け入れ、同時に日本から朝鮮に帰還する人々を送り出す港だったからだ。下関が機雷で利用不能になったことで、人口9千人の小さな港町が歴史的な役割を果たすことになった。

現在の仙崎港には「海外引揚げ上陸跡地」の看板が設置されている。「昭和二十一年末、仙崎が引揚げ港の役割を終えるまで、この港に上陸した人々は約四十一万四千人、ここから朝鮮に帰った人々が約三十四万人、大混乱の一年余りでした」。戦後の人口移動がどれほど巨大なものだったか、今となっては想像するのも難しい。1945年8月、「内地」には約200万の朝鮮人がいたとされるが、翌年3月までには140万人もが日本を離れていた。[17]

仙崎は長門市の中心部から日本海に向けて、細長く突き出すような形をしている。下関駅から山陰本線を北上し、長門市駅で支線に入り、そこから一駅進むと終点の仙崎駅に着く。線路はそこで途切れていて、その先には仙崎湾が広がり、青海島（おおみじま）もすぐ目の前にある。

1946年7月、仙崎で列車を降りた安景俊（アンキョンジュン）たちの目に入ったのは、「引揚船の順を待つ何千人もの朝鮮人のむれ」だった。朝鮮に帰還する船を待つ人々が、まだ残っていたのだ。かれらは密航に失敗した朝鮮人たちを「恥っざらし」と罵倒し、殴りかかりもした。

誰もこの日本へ密航しようなどと想像さえしなかった。彼らは解放！独立した母国でその生涯の生活をたのしもうと、何十年もかかって築きあげた日本での生活条件をいっさいふりすてて、母国のふところにとび込んで行った。だが、血をおどらせた彼の歓喜のむくいは、失業であり、飢えであり、（いままで日本にいたやつらが）という肌にしみる冷たい扱いだった。だから「いまにてめえたちにもわかるんだから」と言ってやりたい共通の気持ちをもっていた。

（尹紫遠「密航者の群」77頁）

自分たちも数か月前まではかれらと同じだった。日本を離れて朝鮮に行けばより良い生活があると思っていた。だがその望みは成就しなかった。だから戻ってきた。

仙崎駅

双方向の巨大な移動を記した仙崎港の看板

しかし、今や日本に戻るという新たな望みすら潰えてしまったようだ。自分たちは目の前に浮かぶ「アメリカ軍用船」で送還されるだろう。命がけの「密航」は失敗に終わった。だが、その後の展開はかれらの予想を裏切ることになる。船はぴくりとも動かなかった。始まったのは送還ではなくコレラの防疫だった。再び、終わりの見えない収容生活だ。この巨大な隔離施設に乗せられた朝鮮人は893人。下関での収容時に比べて50人ほど少ない。

進駐軍の士官、そして日本人の医師から伝えられたルールはこうだ。893人全員が毎日検便を受ける。そしてコレラの保菌者が一人もいなくなり、その状態が2週間続かなければ「お国へはかえれない」。検便は午前10時ごろから。一度に6人が横に並び、医師や看護師が細長いガラス製の検便棒を使って便を採取する。この繰り返しだ。

尹紫遠は仙崎のシーンにおいても、徹底して収容された人々の側から物語を展開する。毎日ガラスの棒で検査をされる側。有無を言わさぬ指令に従わざるを得ない人々の経験だ。K村や下関での描写と同じように、そのディテールには驚嘆させられる。

しかし、同じことを別の角度から言うと、尹紫遠は「船から出られない人々」の視点からしか仙崎を書いていない。つまり、陸にいる占領軍の兵士、引揚げ関連の業務に従事する人々、船と陸地とを行き来する医師などから見た仙崎は、彼の話には出てこないのだ。

そこではどんな情報が欠落するか。私が重要だと思うのは、同時期に仙崎の陸地で収容されていたはずの朝鮮人たちについての記述が、「密航者の群」には見られないことだ。

これは、先ほど出てきた「朝鮮への帰還を待つ人々」のことではない。安景俊（尹紫遠）

と同じ頃、同じようにして日本への（再）渡航を試み、「密航銀座」の周辺などで捕まった人々が、当時の仙崎には「船上」だけでなく「陸上」にも数多くいたはずなのだ。

歴史学者のテッサ・モーリス－スズキは、イギリス連邦占領軍（ＢＣＯＦ）の史料などを渉猟し、当時の朝鮮人たちが決して持ち得なかった俯瞰的な視点から、かれらが置かれていた状況を次のようにまとめている。「密航者の群」と同じく、１９４６年７月の話だ。

逮捕された移民は仙崎や佐世保の収容所でも苦悩を強いられたにちがいない。朝鮮に戻される前にそこへ送られるのである。一九四六年七月上旬、ＢＣＯＦの担当者は「仙崎の収容所にいる人数は、逃走や混乱を防止するために設置された囲いの広さを超過しており、朝鮮へ送られる人々で一杯である」と報告している。二十日には四百人が収容できる施設に「五百人の合法的移民と千五百人の不法移民」の二千人が留め置かれ、「きわめて無理のある」状況だと記されるようになる。最終的にその人数は月末には三千四百人にも膨らみ、うち千人は仙崎港の船に留置されることになった。(18)

同じ朝鮮人の中に、「合法的移民」から区別された「不法移民」たる密航者たちがいた。その中には、コレラの感染リスクを理由に海上隔離された人々もいれば、陸上の施設に収容された人々もいた。尹紫遠が書いたのは、前者の海上にいた人々の経験だったのだ。

「密航者の群」が描写する通り、尹紫遠自身が列車から降りてすぐに米軍船に隔離されたと想像してみよう。もしそうだとすれば、仙崎の陸地がどんな構造をなし、どこに誰がいて、それぞれの場所がどう機能しているか、当時の彼には詳しく理解することなどできなかったはずだ。

では、尹紫遠が描か（け）なかった人々、つまり「陸上にいた密航者たち」は、仙崎の中の一体どこにいたのか。かれらは密航者専用の収容所に閉じ込められていた。それは、検疫所などがある港の中心部から少し南の海沿いにあったようだ。当時、下関引揚援護局仙崎出張所の職員だった萩原晋太郎は、「牢屋のような朝鮮人収容所[19]」についてこう回顧している。

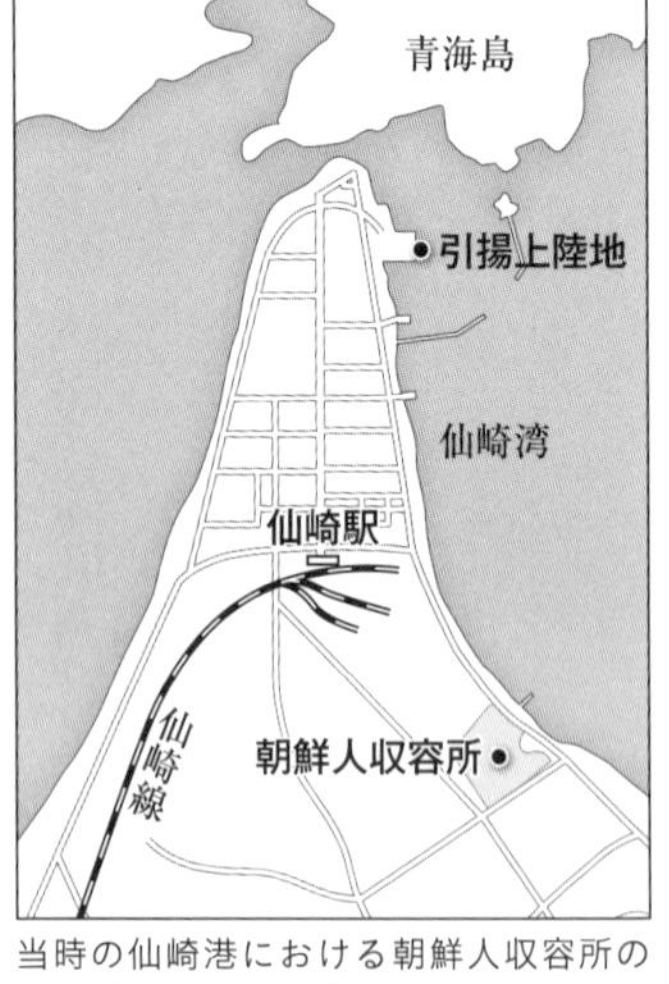

当時の仙崎港における朝鮮人収容所の位置（萩原晋太郎『さらば仙崎引揚港』5頁の略図をもとに作成）

> 四六年六月から占領軍の指令で、陸軍需品本廠仙崎出張所倉庫の一部が改造されて、密航朝鮮人拘禁所となった。木造杉皮葺き平屋九棟、五〇七坪であった。まわりには鉄条網が張りめぐらされた。窓に桟を打ちつけた建物は、芝居に見る江戸時代の小伝馬牢を思わせた。〔…〕共同便所の刺すようなアンモニアの臭いと、消毒用石炭酸の臭いがただよっていた。板張りの大部屋に坐る彼らは、着のみ着のままであった。[20]

一坪は概ね畳2枚分の広さなので、507坪は千畳ほどになる。とはいえ、そこに2千人、3千人もの人々を無理やり収容すればどうなるか。モーリス－スズキが引用するニュージーランド兵の回想によれば、「男も女も子どもも群がっており、一つの建物に三百人以上押し込まれて、鍵がかけられる〔…〕。悪臭が鼻を突き、寝ている光景は見るに堪えない」[21]。ここまでの情報を集めてようやく、私は尹紫遠が記した次の情景の意味を、もう少し深く理解できた気がした。

仙崎の海岸は夕ぐれにつつまれていた。まっ蒼な湾のむこうに青海島が涼しげに浮きあがっている〔。〕引揚船の順を待つ何千人もの朝鮮人のむれが、海岸いったいを占めた臨時収容所の内外に白く、ごった返っている。

（尹紫遠「密航者の群」76頁）

この文章を書いた彼自身には、一体どれほどのことが見えていたのだろう。そのことについて、私は想像する。

どれほどのことまでが見える場所に、彼は立っていたのだろうか。

1946年のコレラ禍

1946年は日本で久々にコレラが大きく流行した年だった。私のここまでの文章は、その最大の原因が「朝鮮人の密航」だと思わせてしまったかもしれない。だが、どうやらそうでもなさそうだということをここでは書いておく。国立予防衛生研究所（国立感染症研究所の前身）で所長を務めた福見秀雄は、次のように記した。

昭和二一年即ち一九四六年にコレラが大挙来襲する。この年は第二次大戦の終戦の翌年、大陸と西南太平洋からの引揚ないし復員の最も活発な時期である。しかもこの時の引揚および復員は概してコレラの常在地かあるいは流行地からのものが多くかつ未曾有の大集団が短期間に不衛生でしかも混乱した状態で移動するのであるから、それによるコレラのわが国への持ちこみはいわば当然の話である。そしてその最初のコレラ船の入港したのは浦賀〔神奈川県横須賀市〕であった。[22]

1946年のコレラ禍の主因は、日本人による大規模な引揚げだった。GHQの公衆衛生福祉局長だったクロフォード・F・サムスも、「終戦直後に始まった六五〇万人にものぼる復員・引揚げなどによりコレラが海外から日本にもちこまれた[23]」としている。

厚生省援護局の記録では、敗戦から1946年末までの1年半弱で、500万人以上もの人々が引揚げを完了している。[24] 同年に警察が検挙したとする「密入国者」は2万人弱（1万9111名、強制送還は1万5925名[25]）で、日本入国の規模としては文字通り桁が違う。

引揚船コレラ発生の中心となったのは浦賀で、しかもその大部分は四月中に起こったので大きな混乱をもたらした。〔…〕四月四日から四月二七日の三週間余りの間に到着した引揚船数は二四隻、その被検疫員数は合計して約九一、〇〇〇人、うち一九隻がコレラ船であった。〔…〕占領軍の指令により海上引揚船内停留隔離法が採用されたので、引揚者たちは狭い船内に閉じこめられ、食料、飲料水、雑用水が欠乏し、引揚者の低下した健康と相まって、船内でのコレラ発生が起こった。(26)

東大医学部教授だった山本俊一(やまもとしゅんいち)の記述だ。1946年夏の仙崎より何か月も前に、東日本の浦賀で圧倒的な数の日本人引揚者たちが海上隔離の措置を受けていた。

最初に浦賀に入港したコレラ船は、同年3月末に中国の広東(カントン)を出港したリバティ型のV075号だった。そこには4038人が乗っていて、出航時はコレラを疑われる患者がまだいなかった。だが、4月5日に浦賀港に入るまでに患者が多数発生し、3人が立て続けに死んだ。「最も混乱を極めた」4月中旬には、浦賀港沖にV075号と同様のコレラ船が13隻も並んでいたという。(27)

GHQの司令に「コレラ」が初めて現れたのがこのと

仙崎港

きだった。最初のコレラ船が浦賀に入った翌日、「引揚人中のコレラに対する検疫措置に関する覚書（SCAPIN865）」は、中国からの引揚者によるコレラの持ち込みを迅速に防止するための措置を取るよう、日本政府に対して指示している。

GHQが示したルールはこうだ。コレラ船は浦賀か佐世保にしか入港させてはならない。誰かが泳いで逃げたり、汚物が流れ着いたりしないよう、船は岸から十分離れた位置に停めなければならない。そして保菌者がゼロになっても、14日間は船上での隔離を続けなければならない。

1946年の夏に仙崎の朝鮮人たちが服したルールは、同年4月の浦賀での大規模な検疫措置の延長線上にあったのだろう。だが、日本人と朝鮮人の間には明らかな違いもあった。それは、検便でのゼロが14日間続いたあとの処遇だ。日本人は上陸を許され、朝鮮人は強制送還される。

同年8月9日、GHQはコレラを理由に、仙崎での引揚者の受け入れを停止するよう日本政府に指令した（SCAPIN1116）。健康な者のうち日本人は家へ、「朝鮮人不法移民」は船で佐世保に送ること。コレラ患者は仙崎で隔離をし、検疫をクリアした者から日

米軍船からの深夜の脱出後、翌朝に泳ぎついた青海島の海岸線。「密航が〔狩〕りの目はこの島にもひかっているはずだ。早くかくれ場を見つけなければならない」（「密航者の群」128頁）

本人は家へ、「朝鮮人不法移民」は列車で博多に移送して朝鮮へと送還すること――。「仙崎の湾に隔離されてもはや一ヶ月半[28]」が過ぎた「八月中旬」と、そう尹紫遠は書いた。「あした、佐世保行は確実らしい」との情報を耳にした安景俊（アンキョンジュン）は、船からの脱出を決意し、その日の深夜にそっと海に降りて、青海島のある岸を目掛けてついに泳ぎ出した。

この1か月後の9月14日に、尹紫遠自身の日記が東京で始まる。8月30日には東京に辿り着いていたことも、日記の中には書き残されていた。

> その後元気か。一体君は今どこにゐるのだらう。未だ舟の中に苦労してゐるのだらうか、それとも朝鮮に帰って釜山か大邱（テグ）あたりにゐるのだらうか。
>
> （「尹紫遠日記」1946年9月23日）

蔚山（ウルサン）での出航から仙崎の米軍船まで、尹紫遠はずっと、実は一人ではなかった。彼は妻の金乙先（キムウルソン）といた。「舟」に残した「君」に、「必ず一年以内にむかえに行く」と夫は約束した。二人がどこまで強くその未来を信じていたかはわからない。だが、占領下の日本と朝鮮での厳しい境界管理、その中での「密航」の成否は、夫婦の間を永遠に引き裂いた。

尹紫遠が着のみ着のままでどうにか東京に辿り着いた頃、妻はただひとり「送還」されていた。彼女の「その後」を想像するためにも、本書の道のりは「その前」の時代へと遡る（さかのぼる）必要がある。尹紫遠が生まれ、金乙先が生まれた、植民地期の朝鮮半島に。

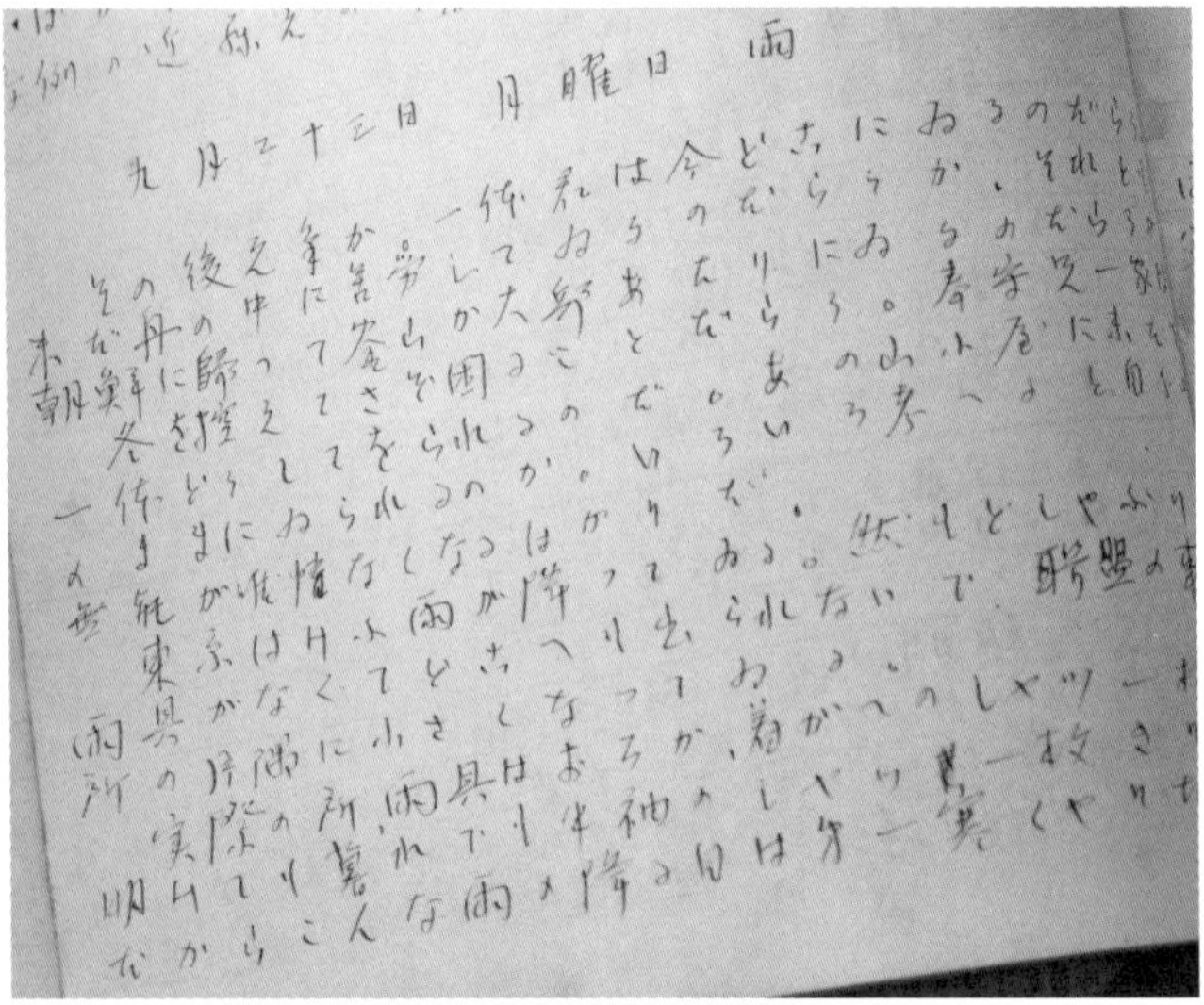
九月二十三日　月曜日　雨

東京に辿り着いた直後の尹紫遠の日記。1946 年 9 月 23 日（月曜日、雨）。「その後元気か」、「未だ舟の中に」。長女の逸己（いつこ）には、子どもの頃に、父から「頭にたばこを括りつけて海を泳いできた」という話を聞いた記憶がある。その言葉が何を指していたのか、今では知る由もない

第1章　植民地の子ども

本章では、時計の針を35年分巻き戻して、尹紫遠（ユンジャウォン）が生まれてから「密航」に至るまでの時代（1911－46年）を扱う。章のタイトルを「植民地の子ども」としたように、その35年間は、朝鮮の植民地期（1910－45年）とほぼぴったり重なり合っている。

重要なことに、彼はその頃まだ「尹紫遠」という戦後の筆名を持っていなかった。そのため、この章では主に「尹徳祚（ユントクチョ）」という本名で、彼のことを呼びたい。

尹徳祚は1911年に蔚山（ウルサン）の江陽里（カンヤンニ）で生まれた。彼が生まれてからずっと、朝鮮は日本の植民地支配下にあった。徳祚は朝鮮に国旗があったことも、ずっと知らなかった。

当時の多くの朝鮮人農民たちの例に漏れず、徳祚の家族も、朝鮮総督府の土地調査事業（1910－18年）によって土地を失った。やがて家族は離散し、土地だけでなく、住んでいた家も人手（ひとで）に渡っていく。

勉強をしたくても学校に通えず、職業を選ぶ余地はもとよりなく、貧困からも容易に抜け出せない。徳祚は少しでもましな生活を求めて、朝鮮と日本の間を行き来することになる。ただし、その移動は、渡航制限が課された不自由なものだった。

海を越える移動には、下関（しものせき）港と釜山（プサン）港を結ぶ関釜（かんぷ）連絡船が使われた。徳祚が12歳で初めて玄海灘（げんかいなだ）を越えたときも、一時帰郷のときも、そして戦争末期に東京を離れたときもだ。

だが、大きな連絡船ではなく、小さな発動船での「密航」となった1946年夏の渡日だけは、釜山ではなく、故郷の蔚山が出発地となった。

本書全体を構想するにあたり、私たちは２０２３年の1月から3月にかけて、当時の尹徳祚とその家族が暮らしたり足を踏み入れたりした土地へと、実際に行ってみた。

尹徳祚の故郷、幼い頃に母と手をつないで訪れた場所、父母が眠る地、在朝日本人が闊歩(かっぽ)した朝鮮の町、日本の中の朝鮮人集住地、「密航」の出発地と到着地、戦後に家族と暮らした町、子どもたちが通った学校（の跡地）などである。

本章が対象とする植民地期から敗戦／解放直後の時代に限っても、その範囲は朝鮮半島南東部の蔚山から、釜山、下関を経て、横浜、東京にまで広がる。徳祚自身が実際に行くことはなかったが、可能性としては行き得た地――長崎の佐世保(させぼ)や大村(おおむら)など、海に接する収容所のあった／ある場所など――にも足を運んだ。釜山にはもちろん飛行機でも行けたが、植民地期の徳祚にならって、下関港から関釜フェリーで海を渡ることにした。

関東周辺（東京、埼玉、横浜）をめぐった際には、徳祚の長男である泰玄(テヒョン)にも同行いただいた。西日本や韓国を訪れる際にもお誘いしたが、体調面から実現しなかった。そのため、徳祚の幼少期から青年期、彼が朝鮮と「内地」との間を何度も行き来した時代を扱うこの章は、まだ父の故郷を訪れたことがないという泰玄への報告も兼ねている。

１９１１年の誕生から、１９４６年夏の「密航」まで。本章では、「尹紫遠(ユンジャウォン)」が戦後日本で発表した自伝的作品に登場する人々の足跡に、２０２３年の私たち自身の旅を重ね合わせながら、「大きな移動」が続いた「尹徳祚（ユントクチョ）」の前半生を辿る。

直接の舞台となるのは朝鮮と日本だ。だが、そこかしこにソ連（ロシア）、アメリカ、中国、「満洲」の存在が見え隠れする。幼い徳祚が見た捕鯨（ほげい）船にも、関釜連絡船にも、妻と飛び乗った夜行列車にも。そして、命がけで越えた38度線にも。

徳祚が初めて日本に行ったのは１９２４年の4月だった。12歳、勉強して弁護士になることを夢見ていた。だが、それが到底無理なものだと悟るのに時間はかからなかった。

それから15年後。父母はこの世を去り、帰るべき家もなくなった。久しぶりに故郷を訪れた徳祚は、朝鮮の荒れ果てたさまに衝撃を受け、魂の救いを求めて短歌の世界に没入していく。そして、１９４２年に自伝的色彩の濃い歌集『月陰山（タルムサン）』を刊行した（ほぼ注目されてこなかったが、朝鮮人による最初の歌集とされる）。

下関で最初の結婚をしたのもちょうどその頃だ。１９４４年、戦局が厳しくなる中、徳祚は20年近く住んだ東京を妻とともにあとにする。１９４５年8月の日本の敗戦は、朝鮮北部の兼二浦（キョミポ）で迎えた。ついに朝鮮は解放された。では、これからどこでどう暮らすのか。すでにソ連軍が占領を始めた朝鮮北部にとどまるのか。それとも米軍の支配下にある故郷に戻るのか。もはやそこには家も土地も家族もないのに？　あるいは、人生の半分以上を過ごした日本でなら生き延びられるだろうか。

１９４６年夏の「密航」は、このような迷いの末にあった選択であり、結論でもあった。この章では、そこに至る過程を描き出していく。

第1章

植民地の子ども

「密航」の出発地、蔚山（ウルサン）・日山津（イルサンジン）（現・日山洞（イルサンドン））の入り江を蔚山大橋展望台から見る

1　朝鮮　1911–24

鯨のまち長生浦

2023年3月初めの土曜の昼下がり。私たちは観光客でごった返す韓国・蔚山(ウルサン)広域市の長生浦(チャンセンポ)にやってきた。タクシーを降りると、潮風が顔にまとわりつく。海沿いに建てられた3階建ての長生浦鯨(くじら)博物館は、韓国唯一のクジラの博物館だ。鯨の骨格、頭骨、ヒゲ、鯨油(げいゆ)の搾油設備、そして蔚山の捕鯨(ほげい)史に関する史料などが展示されている。

隣接する鯨生態体験館は、4D映像館、海底トンネル、沿岸海水族館からなる。海のほうには、ホエールウォッチング用の観覧船乗り場、「キャッチャーボート」と呼ばれる砲台つきの捕鯨船、韓国初の国産潜水艦である蔚山艦が見える。

街なかを鯨モノレールが走り、少し歩いたところには1960年代、70年代の町並みが再現された鯨文化村が広がる。博物館向かいの鯨肉(げいにく)専門店の前には、行列ができていた。長生浦は2008年に鯨文化特区に指定され、観光地化を進めてきた。コロナが収束に向かい、客足が戻ってきたのだろう。それにしても、違和感を覚えるほどの賑わいぶりだ。調べてみると、これは『ウ・ヨンウ弁護士は天才肌』人気によるものらしい。自閉スペクトラム症の女性弁護士が活躍する、ネットフリックスで配信されたドラマだ。鯨好きのウ・ヨンウのおかげで、２０２２年には開館以来最多の訪問客数を記録したという[1]。

蔚山沖には、秋にはナガスクジラが、冬にはコククジラがやってくる。コククジラの回遊域は広く、海南島（かいなんとう）から北サハリンにまたがる。そこは、現在では中国、日本、韓国、朝鮮民主主義人民共和国、ロシアの領海として分割されている。

鯨たちが悠々と泳ぐ海の周りで、人間たちは向こう岸の人々と交流したり、覇権を争ったりしてきた。20世紀になると、よりよい暮らしを求めて、あるいは生き延びるために、向こう岸へと渡る人々が大量に生まれた。その途中で海に沈んだ人々も数知れない。

長生浦から西に15キロほど行くと、大谷川（テコクチョン）の岸壁に彫られた盤亀台（パングデ）岩刻画がある。そこには亀、虎、鹿、鳥などの動物や、船、網、銛（もり）などの道具等、約300種の絵が描かれているが、そのうち53点は鯨と捕鯨に関するものだ。この地に太古の昔から捕鯨文化があったことを物語っている。

1946年の「密航」の出発地となった日山津は、長生浦や方魚津（パンオジン）にほど近い

その後いつからかは不明だが、朝鮮では捕鯨の伝統は久しく途絶えていた。それが復活したのは、日本とロシアによる朝鮮をめぐる利権争いの渦中でのことだ。

日本は19世紀後半から鯨の不漁に陥っていた。アメリカをはじめとする外国との競合などが原因だった。明治政府は1897年に遠洋漁業奨励法を制定し、大型沿岸捕鯨を可能にするための法整備を急いだ。

一方ロシアは、1899年に大韓帝国政府と協定を結び、長生浦、馬養島(マヤンド)などに捕鯨基地を設けていた。ロシアが一足先に取り入れた最新のノルウェー式砲殺(ほうさつ)法は、キャッチャーボートから炸裂弾と銛を取付けたロープつきの弾体を発射して鯨を殺傷し、捕獲する近代捕鯨法だ。

それは、かつて40隻の船と400人を超える人数で数段階にわたる長時間のプロセスを経て鯨を仕留めていたのが、「一門の捕鯨砲による一瞬の砲撃で終了してしまうことになった」[2]ほど画期的なものだった。が、同時に海洋生態系に破壊的な影響を与えるものともなった。新技術を手に入れたロシアは、長崎に鯨肉を大量に輸出するなど、日本の捕鯨業界に大打撃を与える。[3]

すべてを変えたのは日露戦争だった。1904年8月に上村彦之丞(かみむらひこのじょう)中将率いる第2艦隊が黄海(ファンヘ)海戦と蔚山沖海戦でロシア海軍を撃退すると、日本は朝鮮沿岸の制海権を掌中に

キャッチャーボート「第6普陽号」。長生浦鯨博物館にて。韓国政府は1986年に商業捕鯨を禁止した

収めた。このとき、ロシアのキャッチャーボートのほとんどが日本海軍に拿捕（だほ）された。日本政府からこれらの拿捕船の払い下げを受け、漁業成績を飛躍的に向上させたのが、日本遠洋漁業株式会社（のちに東洋捕鯨会社、日本水産、ニッスイと変遷）である。1899年に山口県の仙崎（せんざき）で創業された会社だ。

サバの缶詰や冷凍食品で知られるマルハニチロも、ニッスイと同じく、日露戦争の勝利を足がかりにして発展した水産会社だ。2007年の経営統合まではマルハとニチロという別々の会社だった。

ニチロの前身のひとつである日魯（にちろ）漁業会社は、まさにこの戦争にちなんで名づけられている。1905年の日露講和条約であるポーツマス条約で、同社（当時の名前は堤（つつみ）商会）は北洋漁業の創業権を獲得し、ロシアのペトロパブロフスク・カムチャツキーに漁業基地を設置した。

もう一方のマルハの創業者は、1880年に鮮魚仲買運搬業を始め、動力運搬船や捕鯨業で財を成した中部磯次郎（なかべいそじろう）だ。日露戦争後の漁業植民政策の結果、蔚山の方魚津（パンオジン）に日本人漁民が入植したのを期に、そこを運搬船と漁船の根拠地にして繁栄した。

中部は1924年に林兼（はやしかね）商店を創立し、その社名が西大洋漁業統制、大洋漁業、マルハと変わっていった。1949年にはプロ野球の大洋ホエールズ（横浜DeNAの前身）を創団している。中部は敗戦直後に、捕鯨の早急な再開をGHQに進言した人物でもある。安くて栄養価の高い鯨は、1970年代まで日本の学校給食でもよく提供された。(4)

ポーツマス条約の締結から2か月後、日本は第2次日韓協約（韓国保護条約）により伊藤博文を統監として韓国統監府を設置し、朝鮮の外交権などを掌握した。事実上の植民地化の完成である。下関と釜山を結ぶ関釜連絡船が就航したのは、そのわずか6日後のことだ。日本の捕鯨漁場はその後、朝鮮海域、土佐、紀州、房総、陸前に広がり、1920年代以降には、「樺太」、奄美、「南千島」、「関東州」、朝鮮西岸、台湾、小笠原、「北千島」へと拡大した。日本人漁民たちが、鯨たちの回遊の経路に合わせて移動するようになった。

幼い日の徳祚は、結婚した姉が住む長生浦に遊びに行き、東洋捕鯨会社（現・ニッスイ）による捕鯨の光景を目撃している。１９２０年前後のことだ。

> 毎年九月ごろになると捕鯨船団がやって来た。東洋捕鯨会社の作業場もここにあった。キャッチボート［キャッチャーボート］の舷側に巨大な鯨を仕止めてかえる光景に私たちはどれほど驚異の目をみはったものだろう。血のしたたる鯨の肉（公には持ち歩けなかった）をふろしきにつつみ夜道を急いだこともなつかしい。
>
> （尹紫遠「わがふるさと・蔚山　江陽の鳳根山」795頁）

徳祚はこのとき鯨肉を土産に持ち帰ったが、それは「公には持ち歩けなかった」。つまり、日本人の目に触れないようにしなければならなかったのだ。朝鮮での捕鯨では、地元の朝鮮人たちが危険な重労働を担う安価な労働力として雇用されていた。

捕獲した鯨の解体作業も朝鮮人の仕事だった。おそらく義兄（姉の夫）とその家族もそういった労働者として働いており、解体したての肉をこっそり徳祚に持たせたのだろう。

方魚津の日本人町

方魚津（パンオジン）には二度行ったことがあるが、至るところが魚の山であり、コワイ日本人ばかりが印象に残っているだけだ。私たちの少年時代は「日本人」ときくと恐しくてふるえ上ったものだ。

（尹紫遠「わがふるさと・蔚山　江陽の鳳根山」795頁）

防波堤築造記念碑。方魚津の日本人たちが1928年に設置した

長生浦（チャンセンポ）の鯨博物館から方魚津までは、太和江（テファガン）にかかる蔚山（ウルサン）大橋を渡って車で20分ほどだ。徳祚が訪れた頃には渡し船が往来していたのだろう。

かつて方魚津はサバ漁業の最大の根拠地として栄えた。町には日本式の遊郭（ゆうかく）、浴場、商店、酒屋などが立ち並び、正月には通りにお金が落ちていたというほど賑わった。

明治政府は１９０８年に、韓国通漁法、日韓漁業協定を立て続けに制定・発布した。これにより朝鮮漁場の独占を確保し、日本人漁民の朝鮮移住を促進

方魚津港

した。翌年、福岡県筑豊水産組合が方魚津に移住漁村30戸を建設した。1920年代前後には、日本人漁夫だけで3千人がこの地に住んだ[5]。主に島根、福岡、岡山、香川、三重からの移住者だ。子どもだった徳祚は、この日本人たちが怖かった。

私たちは港に停泊している小さな漁船を見ながら海沿いを歩く。人はまばらだ。小さな刺身屋や釣具店が並んでいる通りから一歩路地を入ったところに、かつての日本人町はあった。黒瓦の小さな庇がついた日本式家屋がところどころに残っている。そう広くない町なのに、銭湯の跡地が三つもある。

路地を奥に進むと、真新しいこぢんまりした博物館があった。方魚津博物館だ。2棟ある建物のうちの1棟は、日本家屋がそのまま保存されている。巨額を投じて「敵産家屋」を購入、改装、保存するということで、2021年4月の開館時には韓国内でニュースになった。

昔の写真や地図などの展示物は、私たちにとっては興味深かったが、鯨での町おこしに成功している長生浦とは対照的に、訪問客数が伸び悩んでいるという。

蔚山の市街地

日没が迫る中、周囲が360度見渡せる蔚山（ウルサン）大橋展望台にのぼる。600メートルほどの小高い山々に囲まれるようにして、海沿いにも内陸部にも大小の建物がひしめき合う。先ほど訪れた方魚津（パンオジン）の北のほうには日山（イルサン）海水浴場が見える。さらにその先にあるのは、世界最大の造船所である現代重工業（ヒョンデ）の建物だ。

タクシーで蔚山大橋を再び渡り、蔚山の市街地に入ったときには、だいぶ暗くなっていた。今日泊まるホテルから、豊臣秀吉（とよとみひでよし）の朝鮮侵攻時に加藤清正（かとうきよまさ）が築城した蔚山城までは、歩いてわずか20分ほどの距離だ。

ホテルで教えてもらった店でサムギョプサルを食べた後、ムルフェも食べに行く。蔚山出身の友人に勧められたものだ。ムルフェはもともと済州島（チェジュド）と浦項（ポハン）の名物だという。蔚山の北に位置する浦項も、日本人移住漁村から港湾工業都市へと変貌した場所だ。

運ばれてきた巨大な金盥（かなだらい）には、凍らせたオレンジ色のタレの上に、イカ、白身や赤身の刺身、なまこ、きゅうり、梨などが盛られていた。ムルフェを直訳すると「水のさしみ」だが、そのわりには水気がない。と、店員がおもむろに七星（チルソン）サイダー（日本の三ツ矢サイダーのようなもの）の250ml缶を、刺身などが入った金盥にまるまる注いだ。

大きなスプーンでよくかき混ぜながら、店員は「どうして蔚山なんかに来たのか」と私たちに尋ねる。「観光で」と手短に返答したが、納得がいかぬ様子だった。無理もないかもしれない。現在の蔚山は工業都市のイメージが強く、国外から観光のためだけにやってくる人は多くないのだろう。そういえば蔚山出身の友人も、海沿いの工業地帯の美しい夜景とムルフェの話しかしていなかった。

実は蔚山は、古くから日本と関係の深い地だった。朝鮮王朝期の１４２６年には、日本からの使節を応接するため蔚山に塩浦(ヨンポ)倭館が建設されている。

今は現代自動車の工場敷地となっているこの倭館に、多いときには150人の日本人が居住していた。１５９２年に始まった壬辰倭乱(イムジンウェラン)（文禄(ぶんろく)・慶長(けいちょう)の役(えき)）で焼失してしまうが、その後、関係修復交渉のため、１６０７年に釜山の豆毛浦(トゥモポ)に倭館が再建された。

江戸時代に朝鮮との交易の中心地となる釜山の草梁(チョリャン)倭館は、これが１６７８年に移転したものだ。ここに対馬(つしま)藩の人々が百人ほど常駐した。後述する１８７７年の釜山日本人専管居留地は、この草梁倭館の地をそのまま利用している。

壬辰倭乱の際、加藤清正は蔚山南部の海岸近くに西生浦(ソセンポ)倭城を築いた。徳祚の生家から１キロ強の距離だ。一度目の侵攻後にそこで和平交渉が行われたが、加藤清正軍は3年後の１５９７年に再びやってきて、同じ倭城を拠点に全羅道(チョルラド)、忠清道(チュンチョンド)方面を攻撃した。

この二度目の侵攻で蔚山城の戦いが行われた。朝鮮・明(みん)連合軍を打ち破った加藤清正の「朝鮮征伐」が虎退治の逸話とともに日本の学校で教えられていた戦前、蔚山城は日本人観光客にとって定番の観光スポットの一つとなった。

20世紀初頭に起きた日露間の蔚山沖海戦と、その後の方魚津日本人移住漁村の形成については、先に述べたとおりだ。植民地末期には、山口県の油谷(ゆや)湾と蔚山港を直接結ぶ油(ゆ)

蔚（じょう）航路が計画されたこともあった（この計画を主唱した池田佐忠（いけだすけただ）は、日本の敗戦後に在朝日本人の引揚げ[6]業務を担った釜山日本人世話会の会長も務めた）。

1950年に勃発した朝鮮戦争時には、大勢の避難民が38度線を越えて南下したが、蔚山には5万人以上が押し寄せた。戦争勃発直後に起きた保導（ほどう）連盟事件では、蔚山だけで少なくとも870人の死者が出ている。北の人民軍と合流するのを防ぐため、韓国軍と警察が共産主義者とみなした人々を集団処刑した事件だ。方魚津の海には、そのときに射殺された民間人の死体が大量に投げ込まれた[7]。

第二次大戦後の最貧国の一つだった韓国が、蔚山で工業団地の造成を始めたのは1962年。前年には、満洲国軍中尉だった朴正熙（パクチョンヒ）が、軍部クーデターで権力を掌握していた。

江陽里の老人たち

ムルフェの翌朝、私たちはタクシーで、徳祚の生まれ故郷である蔚州郡温山邑江陽里（ウルチュグンオンサンウプカンヤンニ）に向かった。韓国で発行された尹家の戸籍謄本（とうほん）、そこに記された本籍地の住所だけが頼りだ。

鳳根山（ポングンサン）と西生浦（ソセンポ）城との間に江陽江（カンヤンガン）がゆるやかに流れて朝鮮海峡にそそがれる。その江陽江の北岸に私の生れた家があり、その北岸ぞいのアシの茂みがうつくしい線を描いていた。アシの茂みから投網（とあみ）を打つとハゼやコノシロが網の目にひらめき躍る。風物詩的ななつかしい光景ではある。

（尹紫遠「わがふるさと・蔚山 江陽の鳳根山」794頁）

蔚山の工業団地

蔚山の繁華街を抜け、海を左手に見ながら、タクシーは国道31号線を釜山方面に南下する。石油精製や化学肥料などの重化学工業の巨大な施設が次々と目に飛び込んでくる。すれ違う車も人影もほぼないのが、非現実的な感じを与える。「日曜日だからですよ」とタクシーの運転手が教えてくれた。工場関係者は、平日に釜山から車で通勤しているという。

韓国は１９６０年代から「漢江（ハンガン）の奇蹟」といわれる高度経済成長を達成するが、じきに地下水の汚染、住民の強制立ち退き、健康被害の顕在化など、開発独裁の負の側面も表面化した。

徳祚の生家に近い温山（オンサン）国家産業団地でも、１９８０年代初めに関節痛、皮膚病、消化器疾患、全身麻痺をきたす公害病が発生した。「温山病」だ。韓国政府はここを１９８６年に大気公害特別対策地域に指定し、周辺住民を２キロ離れた場所に移住させた。だが、充分な補償がなされたとは言い難いといわれる。

冷戦を背景に、アメリカの経済支援、そしてアメリカが介入した戦争による「特需」で経済発展を遂げる。その陰で、国内の犠牲者たちの声が抑え込まれていく。こうした構図は、日本も韓国もよく似ている。

徳祚の生家も工業地帯に飲み込まれてしまったのではないか。そんな不安を持ち始めたころ、タクシーは大通りから細い道に入っていった。とつぜん、小高い山を背負った田舎町が左手に現われる。江陽里(カンヤンニ)だ。

狭い道路の右手に見える川が、すぐ先に広がる海に流れ込んでいる。「江陽江」だろうか（現在の地図では「回夜江(フェヤガン)」と表記されている）。海岸の近くに白く輝く大きな歩道橋と観光ホテルが見えるのを除けば、徳祚が後年に描写した故郷の光景と大きくは違わなさそうだ。ほどなくして、運転手は「ここがその住所だ」と言って古ぼけた平屋建ての家の前で車を停めた。灰茶色の屋根瓦が今にも崩れ落ちそうだ。古い日本式の家にも見えるが、私たちには判別できない。玄関の戸は少し開いていたが、人の気配はなかった。

私たち江陽里の子供は、洞内山(トンネサン)（自分の村の山）である鳳根山に集るのがつねであった。松におうわれた鳳根山はたいへん形のよい、温山面(ミョン)では有数の高い山で、頂上は平らで美しい芝生だった(ママ)。よく晴れた日は素足のうらにしなやかにこたえる芝生の一個所に固っては「おい、あれが対馬だ」「対馬が見えるぞ」と水平線の果てに黒ずんだ一点に私たちは幼いひとみを集めたものだ。〔…〕鳳根山の北の中腹に私たちの村の共同墓地があった。その墓地の周辺で私たちは頭骸骨や、腕の骨や、あばら骨を見たことは二度や三度ではない。
（尹紫遠「わがふるさと・蔚山　江陽の鳳根山」794－795頁）

実は、江陽里に来る前から心配していたことがあった。徳祚が故郷について綴った唯一のエッセイのタイトルにもなっている「鳳根山（ポングンサン）」が、現在の地図では見当たらないのだ。「有数の高い山」とまではいえない低い山が後ろに見えているが、カカオマップ（韓国ではグーグルマップがあまり使えない）には「烽火山（ポンファサン）」とある。

川沿いの小さな野菜畑の片隅に年配の男性が座っていた。周囲の景色に溶け込むように静かに佇（たたず）んでいる。つぶやくように話される蔚山の方言を聞き取るのに苦労しながら、お話をうかがう。徳祚の生家があった敷地の左隣に住んでいるというこの黄（ファン）さんのなりわいは、農作業やイカ漁など、典型的な半農半漁村のそれだったようだ。「ポングンサン」という名は聞いたことがないという。隣の敷地の家には数年前から女性が一人で住んでおり、その前には金（キム）さんという男性が長く住んでいたが、それ以前のことはわからないそうだ。

すぐ10メートルほど先では、3、4人の女性たちがわかめを干しながらおしゃべりをしていた。輪の中心になっている李（イ）さんに、尹（ユン）家について尋ねてみる。李さんは「なんでそんなことを聞くのか、百年前のことなんか知るものか、私たちはそんな年寄りじゃないよ」と一蹴する。「昔その家に住んでいた子どもが日本で作家になって」と説明すると少し納得をしたふうだが、すぐに私たちに興味を失い、仲間たちとの話の輪に戻った。

写真を撮っていいか尋ねると、気軽に承知してくださる。そして、「前にもテレビ局の人が来たんだよ」と言うや、「私たちテレビに出るよ！」と両腕を上げてひらひらと踊り出した。「テレビの取材で来たのではなくて……」と訂正したが全く聞いていない。

わかめを干す女性たち。尹徳祚の生家があった場所のすぐ近くで

尹徳祚の故郷・江陽里と鳳根山

気を取り直して、鳳根山はどこにあるのか尋ねてみる。すると、李さんは「ポングンサンはあれだよ！」といって烽火山を指差した。「本当にポングンサンと呼ばれていたんだ」と感慨にひたる私たちをよそに、ほかの女性たちは、「そんな名前聞いたこともない、あの山に名前なんかあったのか」とざわめく。

みな80歳以上だというので、1940年前後の生まれだろう。徳祚の子ども世代にあたる（長男の泰玄（テヒョン）は徳祚が38歳だった1949年生まれで、当時としては遅めの子だった）。かれらはこの地で朝鮮戦争も、経済発展も、ヴェトナム戦争も、公害も経験してきたのだろう。徳祚や子どもたちが戦後に暮らした東京とは全く異なる時間が、ここ江陽里では流れていた。

徳祚の生家がかつてあった住所に今ある家が留守だったので、ひとまず鳳根山に登ってみることにした。山のほうに5分ほど歩くと大きな貯水池があり、その奥に山道が伸びている。そして、1台の車の前に、蛍光色のベストを着たがっしりとした男性が立っていた。山火事監視員だという林（イム）さんは、「この先は草木が生い茂っていて上まで進めない、猪（いのしし）も出るから」と私たちの行く手を阻む。「どうしても登りたいんだ」と粘ると、「海岸のほうから回ると山の中腹に寺があり、そこから上のほうまで歩いて行ける」と教えてくれた。徳祚が暮らした時代に「村の共同墓地」があったところだろうか。

そこまで連れて行ってくださるという林さんのご厚意に甘え、飼い犬のイェッピとともに車に乗り込んだ。海を右手に見ながら山道をしばらく走る。途中「写真撮影禁止」と書かれた札が目に留まった。このあたりは韓国軍の基地で、船で下りてくる「北韓（プクカン）の間諜（カンチョプ）（スパイ）」の監視をしていたとのことだ。

寺に到着した。だが、住職は寺の由来も昔の共同墓地についても何も知らないという。結局、私たちは頂上まで登るのを諦めた。黄砂（こうさ）で大気が濁っていて、遠くを見晴らせそうにもなかったからだ。その帰り道、林さんは江陽里を通り過ぎて、西生浦（ソセンポ）倭城の麓（ふもと）まで連れて行ってくれた（加藤清正が１５９３年に築いたあの城だ）。

林さんと別れた私たちは、よく整備された200メートルほどのゆるやかな山道を登る。山頂の本丸跡には桜の木がそこここに植えられていた。例年4月には韓国の花見客で賑わうのだという。石垣だけを残すこの日本の戦国時代の古城から、周囲の山々と海が織りなす雄大な景色を一望する。徳祚が鳳根山から見た対馬は、ここからは見えなかった。

眼下に広がる海は波高く、まだダウンコートが必要なほど寒いのに、サーファーたちが波間に浮かんでいる。この海を徳祚が泳ぎ回っていたのは百年以上も前のことだ。

対馬の先へ

鳳根山（ポングンサン）のてっぺんで対馬を探した幼い日の徳祚は、その向こうに何を見たのだろうか。

当時の江陽里（カンヤンニ）は30戸ほどの小さな集落だった。集落には日本の寺子屋にあたる書堂（ソダン）があり、徳祚はそこで「天地玄黄宇宙洪荒……」と続く長詩「千字文（チョンチャムン）」を学んだ。子どもから大人までが漢文を学んだが、書堂に通ったのはほぼ男性に限られていた。

徳祚の生家の前を流れる川（回夜江（フェヤガン））

徳祚の生まれた1911年に、第一次朝鮮教育令が公布された。朝鮮人の子どもに対して、「国民」としての性格を涵養（かんよう）し、朝鮮人の子どもの間で「国語」の普及を図ることを目的としたものだ。「国民」、「国語」は日本人、日本語を指す。

伝統的な教育機関だった書堂は次第に姿を消し、徳祚も普通学校と呼ばれる4年制（後に6年制）の学校で少しだけ学んだとみられる。温陽（オニャン）公立普通学校（現・温陽初等学校）だった可能性が高い。家から徒歩で片道1時間以上の道のりだ。

公立普通学校は朝鮮人のための初等教育機関で、日本語習得と農業実習などを教育目標とした。従順な労働者を養成する職業訓練校といったところだ。1週間に2時間だけではあったが、当初は朝鮮語科目も設置されていた。徳祚も少しはハングルを習ったのだろう。

朝鮮語の科目が実質上廃止されたのは、1938年の第3次朝鮮教育令公布後のことだ。強制性の高い「朝鮮志願兵制度」の実施とセットだった。日中戦争開始後、台湾と同様、朝鮮においても天皇に忠良な臣民をつくることが急務になった中でのことだ。

徳祚は故郷で勉強を続けられなかった。蔚山（ウルサン）には朝鮮人が通える中・高等教育機関はなかったし、尹家はすでに先祖から受け継いだ土地を失っていたからだ。自伝的小説「長安寺」には、父の尹俊澤（ユンチュンテク）が幼い徳祚に語っただろう言葉が写し取られている。

> 「光徳（クワンドク）、見てみい。この山はうちの山だったよ。それからほら、ウン、向うのあの田からずっとこの辺までが、以前はうちのものだったんだよ。フンフン、ドジョクノムトル（ぬすっと奴）」〔。〕幼い自分に言いきかせていた父の声もきこえて来た。それは無限の恨みと憤りにふるえている声だった。——これゃ、おれの山だ——と、山をとられた口惜しさ紛れに松の木を刈倒したばかりに面（ミョン）事務所によばれて、叩かれて、全身を紫にはらして帰って来た父、その父にすがりついて大声で泣いていた母、光徳はむらむらする気持と寂しい気持がごっちゃになって、遠い、痛ましい光景を想い起した。〔…〕日韓合併宣言の年に、土地及び山林の所有権確立の為に、土地の所有者は何月何日までに申告すべし、という法令が総督府から出た。〔…〕農民たちには申告の意味がよくのみこめなかった。結局申告の期日までに申し出ない土地は、主の無いものとして東拓（とうたく）や移住の日本人にただみたいな価格で強制的に払下げられた。光徳の父は、先祖代々耕して来た旧地（きゅうち）を今さら申告なんかとたかをくくっているうちに、自分の土地はすべて他人のものになっていた。
>
> （尹紫遠「長安寺」605頁）

多くの朝鮮人農民がこのころ自作農から小作農へ転落し、土地所有権や小作権を失った。

文中にある「東拓」とは東洋拓殖株式会社の略称で、南満洲鉄道株式会社と同じく半官半民の国策会社だ。朝鮮総督府は、土地調査事業で取り上げた土地を東拓に現物出資した。

土地調査事業は1918年に終了したが、これは米、英、伊、日によって「シベリア出兵」が行われた年にあたる。前年に起きたロシア革命への干渉戦争だ。日本の「米騒動」の大きな原因の一つは、その機に乗じて行われた投機目当ての米の買い占めだった。

日本民衆の権利意識の高まりを内外に示した米騒動は、朝鮮半島での三一独立運動、中国吉林省延辺地域での「間島事件」という、朝鮮人の抗日独立運動へと連鎖した。日本当局は、これらの動きを武力で封じ込めた(その後、日本に戻った軍人たちの一部は、関東大震災時の朝鮮人虐殺にも関与したといわれる)。

日本における米不足は、朝鮮の農民たちを搾取することで解消されていった。朝鮮総督府は1920年、朝鮮で産米増殖計画を実施した。その結果、朝鮮における米の収穫量は増大したが、朝鮮人の口に入る米の量は減った。

税金や水利組合費などの公課金、増殖のための灌漑施設整備、肥料改善などのための現金負担が、現金収入の少ない朝鮮人零細農にとっての大きな重荷となった。結果として、土地を手放さざるを得ない人々の数はさらに増えていった。

1920年代の朝鮮での生活について、梁命珍という女性はこのように語っている。

三食を食べられる人は裕福な人で、私たちのような貧乏人は、一日一食、それも小麦を煎って、石うすで挽いた粉を湯にとかして飲み、それで一食ということも少なくありませんでした。

（金賛汀・方鮮姫『風の慟哭』28頁）[8]

食い詰めた朝鮮人たちは、「内地」や満洲に流れていった。語り手の梁命珍自身も、京都にある撚糸（ねんし）工場の女工として働くため、10代初めに海を渡っている。朝鮮での公職はみな日本人が占めていた。いくら教育を受けても朝鮮人には村役場の臨時雇い程度の仕事しかなかった。もっと勉強したかった徳祚は、渡日を決意した。

一種の流行病のように、朝鮮の青少年たちは日本にあこがれていた。〔…〕「東京へ行って苦学するんだ」それが彼等の美しい夢であった。合言葉のように交されていた。「日本語さえうまければなァ……」〔…〕あたかもそれが出世の登竜門のように。

（尹紫遠『38度線』70頁）

親元を離れ、たった12歳で一人で海を越える。並大抵のことではない。だが、徳祚はそれでもまだ恵まれていたほうだったともいえる。父親が外に出稼ぎに行かずに故郷に残れたし、四男坊だったにもかかわらず有償の公立普通学校に数年間通うこともできた。日本への渡航費も工面してもらえた。何よりも、洋品店を営む長兄が横浜にいた。

1924年4月、徳祚は江陽里の家を後にした。母親の金燁比（キムヨプピ）とともに、月陰山（タルムサン）（現・

達陰山（タルムサン）の麓にある佐川里（チャチョンリ）まで、約20キロもの道のりを数時間かけて歩く。

母は大そう信仰の篤いひとで、歩きながらもよく般若心経や、天寿経（てんじゅきょう）などを諳（そら）んじた。大柄で、陽気で、気の強い彼女は、口ぐせのように六人の息子のうち、ひとりはすぐれた僧に成らせると言っていた。やがて自分はポサル（農家あたりから供養米などをもらって寺に運ぶ一種の巡礼）となって寺や庵をめぐりながら金剛山（クムガンサン）を踏破することを生涯の念願にしていた。

（尹紫遠「長安寺」599頁）

母のことを朝鮮語で「オモニ」という。

旧3月3日に桃の花咲き乱れる山中で開かれる女のみの野遊会（やゆうかい）だけが、このあたりの女性たちの唯一の楽しみだった。だが結局、金燁比は、仏教の聖地である金剛山を踏破する夢も、息子たちのうち誰かを僧侶にする夢も叶えられなかった。去っていく息子を見送るのは、このとき何度目だったのだろうか。

だぶだぶの通学服に古風な鳥打帽（とりうちぼう）をかぶった少年は、佐川里の海辺から小舟で釜山港に向かう。それがオモニとの今生の別れとなることを、彼はまだ知らない。

植民地都市釜山

釜山港の開港は、朝鮮王朝末期の１８７６年。軍事的威圧下で締結された江華（カンファ）条約（日朝修好条規）による。その翌年に釜山日本帝国専管居留地が設定されると、山口県や長崎県の人々が釜山の草梁（チョリャン）に移り住んだ。17世紀以来、対馬との交易の拠点となった草梁倭館があった場所だ。当時は松林の茂る海岸沿いにあり、近くに清（しん）国の領事館もあった。

１９１０年の韓国併合後は、入植政策により釜山の人口が膨れ上がった。１９２４年頃には4万人近くの日本人が海沿いを中心に住み、釜山居住者の実に38％以上を占めた(9)。

釜山の町の名前は、本町、弁天（べんてん）町、琴平（ことひら）町、入江（いりえ）町、南浜（みなみはま）町、大庁（だいちょう）町（東洋拓殖株式会社の釜山支店があった）、大倉（おおくら）町、埋立（うめたて）新町、佐藤（さとう）町、相生（あいおい）町、宝水（ほうすい）町という具合に、日本式でつけられた。移住者たちは日本式の家屋を建て、日本語だけを使って生活した。

学校、遊郭、湯屋（銭湯）、銀行、郵便局、新聞社、商社、商店、書店、神社、寺、釜山座などの劇場、活動写真館、公園、遊園などが設けられた。現代の韓国で最大の海産市場であるチャガルチ市場、その前身となった南浜（みなみはま）市場の開設は、もうまもなくのことだ。

１９０４年には、在朝日本人のために東本願寺（ひがしほんがんじ）別院火葬場がつくられた。3年後には峨嵋山（アミサン）に日本人共同墓地が建設され、火葬場もそこに移転した。１９４５年の終戦時、釜山には西本願寺、東本願寺、金剛寺（こんごうじ）、草梁小林寺（そうりょうしょうりんじ）(10)など17か所の寺院があり、在朝日本人たちの遺骨が安置されていた。

釜山の町や港を見下ろす龍頭山（ヨンドゥサン）の山頂には龍頭山神社がある。１６７９年に草梁倭館が移ってきたときに建立された神社で、１９１５年には日本の法律に基づく神社となった。そして、その30年後、日本の敗戦と同時に朝鮮人たちによって焼かれることになる。

当時の釜山港と桟橋に停泊する連絡船

釜山で暮らす日本人たちの職種は、水産、貿易、鉄道、郵船、陸運・海運、技師、土建、銀行、倉庫、役人、教師、技師、呉服商、米穀商、雑貨商、金物など多岐にわたった。在朝日本人社会内部の階層間格差は大きかったというが、在勤手当がついたり、一山当てたりする人々も多く、「内地」の日本人よりも相対的に暮らしは豊かだった。そうした日本人家庭の多くは朝鮮人の使用人を置いた。日本の人々は女中や下女を「オモニ」と呼んだ。
母と佐川里で別れた徳祚は、その数時間後に釜山港に到着した。周囲には当時流行していた洋式建築物が立ち並んでいる。

桟橋の入り口には釜山桟橋駅がある。ここから京釜鉄道、京義鉄道、満鉄の安奉鉄道（現・瀋丹鉄道）に乗って、京城（現・ソウル）、新義州を経て、奉天（現・瀋陽）や新京（現・長春）に直行できるようになっている。背負子をせおったチゲクン（運び屋）たちがあたりをうろうろしている。みな木綿の白い布を頭に巻きつけている。

釜山税関第一桟橋に着岸しているのが関釜連絡船だ。近くには汽船や帆船も浮かんでいる。「内地」から押し寄せる日本人たちで手狭になった第一桟橋も、貨物船専用の第二桟橋も拡張工事中だ。新たな防波堤の建設も進んでいる。牧の島（現・影島）との間を往復するポンポン船が行き交っているのも見える。

関釜連絡船は昼と夜に一便ずつ出ているが、お金のない徳祚は夜行便に乗ったのだろう。三等船室の入り口に並び、切符とともに地元の警察署が発給した旅行証明書を見せる。高圧的な釜山水上署の日本人警察官から渡航目的を聞かれる。日本語でうまく答えられずに追い返される人もいる。「旅行証明書」は、1919年の三一運動後、朝鮮人の移動を統制するために導入された。一度は廃止されるも、関東大震災を契機に復活していた。

これから9時間ほどの船旅がはじまる。豪華な一等船室や、ボーイが給仕する船内食堂を横目に見て、船底まで階段を下りてほかの朝鮮人たちと固まって床に座り込む。つぎはぎだらけの木綿のチマチョゴリを着た、同年代の三つ編みの少女たちもちらほら見える。少女たちの前には、大阪、和歌山、京都、奈良、愛知、兵庫、長野などの紡績工場での、「鮮女女工」としての過酷な生活が待っている。日本からの募集人にだまされ、女郎屋に売られる運命にある少女もいるかもしれない。

夜10時、関釜連絡船は汽笛を鳴らして釜山を出帆する。牧の島の脇を通り、真っ暗な海へと進んでいく。船上の客たちが寝静まるころ、連絡船は対馬を右舷に見ながら通過する。玄海灘は荒海として知られている。順調に進めば、朝もやの中から小倉、門司の町並みが順に姿を現し、朝7時には下関港へ到着するだろう。目指すは兄が待っている横浜だ。

横浜港

2 日本 1924－44

関東大震災後の横浜で

1924年春、当時まだ12歳の尹徳祚（ユントクチョ）が下関から汽車で到着した横浜は、前年9月1日の関東大震災で甚大な被害を受けていた。東京よりも震源の相模（さがみ）湾に近く、中心部の多くが埋立地だったため、横浜市域だけでも2万6623人が亡くなった。

大震災の数か月後、横浜市の山手（やまて）にあるフェリス和英女学校（現・フェリス女学院）の生徒たちは学校の課題として手記を書いた。それらの中には朝鮮人への言及も少なくない。

突然「朝鮮人が井戸へ毒を入れたから、暫（しばら）く飲まずに居て下さい」と云う知らせ。〔…〕「ホラ朝鮮人が山へかくれた」と云うので、気の荒い若い人達は、手に手に鳶口（とびぐち）やふとい棒を持って山へおいかけて来た。とうとう二人だけはつかまえられてしまって、松の木へしばりつけられて、頭と云わず顔と云わず皆にぶたれた。気の立って居る人々はそれでもまだあきたらず、血だらけになった鮮人を山中ひきずりまわした。そして、夜になったら殺そうと話して居た。(11)

鮮人が暴動を起して、夜に三百名押よせて来ると聞いた。人々は各々棍棒、竹槍を持って夜警することにした。〔…〕しばらくして町の若い衆が、提灯（ちょうちん）片手に竹槍突いて入って来た時には、ホッとした。入り込んだ鮮人は僅（わずか）二人で、その中（うち）一人を逃してしまったということを手短に語って、直ぐに暗闇の中に吸い込まれていった。[12]

朝鮮人への集団的な暴行や虐殺には、日本政府、憲兵、警察、市民からなる自警団など、様々なアクターによる複合的な関与があった。

日本政府は戒厳令を出すことで、「朝鮮人が放火した」、「井戸に毒を入れた」といったデマを人々に信じ込ませる根拠を与えたが、その後も「朝鮮人暴動」がデマだったとは明言しなかった。警察は朝鮮人たちを保護することもあったが、神奈川警察署のように署内での朝鮮人殺害も起きた。

自警団の中心となったのは在郷軍人たちだ。その中には、シベリア出兵（1918年）とその過程で起きた尼港（にこう）事件（1920年）、三一（サミル）独立運動の鎮圧（1919年）、間島（カンド）出兵（1920年）に参加した者も多かったという。「打倒すべき敵」として朝鮮人たちに相対した経験が、震災時にかれらの殺害をためらわせなかった理由の一つといわれる。

震災直後、朝鮮総督府は『東亜日報』などの新聞記事の差し押さえを何度も行い、朝鮮内での言論統制を敷いた。同じ頃に下関（しものせき）は朝鮮人で溢れかえったというが、「内地」から朝鮮に船で逃げ戻ってきたこれら同胞たちの口を通して、あるいは横浜にいた長兄の成守（ソンス）

からの手紙によって、江陽里にもこのニュースは伝わっていただろう。

それでも徳祚は希望を抱いて日本にやってきた。そして、わずか半年前に鳶口、梶棒、竹槍、ピストルを手に朝鮮人を追いかけ回した日本人たちと同じ空間で暮らし始めた。徳祚が日本に来た１９２４年、日本に住む朝鮮人は12万人近くに達している（同時期の在朝日本人数は63万人を突破）。その大半は男性だ。

その後も日本に渡航する朝鮮人は増え続けた。日本の都市化が進み土木工事が増加したこと、工場や炭鉱で低賃金の非熟練労働者を必要としたこと、そして何よりも、朝鮮人が

関東大震災殉難朝鮮人慰霊碑（横浜・久保山墓地）。背面に「少年の日に目撃した一市民建立」と書かれている

朝鮮では暮らしていけなかったことによる。

徳祚は横浜到着からちょうど20年間を日本で過ごした。そのあいだに二度警察に留置され、一度だけ帰郷した。ここから先の徳祚の足取りについては、小説『38度線』の主人公・柳福樹と「密航者の群」の安景俊の言動、および歌集『月陰山』をもとに再構成していく。

徳祚は弁護士になることを夢見、野毛（横浜市）の私立中学へ通い始めた。植民地期には朝鮮人でも弁護士になれたのだ。ちなみに戦後は「国籍条項」により、１９７７年までは帰化しない限り朝

鮮人は弁護士になれなかった[13]。

徳祚が横浜に到着した半年後、父が急死する。唯一頼りにしていた長兄は、洋品店を畳んで朝鮮へ帰った。その数か月後には、兄から約束された送金も途絶えてしまった。

そこから徳祚のサバイバルが始まる。学校を辞めて近くの化粧品屋に奉公に行くや、「きたない」、「くさい」、「朝鮮人のくせに」といった侮辱と差別の洗礼を日本人たちから受けた。

激情的な性格の徳祚は、不当な扱いを黙ってやり過ごすことができなかった。雇用主や仕事仲間の前で怒りを爆発させるたびに、酒屋の配達、うなぎ屋の出前持ち、新聞配達、牛乳配達など、仕事が変わっていった。どれも配達の仕事で、それ以外は探せなかった。

ひそやかに人等語れば我れを追ふ話なるかと心尖りし
（尹徳祚『月陰山』）

兄が横浜を去ってから数年後、10代半ばの徳祚は知人を頼って東京へ移った。

徳祚を短歌に誘った斉藤安一に献本した『月陰山』。青年時代の自伝的歌集（村田正博氏提供）

東京で短歌に出会う

東京に来た徳祚は、住み込みで働ける牛乳配達をした。

植民地期の朝鮮人たちの日本での職業は、地域ごとにだいぶ異なる。当時の東京府に居住する朝鮮人の場合、多かったのは「土工」の５２１５人（うち女性７人）、「日傭（ひやとい）（と単に申告したる者）」の２９２４人（女性７人）で、徳祚のような「配達夫」はそれに次ぐ１０７８人（女性０人）だった。[14] のちに徳祚が従事する「洗張職（あらいはり）・洗濯職」はわずか57人（女性０人）。ちなみに「弁護士・弁理士」は２人（女性０人）だけだ。

15歳の頃、徳祚は牛乳屋の主人ともぶつかってしまう。主人に叩かれ、無一文で追い出された徳祚は、三田（みた）（現・港区）に住む知人宅を訪ねた。だが泊めてもらえない。仕方なく近くの軒下で夜を明かそうとしたが、警官に引き立てられて十日間も留置された。

やがて徳祚は日本人のふりをすることを身につけていく。パッシング（やり過ごし、なりすまし）は、差別や偏見を刻まれた者たちの重要な生存戦略（スティグマ）である。

> なるほど朝鮮人であることを隠してみると風当りは大分ちがって来た。「お前」と言われた所を「きみ」と言われたり、「きみ」と言われた所を「あなた」と言われてみると、福樹（ポックス）は何か自分の格が一段上ったような気がした。「おれが朝鮮人であることを誰も気がつかないぞ」と妙な優越感さえ湧いて来るのだった。
>
> （尹紫遠『38度線』73－74頁）

日本人として振る舞っている以上、朝鮮人には話しかけられたくない。だが、その一方では朝鮮への愛着が募っていく。徳祚は自らの境遇を語り合える相手を切実に欲していた。東京に出てきてからも勉学の道は諦めきれなかった。夜間中学に何度か入学してみたりもした。が、食いつなぐのがやっとで、授業料はとても払い続けられなかった。代わりに、イプセン、早稲田(わせだ)大学の文学講義録や、哲学書や社会学の本などで独学し、10代の終わりには、夏目漱石(なつめそうせき)、ルソーに心酔するまでになった。日本に暮らす朝鮮人の識字率は、1920年代から30年代にかけて、男性は5割から7割、女性は1割から2割ほどだった。[15] なお、1935年には、日本人女性の非識字が日本人男性の10年遅れでほぼ解消したとされる。こうした環境の中で、徳祚は一人で日本語の鍛錬をしたのだった。

「〔…〕いったい貴様の一生の計画は何んだ?」「わからない」「当り前じゃないか。どんな計画を立てたって、どうせ日本人にドレイのように使われるまでの話さ」「だから酒を飲むんだ」「うん、ウンと飲め。ウンと飲め。そして早く胃癌にでもなって早く死ね。早く死ぬに限る。お前なんか、生きる価値はないぞ」酒の酔がまわるとよくこんな自問自答が福樹の頭に起きた。

（尹紫遠『38度線』76頁）

日々傷つけられる自尊心をなだめるために冷酒をあおり、自らの身体を痛めつける。そんな日常を送りながらも、何の希望も見いだせない朝鮮に戻ることもできなかった。

「どうせこんなことなら何もかも捨てて朝鮮へ帰ってしまおう。ああ、麦飯でもいいから、腹一杯食べてみたい」〔…〕だが福樹の胸に盛り返す熱風のような前途への希望が、来月こそは、来年こそは、こんどこそは、と彼を東京に踏み止まらせたのだった。

（尹紫遠『38度線』72－73頁）

不器用で猜疑心が強く、他人と衝突しがちな青年は、やがて短歌に惹かれていく。友人の斉藤安一と鈴木浩に誘われ、短歌結社の「杜鵑花」に加入したのは1936年だ。徳祚は25歳だった。東京での生活はこのように詠まれた。

暖かき春陽てれどもわが部屋のたたみの上に置くかげうすし
要領よく立ちまはる友の顔を見れば心の底を木枯の吹く
借のある人と対へばわれながらいたくものごしの静かなるかな

翌1937年には日中戦争が始まった。皇民化政策が始まろうとしていた。神社参拝や日本語強制などの日本化政策にくわえ、同化政策の一環として「内鮮結婚」と呼ばれる日本人と朝鮮人との通婚が奨励された。「内地」では、朝鮮人留学生が治安維持法違反などにより検挙される事件も増加した。

『月陰山』（河北書房、1942 年）の著者近影は尹徳祚の最も古い写真であり、植民地期の唯一の写真でもある（当時 31 歳）

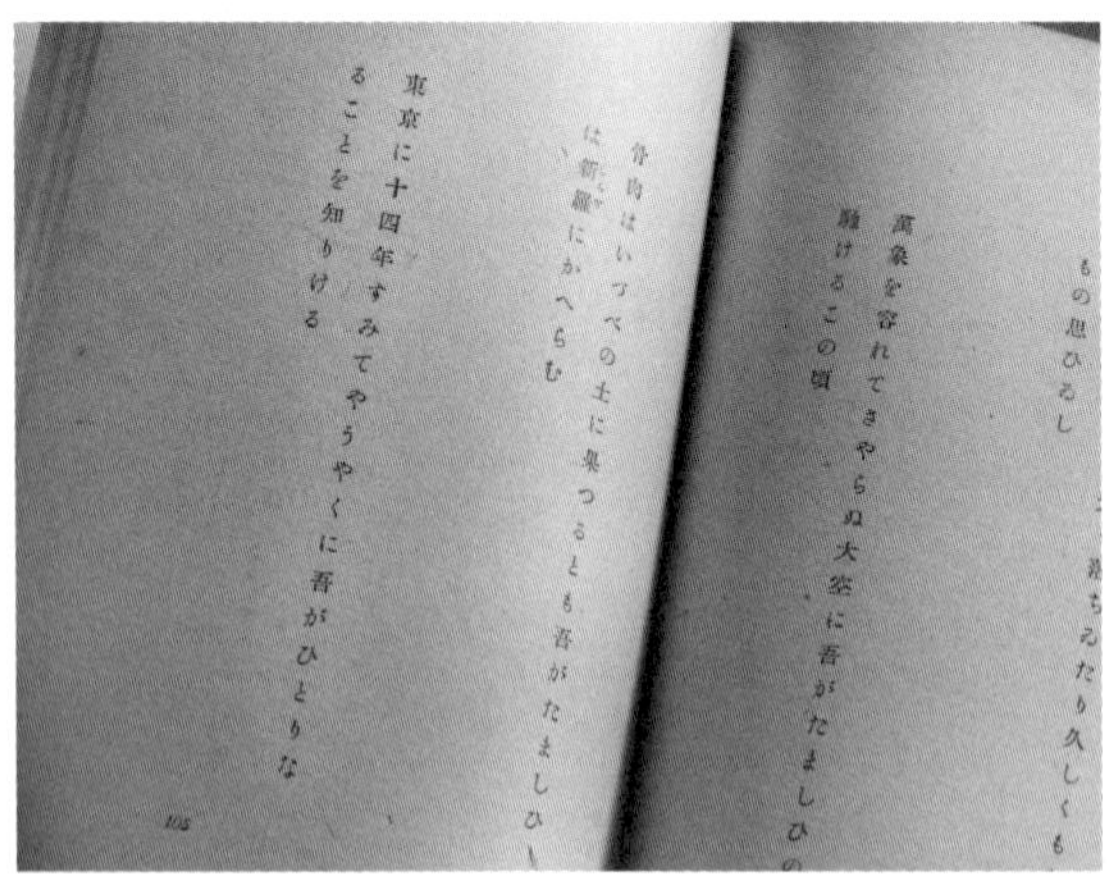

もの思ひゐし

落ちゐたり久しくも

萬象を容れてきやらぬ大空に吾がたましひの
騒げるこの頃

骨肉はいづべの土に果つるとも吾がたましひ
は新羅にかへらむ

東京に十四年すみてやうやくに吾がひとりな
ることを知りける

105

東京に十四年すみてやうやくに吾がひとりなることを知りける

1939年、徳祚は15年ぶりに朝鮮を訪れた。日本で長く暮らすうちに理想化されていた朝鮮の惨状を目の当たりにした徳祚は、この旅で自らの帰るべき場所がもうどこにもないことを思い知る。「私は、ひそかに短歌の世界に自分の生命の絶対地を求めようとした、これによって、打ちひしがれたやうな自分の魂に安住の地を与へようとした」[16]。徳祚は短歌に本格的に打ち込むようになる。

このようにして1942年に出版されたのが、「朝鮮が生んだ最初の歌集」と銘打たれた歌集『月陰山』だ。釜山・牧の島（現・影島）出身の先輩作家である金素雲と、劇作家の秋田雨雀が力添えをした。金素雲は、朝鮮の民謡や詩を多く日本に紹介し、北原白秋らに若くしてその卓越した言語センスを認められた翻訳家、作家、随筆家である。『月陰山』の冒頭を飾るのは、遠い記憶の中の朝鮮を描いた「桃の花」の連作である。1939年の朝鮮行をつづった「帰郷」が次に置かれている。

その後は、東京での暮らし、日本国内の旅、真珠湾攻撃の日の決意、出征した日本の友人、芝浦（現・港区）の朝鮮人集住地、未来への微かな希望など、日本での生活を詠んだ短歌で占められている。

「桃の花」の連作はこのようなものだ。

ひるがへすもすそが放つ春の香は花にもまされをどる韓女ら
踊りつくす弥生三日の新羅野やくふんくんくくわり長鼓のひびき

旧暦3月3日は、朝鮮の女性が家から解放される唯一の日だった。女性たちが春の野山に繰り出し、陽気に歌い踊る美しい光景は、母の思い出につながっている。

同じ頃、在朝日本人たちも朝鮮を題材にした短歌を詠んでいた。朝鮮初の短歌結社である「真人社」が京城で結成されたのは早くも1923年である。徳祚が初めて日本の土を踏んだ前年のことだ。その日本人たちの目に朝鮮女性たちの姿はこのように映っていた。

裏露路に魚の腸たつ鮮女らの手の指あかし雪となりつつ(17)
その暮らし貧しくあらむ菜畑にオモニーら群れて枯葉ひろえる(18)

15年後の帰郷

徳祚が1939年の一時帰郷の際に乗った関釜連絡船は金剛丸か興安丸だ。興安丸は世界で初めて全船室に冷暖房を完備した最新式の旅客船だった。この頃、連絡船は1日3往復まで増便され、乗船時間も7時間半に短縮されていた。

関釜連絡船は、第一次世界大戦と第二次世界大戦の間の時期には、東京からヨーロッパへの最短ルートとしても利用された。例えばロンドンまでなら15日で行くことができた。東海道・山陽本線で東京から下関駅へ、下関港から釜山港・釜山桟橋駅へ、そこから京城（現・ソウル）、開城、平壌、新義州／安東（現・丹東）、新京（現・長春）、哈爾濱等を経て満洲里でシベリア鉄道に接続する、というルートだ。

その一方で、朝鮮人の渡日に対する規制は厳しくなっていく。１９２８年には「渡航証明書制度」が導入された。戸籍謄本や抄本に日本人の警察署長が捺印した書類を、釜山港での連絡船乗船時に提示するというものだ。証明書の発行には一定額の旅費と準備金、日本語が理解できることが要件とされた。地元警察署や派出所への賄賂も欠かせなかったという。こうして１９３０年代半ば以降は、申請者の4割ほどしか許可されなくなった[19]。

渡航証明書制度は法令でなく、警察内部の規定によるものだった。その理由の一つに、当時の日本政府がアメリカの排日移民法（１９２４年）を批判していたことがあった。日本も同じことを朝鮮人に対してしていると知られたら、対外的に都合が悪かったのだろう[20]。

すでに日本に居住していた朝鮮人の場合は、１９２９年から「一時帰鮮証明書」の提示が求められるようになった。日本に再入国するときに必要な、有効期限6週間の証明書だ。

これらの制度が整備されて以降、必要な証明書を持たずに渡日した場合は「密航」となり、送還の対象となった。こうして「朝鮮人密航者」というカテゴリーが誕生する。

徳祚を乗せた連絡船は下関港を夜10時50分に出発した。釜山港到着は翌日の明け方だ。

新型コロナウイルスの感染が拡大しつつあった２０２０年2月末、私はソウルを訪れていた。すでに金浦空港は厳戒態勢に入っていた。常時とさほど変わらない羽田空港との違いに驚いたものだ。韓国では２０１５年にＭＥＲＳ（中東呼吸器症候群）の感染拡大を経験しており、それがコロナ・パンデミック時の初動の早さにつながったといわれる。

私たちが2023年3月に乗った関釜フェリー「はまゆう」の乗客の大半は、日本からの帰路につく韓国人観光客たちだった。新型コロナ対策の厳しい規制で、韓国の出入国も長らく不便を極めたが、諸々の制限の解除は日本よりも一足先に行われていた。

釜山港に到着し、フェリーから降りたのは翌朝の8時だった。現在の国際旅客ターミナルは、徳祚が行き来した頃の釜山港と比べてだいぶ北にある。入国審査場には、やや間のびした空気が流れていた。規模がそこまで大きくないこともあるだろうが、国際空港で感じるような圧迫感はなく、国境を越えた実感があまり湧かない。

私たちはそれぞれに緑や赤のパスポートを見せて入国審査を終え、釜山市内に出る。釜山近代歴史館――かつて大庁町(だいちょう)の東洋拓殖(たくしょく)会社釜山支店だった――に立ち寄ったあと、韓国高速鉄道KTXの佐川(チャチョン)駅にタクシーで向かう。1時間弱で着いた。

佐川駅は1934年に、景勝地として名高い釜山・海雲台(ヘウンデ)と蔚山(ウルサン)とをつなぐ東海南部線の停車駅として開設された。灰色で無機質な現在のKTX佐川駅のそばに、今は使われていない緑の三角屋根の小さな古い駅舎、そして駅員用宿舎の建物が、ぽつんと残っていた。駅の周辺を歩いてみると、黒々とした新しめの屋根瓦の家がところどころにある。役(やく)瓦の「福」の字が鮮やかだ。

佐川駅からは徳祚の歌集のタイトルとなった月陰山(タルムサン)（現・達陰山(タルムサン)）が見える。登山口の手前にある玉亭寺(オクチョンサ)までは車で10分ほどだ。海抜588メートルの月陰山には、鷲峰(チュイボン)をはじめ、文莱峰(ムルレボン)、玉女峰(オンニョボン)など、いくつかの峰が連なり、何種類もの登山コースがある。

1934年に建てられた佐川駅の駅舎。職員宿舎も併設された。この裏にKTXの高架が走っている

達陰山（旧・月陰山）。中高年の夫婦やグループから若者まで、様々な年齢層の登山客が訪れる

幼い頃の徳祚は、虎が住むと言われていたこの山に「妙な恐れとそこに登ってみたいというあこがれ」を持ったようだ。が、私たちから見れば、近隣からの登山客が手軽に楽しむ低山といったところだ。

赤や青など鮮やかな色の登山服に、サンバイザー、リュックという、韓国で定番の姿の中高年夫婦や若者のグループが山に入ってゆく。駐車場の外の道路脇にずらりと停められた車をみると、早朝から山登りをする人もきっと多いのだろう。

長安寺。週末の午後だったこともあり、近郊からの参拝客で賑わっていた

1939年、船で明け方に釜山港に到着した27歳の徳祚は、釜山桟橋駅から汽車に乗り、まだできて間もない佐川駅で下りた。当時は、徳祚の次兄・奉守(ポンス)が月陰山のふもとに居を構えていた。

徳祚は月陰山に登る。山頂から見下ろすポプラ並木の路は、12歳で横浜に渡るとき、自分を見送りに来た母と歩いた道だ。次兄は弟にその母の最期の様子を伝えた。

死に目に会えなかった父に続き、母も徳祚が日本に渡った3年後にこの世を去っていた。朝鮮には土葬の習慣が根強く残ったが、母は父とともに火葬された。遺骨は米飯に混ぜて岩の上に盛り、鳥についばませた。墓はつくれなかった。

その後、徳祚は長安寺（チャンアンサ）に向かう。新羅（シルラ）時代の６７３年に建立された仏寺だ。豊臣秀吉軍の侵攻時に全焼し、その百年近くあとの１６３８年に再建されていた。

信心深い母は、家から歩いて1時間以上かかるこの寺に、幼い息子の手を引いてよくお参りに行った。長安寺からさらに2キロほど歩いた先にある仏光山（プルグワンサン）の中腹の庵（いおり）に、かつては父母の戒名（かいみょう）が記されていたようだ。

その戒名について長安寺の現住職に聞いてみたが、今は何も残っていないという。

ふたたび江陽里にて

私たちが徳祚の故郷・江陽里（カンヤンニ）に行ったのは、月陰山や長安寺を訪ねた翌日のことだった。鳳根山（ポングンサン）（烽火山（ポンファサン））と西生浦（ソセンポ）倭城をめぐったあと、私たちは海沿いを歩いて徳祚の生地の近くまで戻った。夕方近くになっていた。と、あの瓦ぶきの家に人の気配がする。門をくぐり、入り口の前で声を張り上げて来意を告げる。家の隣は広めの家庭菜園になっていた。家の中にいらしたのは、やはり80歳を過ぎた女性だった。3年前に釜山から引っ越してきて一人で住んでいるという。黄色っぽい温突（オンドル）（床暖房）の床に座ったまま、「この家は遠くに住む息子が買ってくれたもので、自分は前の住人やこの家の由来などは何も知らない」と話してくださった。これ以上の情報は得られそうもなかった。

韓国から日本に戻ったあと、私はあの灰茶色の屋根瓦の家について調べてみることにした。確かにかなり古い家には見える。だが、１９１１年生まれの徳祚が１９２４年の渡日まで住んだ家、つまり百年以上前に生まれ育った家だということなどあり得るのだろうか。

本書に様々な助言とご教示をくださっていた朝鮮史研究者の水野直樹（みずのなおき）さんの紹介で、近代建築史がご専門の谷川竜一（たにがわりゅういち）さんと徐東千（ソトンチョン）さんの４人で、オンライン上で話す機会をいただいた。私たちは、江陽里で撮影した写真やインターネットの地図、朝鮮総督府作成の古地図などを見ながら、この家について議論を重ねた。

結論としては、この家が徳祚がかつて住んだ家である可能性は低いだろう、というものだった。８、９人の家族が住むには小さすぎ、当時は草ぶきの家がほとんどだったそうだ。

現在建つこの家は、屋根の反り具合がそこまで強くないという特徴から、植民地期に建てられた日本式の家である可能性もあるにはあるようだ。そのため、２０２３年に私たちが見たのと同じ瓦ぶきの家を、１９３９年に一時帰郷した徳祚も見ていたかもしれない。

しかし、１９４５年の解放後も、１９６０年代、７０年代までは、日本人が植民地期に持ち込んだ材料や技術が、韓国での家づくりに使われていたそうだ。そのため、徳祚が最後に朝鮮を離れた１９４６年よりあとに建てられた家であるという可能性も、否定できない。もしそちらのほうが現実だとすれば、この家を徳祚は見ていないことになる。

なお、様々な年代の航空写真で江陽里の集落全体を見たところ、その所々に日本式とおぼしき屋根が映っていた。そのため、確定的な判断はできないが、植民地期の江陽里に日本人が集住していたか、朝鮮人と混住していた可能性もなくはないようだ。

４人での議論を終えたあと、私は再び蔚山に行った。釜山に別の用事で訪れた機会を利用して、蔚州郡の役所へとタクシーで向かう。目的は、この土地と建物の歴代の所有者などが記された台帳を確認すること。役所の窓口でこちらの目的を伝えつつ相談すると、韓国になって以降の書類に加えて、植民地期のそれも見ることができた。

土地台帳にはこんなことが書かれていた。まず、1912年4月に、徳祚の父である尹(ユン)俊澤(チュンテク)の名前で、海のそばにあるこの小さな土地の記録は始まっている。おそらく、1910年の韓国併合とほぼ同時に開始した朝鮮総督府の土地調査事業によるものだ。その際、俊澤の「所有」する対象に尹家代々の山が含まれず、届出期限後に無主の土地として他人の手に渡った可能性がある。自伝的小説「長安寺」で、俊澤をモデルとする父が、幼い徳祚をモデルとする息子に対して、「この山はうちの山だったよ」と語りかける場面はすでに引いた通りだ。

徳祚の生家のあった住所に建つ家

台帳の記録によると、山を失った家族に唯一残されたこの小さな土地の所有権は、父の死後、一時的に徳祚の兄で三男の尹奉学(ユンポンハク)の名義となり(1930年)、その直後に別の朝鮮人へと移った。そして、1937年に金鍾虎(キムジョンホ)という人物が所有するようになり、1981年まで所有し続けていた。

「金鍾虎」という名前には見覚えがあった。1949年9月に東京の皇居前で撮られた写真で、白いスーツの徳祚と二人で写っている人物だ。徳祚の長男・泰玄(テヒョン)によれば、鍾虎は父と同じく蔚山出身で、実の兄のようにつながりが深く、親しい関係だったという。

鍾虎の名は戦後の日記にも出てくる。「金鍾虎来訪。奉守兄〔と〕英子の手紙を持って来た」（1953年7月1日）。朝鮮戦争の休戦協定（7月27日）が結ばれる直前の時期に、彼は当時釜山在住の次兄・尹奉守(ユンボンス)やその娘・英子(ヨンジャ)から預かった手紙を、東京で弟の徳祚に渡した。そして徳祚は同じ日に「鍾虎に結婚の写真と、三八線をたのんだ」。つまり、釜山の兄・奉守に、東京での結婚写真と小説『38度線』を手渡してくれるよう、鍾虎に託した。

徳祚が1939年に故郷の江陽里を訪れたとき、その土地を持っていたのは兄のように慕う同郷の人物だった。当時そこにどんな家が建っていたかまではわからない。だが徳祚はおそらく、自分が15年前に住んでいたのとは違う家の中まで足を踏み入れたのではないか。そして、その家の周囲では、すでに日本人との混住が始まっていたかもしれない。

実は、『月陰山』には江陽里について詠んだ歌はない。だが、幼なじみに寄せた次のような短歌からは、このとき徳祚が生まれ故郷にも足を運んだことがうかがい知れる。

逝くものは逝かせてしまひて静かにも夏を迎ふるふるさとの江
——江陽の流に立ちて、幼友朴庚造君を憶ふ

東京に戻る

1か月間の釜山と蔚山（ウルサン）での滞在を終えた徳祚は、再び関釜連絡船で東京に戻ろうとした。『38度線』の描写によれば、「一時帰鮮証明書」が必要だと気づいたのは渡航の直前だった。帰郷前に警察署で証明書を取っておくべきだったことを、東京での朝鮮人の知り合いが少ない徳祚は知らなかった。悩んだあげく、徳祚は次兄の入れ知恵に賭けることにした。

霧雨が間断（かんだん）なく降るある朝、徳祚は釜山桟橋駅に到着した。近くの釜山水上（すいじょう）警察出張所の調査室では、新規に日本へ渡航する朝鮮人に対する渡航証明書の点検が行われていた。日本人指導員が朝鮮人たちを一堂に集め、渡航者心得を説いている。

釜山

徳祚は日本人のような服装をし、日本人のように足を運び、日本人に見えるように手の振り方にも細心の注意を払いながら、関釜連絡船の待合室に向かった。周囲には、「満洲」から戻ってきた関東軍の兵士たちが大勢いる。昼の便なので、朝鮮人の姿はあまりない。
乗船時間を知らせるベルが鳴った。身体の震えをやっとのことで抑えながら、徳祚は改札口のほうに歩いていく。両脇には刑事が立っている。そこを通り過ぎ、三等船室の入り口まで歩を進める。刑事の数は4人に増えている。そこも無事通過し、いよいよ船室に入る直前、ついに刑事の一人に呼び止められた――。

だが結局、少年期から15年以上も使ってきた徳祚の日本語は怪しまれなかった。証明書の提示も荷物検査も求められなかった。徳祚は船室に入り、放心して座席に腰を下ろす。


「ああ、こんな思いをしてまで、何故おれは日本へ行かなければならないんだろう！

こんな思いをするのは果しておれ一人だけだろうか？」

そう思うと涙があとからあとから溢れ流れた。両の頬をつたって耳たぼのくぼみに溜る涙を福樹はどの位拭き取ったか知れなかった。


（尹紫遠『38度線』58－59頁）


徳祚が協和会会員章、いわゆる「協和会手帳」を持たされたのは、翌１９４０年のことだ。君が代の歌詞と「皇国臣民の誓詞」が印刷されたこの手帳には、名前、本籍、現住所、勤務先、家族、国防献金などの寄与額が記載され、顔写真もついていた。警察署が作成する会員章公布台帳とセットになった、「内地」における新たな朝鮮人管理システムだ。

雇用主が朝鮮人を雇う際にはこの手帳の提示を求めることになった。朝鮮から日本に徴用で連れてこられ、その後逃亡した人々を見つけ出すのにも活用された。

なお、日本の敗戦と同時に協和会手帳は廃止されるが、その2年後には、外国人登録令が日本で暮らす朝鮮人に登録義務を課した。外国人登録証明書の常時携帯も義務化された。

東大久保（現・新宿区）の自宅アパートに戻った徳祚は、古本屋を始めるがすぐにそれを畳み、洗濯屋に雇われて働いた。やはり配達の仕事だった。徳祚が当時の朝鮮人に典型的な土建などの肉体労働ではなく「配達夫」として働いたのには、彼が都市部に住んでいたことや、日本語が達者だったことが関係していたのだろう。

この洗濯屋では、配達に加えて、業務用水洗機のワッシャーや遠心脱水機の振り切りを猿股(さるまた)一つになって動かしたり、アイロンがけをしたりする仕事も任された。徴兵や徴用で多くの日本人男性が戦争に動員され、人手不足に陥ったからだ。

なお、国民徴用令（１９３９年7月公布）は、朝鮮では「募集」という形式で準用され、多くの朝鮮人が「樺太(からふと)」（サハリン）を含む日本の炭鉱や鉱山などに送られていった。

１９４１年3月には治安維持法の適用対象を拡大する「改正」が行われた。すでにフランスはナチス・ドイツに降伏しており、じきに独ソ戦が始まろうとしていた。

日本政府当局による朝鮮独立運動の弾圧も熾烈化した。同年12月8日の開戦時には、学生を中心に日本在住の多くの朝鮮人が検挙、起訴された。芥川(あくたがわ)賞候補作「光の中に」で注目された金史良(キムサリャン)もその一人で、開戦翌日に鎌倉(かまくら)警察署に予防検束された。

在日朝鮮人作家の先駆けとして知られることになる金達寿(キムタルス)（戦後に徳祚の友人となる）も、検挙こそされなかったものの、書棚を掻きまわされ、日記の提出を要求されたという。

徳祚自身は、学生でも、作家でも、社会運動家でもなかった。だがそれでもしばしば刑事が自宅に訪ねてきて、蔵書のチェックなどをしていった。

そんなある日、徳祚はついに内鮮(ないせん)課に呼び出される。内鮮課とは、警視庁特別高等警察部に設置された朝鮮人管理のための部署だ。徳祚はそのまま12日間留置され、出てきたときには顔が腫れ上がり、胸や背中、腕の皮膚は竹の棒や皮の鞭による拷問で裂けていた。

「日本の警察はなんでもぶん殴るところだよ。白状しろ、と言うんだ。ぼくは白状することは何にもない、と言えば、ウソをつけ、と殴るんだ。ぼくはホントウに何にも知らない、と言えば、キサマが知らなくとも、こっちが知っているんだ、と殴るんだ」

（尹紫遠「密航者の群」46頁）

それでも、起訴もされずに短期間で出てこられたのは、ひとえに勤務先の洗濯屋の主人（小説では「倉田」）が知り合いの地元代議士にかけ合ってくれたおかげだった。

倉田は得意さきの自分とおなじ北海道出身の河村好造代議士に、景俊は決して「不逞鮮人」の仲間ではない、と言い切り、日ごろの生活態度もごく正直で、まじめであるとうったえ、身がらは自分が保証すると、河村家へ日参した。倉田の熱意と、河村代議士の「顔」がなかったら、景俊は例のタライ廻しのメシを何年くわされたか知れない。

（尹紫遠「密航者の群」46頁）

内鮮課による徳祚の取り調べがフィクションではなく事実であったことの証拠は、意外なところにあった。劇作家の秋田雨雀の日記だ。

「平沼勇文（尹徳祚）君が淀橋署の内鮮課の人に取調べられたといって興奮していたので慰めてあげた。淀橋署へ了解を求めてやった」（『秋田雨雀日記』１９４２年９月２日）[21]。

この取り調べから２か月半後に、歌集『月陰山』は出版された（１９４２年11月）。文学者による戦争協力の方法が議論された、第１回大東亜文学者大会が開催された月だ。このことは、当局にとって徳祚の歌集が脅威になる内容ではなかったことを証し立てている。

ただし、朝鮮の禿山や孤独な東京暮らしを淡々と詠んだ徳祚の短歌からは、彼が日本や日本人におもねっている様子は見出しにくい。

秋田雨雀の日記を読むと、徳祚の「創氏名」（半強制的に日本風の名に変えさせる「創氏改名」後の名前）が「平沼勇文」だったことがうかがえる。が、徳祚は自らの歌集ではあくまで本名の「尹徳祚」を名乗っている。

日本による支配への抵抗を詠んだわけでは決してないが、従順な臣民の位置に甘んじているわけでもない。まもなく徳祚は、そのことを自らの身をもって証明するだろう。

結婚と徴用

尹（朝鮮歌人）君は下関で結婚した娘さんをつれて来た。背の高いなかなか立派な女だ。五才の時日本へきて、小学校も日本で終えている。（『秋田雨雀日記』１９４３年２月13日）

『月陰山』出版後の1943年初めごろ、徳祚は下関で年下の朝鮮人女性と結婚式を挙げた。彼は31歳になっていた。「内地」に住む朝鮮人男性は、朝鮮在住の男性より配偶者がいない比率が高く、初婚年齢も高い傾向にあった。

また、日本人と朝鮮人の融和という名の下に「内鮮結婚」が推奨されてはいたものの、実際に婚姻する例はさほど多くなかったという。そもそも当時は恋愛結婚自体が稀なうえ、日本語能力の問題や民族差別があったからだといわれる。

まもなくして妻の乙先は妊娠し、自分の親が住む山口で出産した。だが、早産で生まれた赤ちゃんはすぐに死んでしまった。

下関の旧・東大坪(ひがしおおつぼ)町。植民地期から朝鮮人たちの一大集住地だった

東京に戻った乙先とともに、徳祚と秋田雨雀は「半島の舞姫」と呼ばれた人気スター、崔承喜(チェスンヒ)の舞台公演を見に行っている。1944年初めのことだ。帝国劇場でのこの20日連続公演は、厳しい戦局の中でも連日満席を記録した、伝説的なステージだ。

> 日劇の前で尹徳祚夫妻を迎え、岩崎(いわさき)のおでん屋で〔…〕御馳走になり、七時帝劇へ行

く。崔承喜はやはり立派だ。普賢菩薩と草刈童子のおどりは立派だった。（夜、再び崔承喜。朝鮮詩人金素雲から）

（『秋田雨雀日記』１９４４年２月12日）

崔承喜は徳祚と同じ１９１１年の生まれだ。石井漠にモダンダンスを学び、朝鮮伝統舞踊と現代舞踊を融合させた独自の舞踊をつくりあげた。川端康成ら日本の文化人たちに高く評価されたばかりでなく、１９３８年のアメリカ、ヨーロッパ公演ではピカソやコクトーなどにも絶賛された。その後、満洲、華北、朝鮮で日本軍の前線慰問公演も行った。

秋田雨雀の日記に徳祚や乙先が登場するのは、１９４４年２月のこの日の記述が最後だ。その約２か月後、秋田雨雀は郷里の青森県黒石市に疎開した。崔承喜は日本軍の慰問公演をより活発に行うためという口実で、舞踊団の本拠を東京から京城に移し、それから中国に向かった。徳祚が東京の東大久保で徴用令書を受け取ったのもこの頃とみられる。

１９４３年11月には「タラワ、マキンの戦い」が起きていた。そこでは、日本海軍の設営部隊としてギルバート諸島に送られた朝鮮人が、日本人とともに、米海兵隊との戦いで大量に死んだ。

徴用令書を受け取った徳祚は、一度は徴用に応じる決意をして警視庁に出頭しかけるも、恐怖に駆られて最後の最後で翻意した。生き延びるために、死なないために、危険でも逃げる道を選んだのだ。そして、戦闘帽に作業服という出で立ちで東京をあとにし、妻と二人、下関港で関釜連絡船に乗り込んだ。

明け方の下関港周辺

3 朝鮮 １９４４－４６

朝鮮に逃げる

尹徳祚は本当に「密航」をしたのだろうか。

私がだいぶ前に「密航者の群」を探し出して読んだときには、この作家についての情報があまりに少なくてよくわからなかった。描写の具体性は体験者ならではのものと感じたが、それを傍証する何かがあるわけでもなかった。

１９４６年夏の「密航」が彼自身の体験だったことをほぼ確信したのは、戦後に書かれた「尹紫遠日記」の中で、「兼二浦」という地名を見つけたときだった。現在の朝鮮民主主義人民共和国・黄海北道松林市である。ピョンヤンの南西35キロほどに位置する。

それにしても「兼二浦」とは妙な名前である。調べたところ、この地名は渡辺兼二という陸軍軍人の名前に由来していた。この地は、日露戦争遂行にあたって延伸された京城－新義州間を結ぶ京義線の、建設資材の陸揚場として使われた。渡辺はその責任者だった。近隣の殷栗や載寧が鉄鉱石の産地であったことから、１９１７年に三菱製鉄株式会社がこの地で製鉄所の操業を開始した。１９３４年に日本製鉄兼二浦製鉄所として再編され、

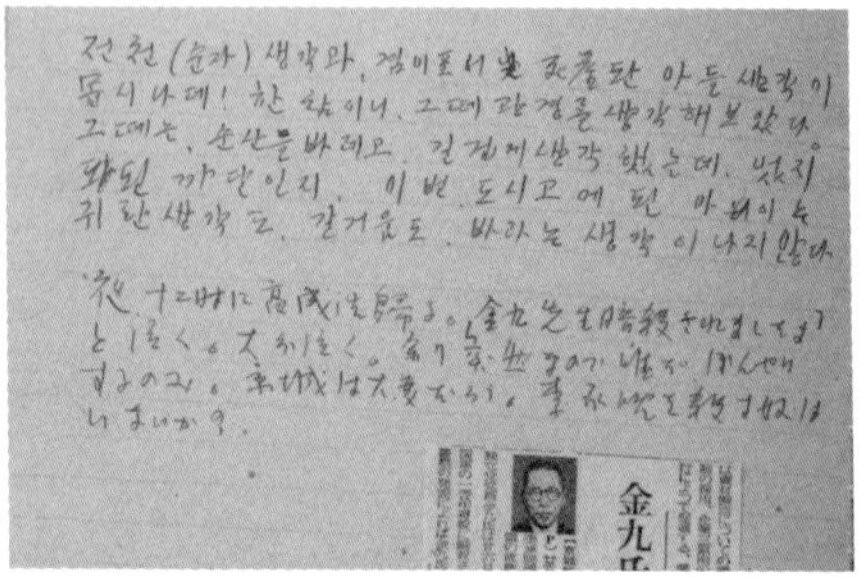

1949年6月26日の尹紫遠の日記。一行目に「겸이포（兼二浦）」と書かれているのが見える

朝鮮最大の製鉄所となった。

「尹紫遠日記」にはこの地名が二度出てくる。最初は、「終戦当時の兼二浦」という作品の執筆を計画した1946年12月6日。戦後の東京に舞い戻ってからわずか3か月後のことだ。

この作品は「南北線」、「国境」と改題された末、最終的に『38度線』として早川書房から刊行された。主人公の柳福樹（ユボックス）が、妻、兄、姪とともに、米ソ軍が引いた分割占領線を1945年11月に南下する話だ。

そして二度目は、死んでしまった「兼二浦で生まれた息子」を思い出した、1949年6月26日の日記。

これらの記述から、徳祚自身が1945年8月の解放時に朝鮮にいたことがほぼ確実となった。尹一家の韓国の戸籍謄本（とうほん）もこれを裏付けた。1944年6月29日に、徳祚が蔚山（ウルサン）で金乙先（キムウルソン）との婚姻届を出した事実が記されている。

第二次世界大戦後は海を越える移動が厳しく制限された。そのなかで、朝鮮人による渡日は、ほぼ「密航」とならざるを得なかった。

2023年、私たちは徳祚が書き残したテクストから地名を拾い出し、車、電車、フェリーなどを利用してそれらの地を実際に見てきた。だが、植民地下の朝鮮人にとって「まるで牢獄みたいな所」だった兼二浦にだけは行くことができなかった。日本から朝鮮民主主義人民共和国までの道のりは、あまりにも遠い。

しかし、実は植民地期には今と事情が全く異なっていた。当時、日本発の朝鮮半島縦断旅行は、ごく気軽に行われていたのだ。朝鮮総督府鉄道局が発売していた朝鮮周遊コースの一つを見てみよう。この七日間ツアーの費用概算は約65円。当時の公務員（高等官）の初任給である75円よりも若干安い。


第一日、夜釜山港着　汽車にて海雲台行、宿泊。

第二日、朝海雲台発仏国寺に至り石窟庵往復慶州へ、宿泊。

第三日、自動車にて古蹟遊覧後、大邱行、大邱市街見物。夜行列車にて京城へ、車中泊。

第四日、早朝、京城着、京城遊覧、宿泊。

第五日、早朝、京城より平壌行、平壌市街見物、宿泊。

第六日、「ひかり」号列車にて新義州着、製材所等見学後、鴨緑江渡橋安東〔新義州の対岸にある「満洲国」の町〕へ、安東より「ひかり」号にて釜山直行、車中泊。

第七日、朝釜山着、朝又は夜の連絡船にて内地へ

（朝鮮総督府鉄道局『朝鮮旅行案内』[22]）

この周遊コースでは、京釜線と京義線という二つの路線が使われている。いずれも日露

1944年、下関から釜山へと船で逃れた徳祚と乙先は、さらに釜山から兼二浦まで列車で北上した

戦争期に日本が敷設したものだ。京義本線と支線を利用した、兼二浦観光を含む五日間の「西鮮迴遊」コースというのもあった。[23]

徳祚は１９４４年から４６年までに妻と４回移動した。最初は１９４４年初夏に東京から釜山に関釜連絡船で。次は、数か月後に釜山から兼二浦に北上する鉄道の旅。三度目の移動は１９４５年11月の歩き通しの旅。兼二浦から南下して38度線を川の上で越えた。最後は１９４６年夏の蔚山・日山津から日本に向けた船旅だ。

最初の三つの移動についての手がかりは、小説『38度線』にしかない。自身の経験にかなり忠実に書いた作家とはいえ、小説である以上、その記述には虚実が入り混じっているだろう。[24]だがその境目を、別の文献などを用いて検証するのは現在ではごく困難である。

それとは対照的に、例えば日本人たちによる38度線越えに関する記録などは、兼二浦からのものに限ってもかなりの量がある。[25]こうした記録物の量の非対称性も、植民地支配ー被支配関係が残した癒えない傷跡だ。

妻との旅（一）東京から釜山へ

1944年の徳祚はなぜ徴用から逃れようとしたのか。どのようにして逃れ得たのか。前述のように、日本と朝鮮で国民徴用令が施行されたのは、1939年7月のことだ。日本での場合、赤紙ならぬ「白紙」の徴用令書を受け取ったら、指定された日時と場所に出頭せねばならず、従わなければ罰金が課された。日本人も朝鮮人も同様である。当初定められた労働時間は1日12時間だったが、1943年からは時間制限が撤廃された。

日本に住んでいた朝鮮人の徴用の実態については、解明されていない部分も多いようだ。日本語や日本社会に慣れていたことから、朝鮮で徴用された人々よりは、相対的にましな状況だったとみられる。これに関してこんな証言がある。語り手は、1912年に数え年9歳で、繊維工場の「女工」として朝鮮から大分県にやってきた「鄭オモニ」だ。

> 次男は商業学校に行たが二年でやめた。かね払えんのじゃ。戦争のとき、大村に徴用で行た。飛行場つくる土方じゃったと。そこにたくさんの朝鮮人つれられてきちょったチ。食べる物なくて、そのうちの一人が、腹がひもじくてたまらんで、おつゆ盗みてのんだと。すぐ見つかっちな、棒でたたかれたり、なぐられたり、軍用犬で噛ませたり、とうとうぼろぼろの気違いになってしもうたチ。それみてきた次男は、「朝鮮人は情ねえ、なしあげされんならんのかわからん。つらいな」チ、うちにいうて涙いっぱいだすの。
>
> （古庄ゆき子『ふるさとの女たち』230頁）[26]

鄭オモニの次男は日本育ちで、日本で徴用された。彼女の証言からは、長崎県大村の飛行場――敗戦直前に特攻隊の発進基地となった――を建設する工事のために徴用された朝鮮人の間でも、日本育ちか朝鮮から来たばかりかで扱いに差があったことがうかがえる。

徳祚が東京を離れた1944年春、朝鮮人が日本から転出するのはごく難しくなっていた（日本での労働に従事させるのに好都合だったためだ）。だが、渡航管理と徴用の管轄部署は連動していなかった。徳祚は乙先との結婚を口実に、日本を脱出したのかもしれない。

徴用から逃れるために朝鮮に逃げた徳祚だったが、その考えは全く甘かった。朝鮮では、日本以上に強力な徴用対象者の監視網が敷かれていたのだ。徴用令書を手に携えてやってくる面（ミョン）（村）の書記は決まって洋服を着ていた。だから、村外れに背広姿の男が現われると若者たちは顔色を変えて逃げた。

朝鮮での徴用開始は1944年で、「内地」より5年遅れた。理由としては、徴用の手続きに必要な役所の事務能力が不十分だったこと、朝鮮人の主な動員先である炭鉱や鉱山の労働条件が劣悪で、徴用可能な事業場として当初は認定されなかったこと、家族が徴用にとられた人々の生活を支える制度もなかったことがあげられる。[27]

朝鮮で労務動員を受けた朝鮮人の動員先は、朝鮮内の工場や鉱山を除くと、圧倒的に日本が多かった（割当数合計91万人、移入実数67万人）。朝鮮から「樺太（からふと）」（割当2万人、実数1万6千人）や南洋（割当2万人、実数6千人）に送られる人もいた。[28]

徳祚は朝鮮で「ユウレイ」になった。住民登録をせずに住むことを当時こう呼んでいた。

彼は乙先と釜山近郊の村に居をこっそり構え、釜山、大邱、蔚山、慶州などの市場で海産物の行商をした。そうする間にも友人たちが次々と徴用されていった。やがて、徴用逃れをした友人の父親が警察で拷問されたという話も聞こえてきた。

まもなくして、夫婦が隠れ住んでいることが村の人々の間で噂にのぼり始めた。

その日が迫っていることを察知した徳祚は、次兄の住む兼二浦に身を寄せることにした。

妻との旅（2）釜山から兼二浦へ

1944年の晩夏、夫婦は釜山で京義本線の奉天行き夜行列車に乗った。開城駅、沙里院駅を経て黄海黄州駅に着いたのは翌日の午後3時過ぎ。そこから京義線支線の兼二浦線に乗り換え、兼二浦駅に到着した。

高い煙突が林のように立ち並び、煙が立ち込めている。巨大で近代的な工場と、極端にみすぼらしい朝鮮人労働者たちからなる労働都市だ。駅や各要所では、職工や重労働者などに変装した刑事たちが、スパイが入り込んでいないか眼を光らせている。

兼二浦に住む日本人の8割は製鉄所の関係者だ。日本人職員用で煉瓦造りの社宅は中心部の吉田町などにあり、係長以上は霧ケ丘町にある大邸宅に住んだ。在朝日本人二世向けの兼二浦高等女学校や竹園国民学校の校舎も、立派な2階建てだ。

一方、朝鮮人用の社宅は中心から外れた三田面に固められていた。工場などに使われる安価な波型スレート屋根の粗末な家が、じめじめした葦原に立ち並ぶ。トタンぶきの朝鮮

兼二浦製鉄所の全景。植民地期に販売されていた絵葉書

人の家々は、自由労働者、各組の人夫、勤労報国隊、農村報国隊、そして徴用逃れで忍び込んだ若者たちで満杯だった。家に入りきらず、道端や軒下にカマスを敷いて寝ている人もいる。

夜は真っ暗になった。厳しい灯火管制のためだ。防空訓練も連日連夜、実施された。

米軍は１９４４年６月のマリアナ沖海戦での勝利を皮切りに、７月、８月にかけてサイパン島、グアム島、テニアン島の戦いで日本軍を撃退した。そのテニアンを、米軍は日本本土空襲のための根拠地とした。この製鉄所も、福岡の八幡製鉄所のように真っ先に空襲の標的になるのではないか。兼二浦の人々は戦々恐々としていた。

徳祚の次兄は製鉄所第二溶鉱炉でペンキ塗りの監督をしていた。製鉄所内外の建物の防空塗装工事を請け負っており、仕事は潤沢にあった。徳祚は穴だらけのビロードのジャンパーにコール天のダブダブしたズボンをはき、兄の仕事を手伝った。

巨大な製鉄所構内にはセメント倉庫、溶鉱炉、ガソリン製造所、コークス工場、重油製造所が入っている。荷物を運ぶための牛車や馬車、トラック、オート三輪、貨車が各所に連なる。構内の貨物機関車は15台もあった。そこでは朝鮮人守衛、私服の刑事と憲兵が常に監視している。構内では朝鮮語は厳禁だ。何かを指差すことも禁じられていた。

ペンキやコールタールが凍る冬になると、徳祚は製鉄所内の防空壕掘りに明け暮れた。

1945年8月15日

翌1945年の夏、兼二浦にいる徳祚宛てに再び徴用令書が舞い込んだ。7月12日に黄州で身体検査を受け、16日に出発せよとある。しぶといマラリアから回復中だった彼は、この出頭期限を過ぎてから、一縷の望みをかけて不適格の証明書をもらいに病院に赴く。だが、日本人医師はニヤッと笑って、徴用「合格」の印を押した。

帰り道、やけ酒を飲み大声で朝鮮の歌を歌っていた徳祚は、それを咎めた男を殴ってしまう。運の悪いことに、男は警官だった。徳祚はただちに兼二浦署に連行され、徴用の出頭期限までに出向かなかったこともばれてしまう。人生で三度目の留置が始まった。

分厚い牛皮の鞭や靴先での拷問の末、13日目にようやく外に出られたときには、「訓練所」行きを約束させられた。ここは、「逃亡中の徴用忌避者を捕えて、一定の期間内にその不心得を自ら深く悟るべく、光栄ある皇国臣民としての訓練を授けた上、各地の軍事施設地に送り込む所(29)」だ。万事休すとなり警察からの連絡を待っている間、ついにB29が兼二浦上空に現れた。その後、B29は2、3日おきに姿を見せるようになった。

そして8月9日のソ連参戦。同年2月のヤルタ会談において、ソ連と米英との間で合意されていたことだった。満洲、朝鮮北部、樺太などで、日ソ間の戦争が始まる。日本による朝鮮の獲得を決定づけた日露戦争の終結から数えて、ちょうど40年目のことだ。ソ連参戦からわずか五日後の8月14日に、日本はポツダム宣言を受諾した。

8月15日正午。兼二浦の人々も雑音混じりの玉音（ぎょくおん）放送を聞いた。朝鮮人たちはまだ警戒して知らんぷりしている。夜7時。ラジオ屋の前に朝鮮人たちが詰めかけた。日本語放送に続き、朝鮮建国準備委員会の副委員長・安在鴻（アンジェホン）による朝鮮語での特別放送が流れた。

> 「わが朝鮮は連合軍によって独立が保証されています。それから、日本人に危害を加えるようなことは絶対につつしんで下さい。朝鮮にいる百数十万の日本人の生命財産をみなさんの手で保護して下さい。同胞のみなさん！日本には引揚げなければならない五百万のわが同胞がいることを深くお考え下さい。(30)——」
> 放送が終った。嵐のような拍手が起こった。〔…〕さまざまな形の帽子が次々に舞い上った。放送の模様を訊きにかけつけてくる人。張（はり）のある声で友の名を呼び合う青年たち。踊りだす人。「ああ！生きていてよかった」という声、声、声。散らばって行く子供たちの足音。鼻をすすり出す中年の人たち、涙を拭き合う老人たち。〔…〕
> 「朝鮮人は自由民族です！」
> 福樹（ポックス）は幾度も幾度もその〔安在鴻の〕言葉をくり返した。福樹は今、初めて自分の心と肉体とがぴったり結び合っている現実の自己を見出した。

「ああ！もう離ればなれになるようなことはないだろう!!」

（尹紫遠『38度線』179―181頁）

朝鮮人たちは洗面器、石油缶、大釜の蓋を打ち鳴らして歌い、踊る。「朝鮮独立万才」の叫びが月明りの空にうねりとなって響く。久しく耳にしなかった長鼓の音も聞こえてくる。「タタンタンタン、クウング。タンタン、クウング」。

翌16日、徳祚は薄茶の麻服に草色のネクタイを締めて町を闊歩する。朝鮮人であっても背広を着て出歩ける世の中になったのだ。日本人の家々には、護身用に朝鮮の太極旗が掲げられている。徳祚はこの日まで太極旗の存在すら知らなかった。

兼二浦神社が燃やされたのはその二日後のことだ。その前を通るときに最敬礼をしないと、配給停止などの厳罰を加えられた、朝鮮人たちにとっては恨み多い場所だった。同じ頃、釜山の龍頭山神社にも火がつけられた。

「もう離ればなれになるようなことはないだろう!!」。植民地支配は、朝鮮人の心と肉体を、そして自己と自己をとりまく世界も引き裂いた。

『38度線』。徳祚たち自身の米ソ分割占領線越えについて、唯一の手がかりである精神分裂状態にあった朝鮮人たちにとって、朝鮮の解放は自己回復の道すじを照らし出すものとなるはずだった。だが、人々の希望はすぐに断ち切られた。

朝鮮半島を38度線で分割すると米ソ間で合意されたのは、玉音放送の翌日、8月16日のことだ。この分割線については、二人の米軍将校たちが壁に掛けられた地図を見ながら、30分で決めたという説がよく知られている。

北緯38度線は、朝鮮戦争の休戦時に引かれた軍事境界線とは若干位置が異なる。徳祚はこのあと38度線のすぐ南にある開城(ケソン)で初めて米兵たちと邂逅することになるが、開城は軍事境界線の北にあり、1953年以降は朝鮮民主主義人民共和国の領土に組み入れられた。

妻との旅(3) 38度線南下

朝鮮北部には、朝鮮解放とほぼ同時にソ連軍の先発隊が入ってきた。朝鮮人たちは太極旗と赤軍(せきぐん)旗でかれらを歓迎した。だがその朝鮮人たちも、占領初期に頻発したソ連兵による略奪やレイプで、日本人たちと同じように苦しむことになった。

ソ連は1941年からの独ソ戦で、戦闘員と民間人合わせて2700万人もの死者を出し、疲弊していた。朝鮮北部への先発隊は、4年間にわたって転戦しながらドイツ軍と戦い、朝鮮最北部の咸鏡(ハムギョンド)道の外側で日本軍と戦闘したあと、朝鮮に入ってきた部隊だった。

ソ連軍の現地調達方針が、部隊の暴力的行動を助長した。1945年11月以降、ソ連軍民政部隊が入り、ようやく憲兵隊と内査部隊(MVD)が軍の紀綱(きこう)を正していったという。

兼二浦にソ連軍がやってきたのは９月２日だ。その約２週間後、日本人だけが広場に集められた。製鉄所の幹部は「訓練所」（徴用忌避者として徳祚が送られる予定だった場所）に、職工と一般人たちは三田面の朝鮮人社宅などに収容するよう、命令が下された。[31]

日本人たちの収容所への行列が町を埋め尽くすさまを眺めていた徳祚は、20代半ばの朝鮮人女性が声を枯らして泣いているのに気づく。日本人である夫だけが収容され、妻である彼女と幼い子どもたちは取り残されたのだ。その隣では老婆がもらい泣きをしている。数か月後、徳祚は知り合いに会うため三田面の日本人収容所を訪れた。一夜にして敗戦国民に転落した日本人たちを、マラリア、発疹チフスなどの感染症が容赦なく襲った。

これがあの「大日本帝国臣民」だと肩で風をきって歩いていた人たちかと思うと、「いいきみだ」と思った。しかしやはりいやな気持がした。人間が人間を支配する限り、こんな悲惨な光景は絶えないだろうと考えた。

（尹紫遠『38度線』279頁）

製鉄所の休止により、ペンキ塗りの仕事もなくなった。兼二浦線はすでに８月26日にソ連軍によって運行が中止され、京義本線は軍専用の貨物車ばかりになっていた。

いち早く南の様子を見に行き戻ってきた徳祚の次兄は、北よりも南のほうが住みやすそうだとの判断を下した。曰く、ソ連軍は日本人たちの穀物倉庫を開けて連日どこかへ積み出していくが、米軍は物資豊かで朝鮮人にも食糧をくれる。南朝鮮では社会秩序が保たれているし、日本人にも自由行動を認めている。鉄道も新聞も通信も自由だ、と。

徳祚は決めかねている。食糧をくれようがくれまいが、アメリカもソ連も朝鮮を真っ二つにすることに同意したではないか。

兄の妻は南下に反対のようだ。すでに生活基盤のある兼二浦のほうがましだ。いくら故郷が良いと言っても、またそこで一からすべてを始めなければならない。それに、戦車が続々と集められ、物騒な噂が日に日に募る38度線を、いま越える必要はないだろう、と。

結局、徳祚は兄に説得されて故郷方面に行く決心を固める。こうして1945年11月、徳祚とその妻、兄、兄の一人娘の4人、それに同郷の二人の男性たちを加えた計6人は、兼二浦を後にした。兄の妻は家の整理のために兼二浦に一旦残る。兄は開城(ケソン)で娘を南に行く汽車に乗せてから、妻を迎えに再び北上することに決めた。

南下する6人の旅は、徳祚と乙先が兼二浦に来た一年前のような鉄道の旅になるはずだった。だが今回は、列車にはほぼ乗れなかった。路線の運行休止や減便、貨物輸送の優先、国境付近での検問など、全て米ソ両軍の都合によるものだ。

一行はまず、兼二浦から20キロほど歩いて黄州(ファンジュ)駅に向かった。駅の広場は朝から続々とやってきた人々で埋め尽くされ、脇では名物のりんごが山と積まれて売られている。むし餅(もち)、飴(あめ)類、冷麺、焼肉、酒類の屋台もどきが市のように立ち並ぶ。だが、来る列車はみな貨物列車で、誰も乗車できない。

1日に数十キロ歩いたり、トラックに無理やり乗せてもらったりしながら、沙里院(サリウォン)、新(シン)

院里（インリ）、新幕（シンマク）、平山（ピョンサン）などを経て、38度線近くの助浦洞（チョポドン）に到達したのは出発から六日後のことだった。礼成江（レソンガン）がすぐそばを流れている。

ときおり響く銃声に怯えながら、暗く険しい山道を助浦洞方面に向かって歩いている間、徳祚は6年前の一時帰郷の帰路、日本人のふりをして関釜連絡船に乗り込んだときの恐怖を思い起こしていた。だが今や、なりすます必要があるのは日本人たちのほうだ。ソ連軍から38度線越えを禁じられたかれらは、朝鮮の貧農者や重労働者に変装していた。

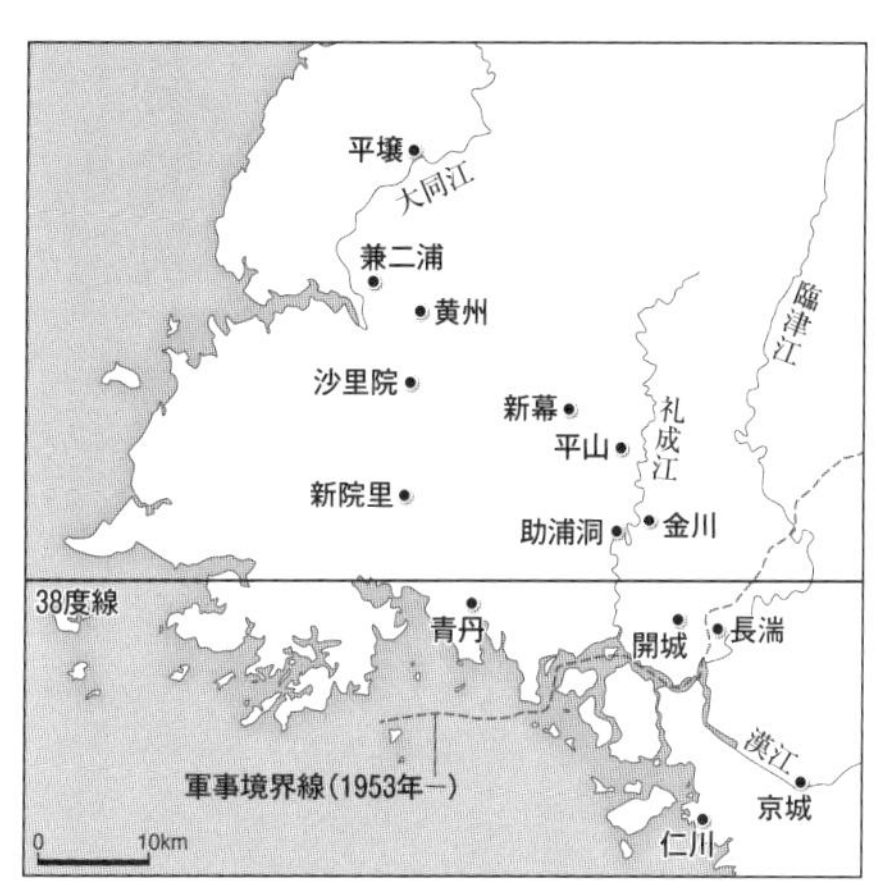

1945年11月、徳祚たちは兼二浦から黄州、新幕、助浦洞などを経て、礼成江で38度線を越えた

38度線近くでは、様々な噂が行き交っていた。ある男は金を巻き上げられ、妻も奪われた。別の男はソ連兵に反抗して射殺された。坊主刈りにして男物の背広を着ていたが、見破られて連行された女の話も聞いた。若く美しい妻が同じ目に遭わないかと徳祚は気が気でない。

翌朝、一行は礼成江のほとりで小さな帆船に乗り込む。川の上で38度線を越えれば、あとは開城駅まで行って列車に乗るだけだ。緊張の緩んだ男たちは、船上で濁酒（タクチュ）を飲み始める。と、すぐ先でソ連兵たちが百人ほどの朝鮮人を乗せた大型船を取り調べているのが見えた。船頭は急いで人々の上に帆をかぶせるが、もはや手遅れだった。

徳祚たちの船に乗り込んできたソ連の警備兵が乙先の手首を摑む。徳祚は我を忘れてその兵士に突進した。兵士は尻もちをつく。大型船のほうからタアンと銃が放たれ、徳祚の肩を掠めた。立ち上がった兵士は彼の横面を思い切り張った。

大事には至らなかったが、その後荷物の検査をした別のソ連兵が兄の全財産を没収した。

自分たちになんの罪があるのだろう？どんな理由で持物の調べを受けなければならないのだろう？自分たちはただ自分たちの所有物を持って、自分たちの故郷へ帰る、ただそれだけであるのに。しかも自分たちから取り上げた物品の処理は、いったい誰がどういう風にするんだろう？

（尹紫遠『38度線』302頁）

大日本帝国の崩壊によって「自由国民」となったはずだった朝鮮人には、相変わらず何の権限もないままだ。

ソ連の警備兵たちから解放された帆船は、まもなくして大きな鉄橋の下に着岸した。鉄橋には38度線を歩いて南下する朝鮮人、北上する朝鮮人の、二つの長い列ができている。

一行は南へとさらに歩を進めた。しばらく行くと、星条旗がはためく2階建ての建物が見えてきた。米軍占領地域の開城府だ。

入り口には低い野営用のテントが張ってあり、その脇に機関銃が1台据えられていた。開城の住民以外が通過しようとすると、二人の米兵が容赦なく銃を突きつけてくる。徳祚は信じられない思いでそのうちの一人に近寄り、身振り手振りで話しかけた。

> We are all Korean……Please Please ……lets(ママ) us go to the……the Kesyong(ママ) Station. We are hungry……hungry and……and tired. very(ママ) very tired. Please Please lets us go to the Kesyong Station. we(ママ) are Korean Korean. 〔私たちは全員朝鮮人です……プリーズ、プリーズ……開城駅に行かせてください。私たちはお腹が空いています。お腹が空いていて……疲れています。とてもとても疲れています。プリーズ、プリーズ、開城駅に行かせてください。私たちは朝鮮人、朝鮮人です。〕
>
> (尹紫遠『38度線』310―311頁)

私たちは日本人でなく朝鮮人だ。だから当然、朝鮮の地を自由に移動する権利があるはずだ。しかし、このような徳祚の論理は通用しない。米兵たちは彼の額からにじみ出る冷や汗、怪しげな英語の発音、手まね足まねに腹を抱えて笑うばかりだ。敗戦/解放は、朝鮮にいた日本人と朝鮮人の立場を逆転させたかのように見えた。だが、そうではなかった。ソ連軍と米軍の下に、朝鮮人と日本人が等しく並べられただけだったのだ。

追い払われた一行は、近くの宿屋の主人に金を払って道案内人を手配した。暗闇の中を歩き続け、夜中に開城駅に辿り着くことができた。だが、ここでも列車には乗れなかった。

駅では米兵が整理にあたっており、京城（けいじょう）行きの列車には「戦災者特別輸送乗車船証明書」を持つ日本人しか乗せてもらえない。朝鮮総督府とアーノルド米軍政庁長官の連名で発行されたものだ。

諦めてもう一つ先の長湍（チャンダン）駅までの28キロをさらに歩き始めるところで、小説『38度線』は終わる。兼二浦からここまで約180キロ。釜山まではさらに約380キロほども残っている。

徳祚の出した結論はこうだ。

「ソ連軍も米軍も」やっぱり同じさ。結局、たよりになるものは自分たちだけなんだ。同じ血が流れている朝鮮人以外に、朝鮮を、朝鮮人を生かす者が、他になんかいるもんか

（尹紫遠『38度線』319頁）

朝鮮人たちの38度線越えは、米ソ対立の深刻化とともにその後ますます困難になっていった。「同じ血が流れている朝鮮人」同士が殺し合うのは、朝鮮解放からわずか5年後のことだ。このとき京義線の駅は破壊され、線路も南北に分断された(32)。1953年の休戦後に朝鮮民主主義人民共和国の領土となった開城は、南北離散家族の割合が最も多い都市だ。兄はおそらく、その後二度と38度線を越えることはできなかった。

1962年、当時釜山に住んでいた次兄の尹奉守（ユンポンス）は、東京の目黒区に住む徳祚に宛てて久しぶりに手紙を送っている。そこには、1953年に再婚したことが記されていた。

釜山の次兄・奉守から届いた手紙（1962年）。かつて金鍾虎（キムジョンホ）を通じて弟が書いた『38度線』を受け取った奉守は、手紙の宛名を尹徳祚でなく筆名の尹紫遠としていた

釜山のチャガルチ市場

帝国崩壊後の釜山

短編「嵐」には、１９４5年9月下旬の釜山駅前の様子が描かれている。山口の仙崎から帰還した朝鮮人一家（妻・乙先の家族がモデルとみられる）の話だが、これは、38度線を南下してきた徳祚自身が目にした光景だろう。

釜山駅の広場は仙崎よりもなお人でごった返り、尿糞の臭も劣らなかった。カケ（屋台店）は無数につらなり、引揚者の荷を満載した荷車がイセイのいい掛声で人をかき分けて行きすぎると、「餅、買いません。」「たばこ如何ですか。」と女や子供たちが我れ先を争そって押寄せて来たりした。

（尹紫遠「嵐」６頁）

釜山は下関、博多、仙崎、沖縄、南洋諸島、東南アジアなどから戻った「応徴士」（徴用に行った人をこう呼んだ）や引揚者たちで溢れかえっていた。その2割が当面の住宅を見つけられなかったといわれる。

「嵐」に登場する仙崎帰りの一家の父は、懐かしい故郷に戻れば何とかなると考え、家財道具を持っていこうとする妻の話も聞かず、洋服と布団だけを持って引揚船に乗った。旧植民地出身者が持ち込める現金は最大で500円。１９４5年11月25日に千円に引き上げられたが、朝鮮に土地も家も仕事もない人々は、それでは数週間も暮らせなかった。

釜山港に降り立った「嵐」の一家は、大倉町から弁天町を歩いてみる。山口県の炭鉱で育った子どもたちにとっては、初めてみる父母の故国だ。

至る所に日本の着物類や、家具調度品等が二束三文に売りとばされていた。〔…〕実際彼等が日本にいる時は、夢にも見られなかったような物が、どの店にも豊富に陳列されていた。飴、餅、ビスケット、リンゴ、柿等を買ってもらった子供たちは手を叩いて喜んだ。

（尹紫遠「嵐」7頁）

言うまでもなく、豊富な食べ物は在朝日本人に供（きょう）される予定だったものだ。敗戦で俸給を絶たれた日本人たちは、家財道具を売って食いつないだ。現在、釜山港沿いのチャガルチ市場（南浜市場（みなみはま））の北にある国際市場の原型は、これらの品物で形成された闇市場だ。

朝鮮総督府による日本人引揚げ費用の調達のための紙幣乱発、日本からの大量の貨幣持ち込みによるインフレ、日本引揚げの際の横領や不法な持ち出し、それらと組んだ朝鮮人投機師、高官らの蓄財などにより、南朝鮮の庶民はどんどん窮乏していった。先の「嵐」に出てくる妻もすぐに、釜山駅付近で警察に追われながらたばこ売りをする境遇に陥る。

在朝日本人約70万人の帰還業務は、1945年9月28日に米軍第40歩兵師団の監督下で始まった。計画輸送の開始は10月16日のことだ。それと同時に、私設の船での帰還は禁止され、持ち出し金や荷物の制限も課されるようになった。財産の搬出入制限の内容は、現金の持ち出し限度額が千円、手荷物は携帯可能な範囲内というものだった。

蓄えた財産が多ければ多いほど、それを置いていくことへの未練は大きかっただろう。以下は、釜山のある日本人男性が、京城に住む知人に宛てた手紙の一節である。

いま釜山には多くの闇船会社がある。表示板には予め運賃が書いてあり、普通ひとりあたり一五〇円である。密船を利用すれば、あなたは軍警と朝鮮人女性検査員の物品検査を避けることができる。（釜山）日本人世話会が密航の経路と業者を案内してくれる。世話会の事務所は釜山駅の真ん中にある。現在、三隻が運行しており〔…〕。〈追信〉もし、あなたが利口な人間ならば、最大限多くの金を持ってくること。(33)

米軍政庁の検閲に引っかかったため、今に残る手紙だ。「日本人世話会」とは釜山日本人世話会のことで、朝鮮総督府の元官僚が多かった京城日本人世話会と異なり、企業家や大企業の役員らで構成された。1945年12月には、元釜山商工会議所会頭の香椎源太郎（かしいげんたろう）が、日本に財産を持ち帰るために「密航」を試み、南朝鮮の海岸警察に逮捕された。香椎は朝鮮南部の巨済島（コジェド）や鎮海（チネ）一帯の漁区を独占し、朝鮮の水産王とよばれた人物だ。

敗戦／解放の直後、多くの「闇船」が釜山と西日本を往復した。高収入だが逮捕のリスクも高いこの仕事で、船主が片道だけ人を乗せることはなかったという。日本人を日本で下ろしたあとの帰路には朝鮮に向かう朝鮮人を、そうでなければ荷物を運んだ。

その後しばらく、闇商売、財産整理、家族との再結合、政治活動などの目的で、朝鮮人と日本人とが互いになりすまして海を越えるケースはよくあったとされる。

米軍船舶が1945年11月に投入されるまでは公式の送還船が不足していたことも、在朝日本人が「密航」を選んだ理由の一つだった。日本の船の多くは空襲と魚雷攻撃で破壊された。徳祚が1941年と44年に乗った可能性のある関釜連絡船の興安丸（こうあんまる）も、1945年4月に山口県の海上で機雷に触れて運航できなくなっていた。その後、修理を受けて公式の引揚船となった興安丸は、終戦後に引き直された日本、朝鮮、中国、ソ連の境界をまたいで人々を運び続ける(34)。

釜山近代歴史館。植民地期は東洋拓殖会社釜山支店、解放後はアメリカの大使館や文化院として使われた

2023年、関釜フェリーを下りて、私たちが真っ先に向かったのは、釜山近代歴史館だ。植民地期に東洋拓殖（たくしょく）会社の釜山支店として使用されたこの立派な建物を、アメリカは朝鮮戦争時にはアメリカ大使館として、のちにアメリカ文化院として無償で使用し続けた。そのことから、このビルは韓米の不平等な関係の象徴とみなされた。1982年には放火により一階部分が全焼している。

1980年の光州（クワンジュ）市民虐殺事件後、民主化運動弾圧の背後にいたアメリカに対する批判の高まりの中で、この放火事件は起きた。その後、建物の存廃をめぐって議論が重ねられた末、２００３年に現在の歴史館として生まれ変わった。

このように、釜山には日本統治の痕跡と朝鮮戦争のそれが混在している。１９４５年の時点で28万人だった釜山の人口は、各地からの帰還者で１９４９年には47万人に膨れ上がった。さらに、朝鮮戦争時の避難民により、１９５５年には百万人以上になった。

釜山駅近くの草梁洞（チョリャンドン）──１８７７年に釜山日本帝国専管居留地となり、山口や長崎の人々が移り住んだ地──は、現在では、インスタレーションアートとともに近現代の歴史を辿る散策コース「イバグギル（物語の道）」が整備された、観光スポットになっている。

無料モノレールが人気で、傾斜が45度もある草梁の「１６８階段」は、朝鮮戦争時に釜山に押し寄せた避難民たちが急斜面に次々と家を建てた際につくられたものだ。その階段を上りきったところに、「６２５（ユギオ）マッコリ」（「ユギオ」は、１９５０年6月25日に北の人民軍が侵攻した事実を強調した、韓国での朝鮮戦争の呼び名）という名前の店があった。日本時代の面影（おもかげ）は、朝鮮戦争のインパクトに席巻されてさほど残っていないようにも見える。

釜山市内の景色を高台から一望したのち、急な坂道を下っていくと、１８９２年にアメリカ人宣教師が建てた草梁教会が見えてきた。このあたりはかつて清（しん）国領事館があったところで、今は釜山華僑（かきょう）小学校を擁する中華街となっている。

中華街の通りを端まで歩くと、「テキサス通り」に切り替わる。その名とは裏腹に、ロシア語の看板も目につく。ここは朝鮮戦争の際に米軍相手に酒や女性を供する盛（さか）り場となり、その後、在韓米軍の米兵相手の繁華街として定着した。１９８０年代末の駐屯米軍の規模縮小によりさびれかけたが、1990年の韓ソ国交樹立以降、ロシアの船員たちが大挙して立ち寄るようになったことで、活気を取り戻したという。

近くには少林寺（ソリムサ）という色鮮やかな韓国式寺院があった。かつての草梁小林寺（しょうりんじ）だ。南朝鮮にいた日本人の大半が1945年末までに引き揚げたあと、小林寺には日本人の遺骨が200柱残された(35)。その後この寺は、元日本人妻や在日朝鮮人の義勇兵など、日本と韓国の出入国管理システムの狭間（はざま）に落ち込み、日本に戻れなくなった人々の収容所ともなった(36)。

妻との旅（4）日山津から日本へ

蔚山（ウルサン）地方の帰還同胞の中には、物価高騰で生活苦に耐えられず、布告令の禁断線を越え方魚津（パンオジン）から密航で日本に渡ろうとする流浪群（るろうぐん）が現れている。警察当局は密航を監視しているが、人々は、彼らの生活の保証など行政当局の根本的対策を要望している。

（『民主衆報』1946年8月7日）(37)

1924年4月の釜山港からはじまった徳祚の旅は、そろそろ終わりに近づいている。最後

草梁の少林寺。1913年に日本人僧侶が草梁小林寺として建立した。戦後は、元日本人妻、在日朝鮮人の義勇兵の収容施設としても利用された

の移動の出発地は、故郷蔚山の「日山津（イルサンジン）の入り江」。方魚津港のすぐそばだ。

私たちがこの一帯をタクシーで回っているとき、運転手に「密航」について聞いたことはないかと尋ねてみた。すると彼は「心当たりがある」とあっさりと言い、その場で年上の友人に電話をかけてくれた。

その友人によると、従兄が解放後すぐに、隣町から「闇船」で渡日したという。理由は知らないそうだ。それきり一度も日本から連絡がないが、もし生きていれば90歳ぐらいになる。徳祚の20歳ほど年下だ。

3月上旬の海はまだ冷たく、人影もまばらだ。「日山津」の北側には巨大な造船所が聳（そび）えている。この入り江を出て南東に日本はある。

日山洞（旧・日山津）付近で。友人の従兄だけでなく、タクシー運転手自身の父親も解放前後に渡日したという

この船が無事に日本につく、と誰が保証できよう?再び故国の土をふむこともなく、生涯を異国に終るのではないだろうか?自分たちにとって、日本はそれほど住みよい

ところであったろうか?つねに日本の社会の圧力にふみしだかれ通しだったのが自分の実情ではなかったのか。排他、けいべつ、圧迫のうちに十年、二十年、三十年、という長いとしつきを。

(尹紫遠「密航者の群」51頁)

それでも今の朝鮮よりはマシかも知れない。乞食とドロ棒ばかりふえてゆく朝鮮。民衆の生活とはエンもゆかりも無い政治。〔…〕彼〔李承晩(イスンマン)〕が支配するかぎり、南朝鮮に自由や希望や発展なんかあるもんか。考えてみれば李承晩ばかりじゃない。きのうまで〈日本人〉になり切っていた奴らが、今ではアメ公になろうと目を皿のようにしている。そうして、そういう奴らが社会の重要な地位にのさばり返っていることも事実だ。だが、しかしだ。だからと言ってこのおれは日本へ密航していいのだろうか。

(尹紫遠「密航者の群」51－52頁)

徳祚と乙先ら約30人の朝鮮人を乗せた発動船は、真夜中の2時過ぎに日本に向けて漕ぎ出した。1946年6月下旬のことだ。(38)

蔚山からの密航船が辿り着いた旧・黒井村の海岸（山口県）

送還　1946

失敗した密航

こうして本書の物語は、１９４６年夏の「密航」の時点に戻る。

あの夏、尹紫遠（ユンジャウォン）（尹徳祚（ユントクチョ））が経験したことを、改めて記し直すことはしない。これから辿るのはずっと尹紫遠の隣にいた「君」、すなわち彼の最初の妻、金乙先（キムウルソン）の「その後」だ。１か月半以上もその中で隔離されていた仙崎（せんざき）の米軍船が佐世保（させぼ）に向かうと聞き、夫が深夜の海に飛び込んだあとも、乙先だけはその「舟」に取り残されていた。

東京に着いてから書き始めた日記に、尹紫遠は「君」への心配を幾度も書き込んでいる。

> 段々寒くはなるし。着物はないし、ほんたうに考へさせられます。毎日、藷藷藷（いも）、それも腹一杯は喰べられません。大邱（テグ）に戒厳令の敷かれ朝鮮も今は大変でありませう。生活の安定が先（ま）づ第一です。とにかく達者でゐて下さい。何時も君のことばかり考へてゐます。
>
> （「尹紫遠日記」１９４６年10月11日）

南朝鮮・大邱の地元紙『嶺南日報（ヨンナム）』によると、日本で英連邦軍（ニュージーランド軍）に捕らえられた２１１２人の「密航朝鮮人」を乗せたジョン・キャンベル号が、佐世保港を出発したのち、１９４６年８月22日に釜山港（プサン）へと到着している。[1]

尹紫遠の小説「密航者の群」の描写では、仙崎の米軍船が佐世保に向かったのは８月中旬だった。そのため、８月20日過ぎに佐世保を発ったこのジョン・キャンベル号に、乙先が乗せられていた可能性も考えられなくはない。だがもちろん、確証もない。米軍船内に妻を置き去りにした尹紫遠が最も恐れていたのは、乙先が釜山港に到着したのち、南朝鮮の警察から受けるであろう取調べだった。

彼女ひとり、このまま朝鮮へ還(かえ)されたら、どんな恥(はずか)しめをうけるだろう。「すべた。淫売でもしに日本へ行ったのか」と、あの帝政日本とアメリカとの合い子のような警察たちは、出放題の悪罵(あくば)を、ムチといっしょに浴びせるにちがいない。だいいち何をどうして生きて行かれるのだ?誘惑の手が至るところに彼女をおそうにちがいない。

(尹紫遠「密航者の群」121頁)

ほかの男に奪われたくないという独占欲が、妻に対する心配とないまぜになっているようだが、乙先からすれば、恐れるべきことは「恥しめ」や「誘惑」だけではなかった。尹紫遠とは異なり、記録を残さなかっただろう乙先の「その後」を知ることは困難だ。私たちにできるのは、乙先を取り巻く当時の状況に、想像をめぐらせることくらいだろう。

ひと月遅れのコレラ猖獗

約三千百人全員が言葉にならない恐怖と憂鬱に浸っています。〔…〕万一、釜山に検疫施設が不十分で〔乗員の下船が〕絶対不可能なら、収容施設のあるほかの港に回航できるよう斡旋してください。日本各港で問題になっているコレラ船の前轍を踏まないよう我らを救済してくださることを望みます。〔…〕祖国の山河を間近に見ながらも故国の土を踏めずに死んでゆく患者たちにかわって。5月2日午後4時50分[2]

これは、朝鮮人医師の洪文和が、朝鮮初となった「コレラ船」の中で釜山新聞社宛てに書いた手紙である。１９４６年5月初めのことだ。前月の4月頃から日本の浦賀などで一足先にコレラ禍が始まっていたことが、朝鮮でも知られていたことがわかる。

医師の洪文和を含む約３１００人の朝鮮人を乗せ、中国の広東から出発したその船は、１９４６年5月1日に釜山港への入港を試みた。だが、陸上に防疫隔離施設がないとの理由で出された米軍命令によって下船が許されず、全員が船内に閉じ込められてしまった。米軍は、コレラで死んだ朝鮮人の死体を船外へと運び出す以外、何もしなかったという。

朝鮮ではコレラを「虎疫」あるいは「虎列刺」と呼んだ。日本の漢字を朝鮮語読みしたものだ。大日本帝国の広大な領域内には朝鮮人たちもくまなく居住していたため、しぜん帝国崩壊後の感染症の広がり方もよく似たものになった。

だが、日本人と朝鮮人とでは移動の経緯や経済的条件などが異なっていた。35年間も植民地支配下にあった朝鮮では、一般庶民のためのインフラ整備が充分でなかった。衛生や食糧の状態も日本より劣悪だった。加えて、日本と南朝鮮に対する米軍の態度にも違いがあった。こうした様々な差異は、それぞれの地における防疫の成否や、感染症に罹患したあとの生存率の差となって表れることになる。

朝鮮ではその後、全土でコレラが猛威をふるった。感染拡大を防止するため、釜山の草梁（チョリャン）を皮切りに直ちに交通が遮断されたが、結果として物資の供給が滞り、ただでさえ深刻だった食糧不足がさらに悪化した。釜山港は１９４６年６月９日から７月20日まで閉鎖された。その二日前の６月７日には、北朝鮮で移動禁止令が出された。

乙先の生まれ故郷である大邱では、同年７月にコレラが蔓延（まんえん）した。その３か月後の10月には、米軍政による親日派（対日協力者）官吏の雇用、土地改革の遅れ、強圧的な食糧供出などの米軍政の失策に対し、この地の人々が決起した。「大邱10月事件」と呼ばれるこの抗議運動は朝鮮全土に広がり、230万人もの人々が参加したといわれる。

仙崎にいた朝鮮人たちは、佐世保まで移送され、佐世保引揚援護局内の針尾収容所に収容され、釜山に送還された可能性がある

だが、むろん、日本では米軍の検閲により、大邱での状況が詳細に報じられることはなかった。尹紫遠の日記でも、冒頭に引用した10月11日の日記にある通り、この事件については「大邱に戒厳令の敷かれ朝鮮も今は大変でありませう」と、ごく控えめに触れられているのみだ。

仙崎、佐世保、博多のコレラ船

以下は、山口県北部の仙崎検疫所による報告書の一部である。

Q〇二九号およびQ〇七六号より〔コレラが〕続発して合計三十一（死亡九）、保菌者五一名を出したが、之等(これら)朝鮮人は無智者が多く衛生思想極めて乏しきばかりでなく検疫規則に従はぬために取扱には非常に苦心を感じた。[3]

1946年に船内に隔離された朝鮮人たちがいかに検疫に非協力的だったかが、ここで述べられている。実際にそうだったのだろう。だが朝鮮人側からしてみれば、朝鮮人が日本語を解するのを当然とし、朝鮮人が満足に教育を受ける機会がなかったことや、日本への不信感を抱えていたことに考えが及ばない人々に、命を預けねばならなかったのだ。

佐世保港の浦頭(うらがしら)に日本人が乗った「コレラ船」が初めて入港したのは、1946年5月のことだった。中国・上海からの船は6隻、葫蘆島(ころとう)からは実に42隻にのぼった。

一方、西日本の各地で捕らえられた「密航朝鮮人」を乗せ、同じく浦頭に入港した「コレラ船」は4隻だった。その内訳は、7月17日に博多(はかた)から来た間宮丸(まみやまる)、7月22日に仙崎から来たQ029号、8月8日に釜山から引き返してきたV096号（日本から朝鮮への送還途中にコレラ患者が出たため佐世保に戻った）、同12日に仙崎から来たV024号だ。[4]

後述する浦頭近くの朝鮮人収容所（針尾収容所）でも、7月26日にコレラ患者が発生している。８月10日には、収容所にいた朝鮮人と、博多から陸路で移送されてきた朝鮮人とをまとめて乗船させたＶ０８９号で、百人以上がコレラに罹って死ぬという惨事も起きた。

このとき博多から移送された朝鮮人たちは、米軍の指令で検便を受けていなかったという。浦頭の検疫所では、その理由を「戦後特殊な心理状況にある密航朝鮮人なる為患者の収容、採便、保菌者の摘発が完全且つ速かに行れなかった」と総括した。[5]「戦後特殊な心理状況にある」という言葉が、具体的に何を指しているのかまではわからない。だが仙崎検疫所の報告書に通じるような支配者の目線がここにも垣間見える。

仙崎港

佐世保におけるコレラ患者の死亡率は、日本人が26・8％、朝鮮人が32・6％だった。この数値は、検査でコレラ菌が見つかった「真性コレラ患者」と、症状はあるが検査ができなかったり、検査したが菌を証明できなかったりした「容疑者」（疑似コレラ患者）を合わせたものだ。「容疑者」は死亡率がより高く、そのほとんどが朝鮮人だった。検査も受けられずに死んでいった人々も多かったのだろう。

このように、尹紫遠が仙崎の海を泳いで逃げたあとにも、乙先は引き続き日本と朝鮮の間で、コレラの恐怖、軍や警察の力に晒され続けていた。

針尾収容所から大村収容所へ

尹紫遠は、コレラ発生直前の下関水上署での様子を、「密航者の群」で次のように描いている。蔚山の日山津から「密航船」でやってきた安景俊（尹紫遠）と妻の甲順（金乙先）らが、仙崎に送られる前に一時収容されていた場所だ。


「がまんするんだぞ」

景俊は妻の手をにぎって、苦笑をつくって言った。そうしてひくつなほど首をすくめた。

「独立のアジはどうだったんだ?うん」

「奴らが独立していけると思うかね、はっはっはっ」

警官たちは勝手なことを言い合っては朝鮮人をいいおもちゃにしている。敗戦のうっぷんとみれば見られたが、けっきょくは帝政日本の警察がまざまざそこによみがえっていた。

（ひと皮むけばおなじ人間なのに、人間の心情にふれ合うこともなく、彼らはただ権力の番ばかりしてまんぞくなのであろうか。朝鮮人にたいしては、たいへん堂に入ったいばり方をする彼らだが、ひとたび〈進駐軍〉の前に出ると、どうしてああまでいじらしく尾がふれるものであろうか。）

そんな風なことを景俊は考えていた。


（尹紫遠「密航者の群」56頁）

佐世保港（浦頭）

南風崎駅のホームから見たハウステンボス（旧・針尾収容所）。佐世保引揚援護局に収容された日本人引揚者たちは、ここから逆の長崎方面行きの電車に乗って故郷等に向かった

K村の海岸で捕まって以来、尹紫遠と金乙先は、コレラ感染の恐怖に怯えながらK村、下関、仙崎で収容された。仙崎にひとり残された乙先は、その後さらに2か所で収容所生活を強いられた可能性がある。佐世保の針尾収容所、そして釜山か大邱の収容所だ。日本人引揚者の受け入れや検疫を担当した佐世保引揚援護局は、佐世保港の浦頭から7キロのところにあった。1946年6月に、援護局内の12号宿舎に朝鮮人の収容所が設置され、同年8月の時点ですでに4070人もの朝鮮人たちが収容されていた。唐津（佐賀）、若松（福岡）、博多（福岡）、仙崎（山口）から移送されてきた人々だ。[6]

仙崎の米軍船内での様子を描いた「密航者の群」が稀有な記録であるように、針尾収容所についてもほとんど書き残されていない。だが、わずかながら手がかりはある。[7]

一つは、釜山で発行された新聞である。1946年8月末の『釜山新聞』で紹介された元収容者の話によると、針尾収容所では1日に3杯の雑炊しか与えられず、2、3千人のうちの50人から60人ほどが餓死したという。[8]

もう一つは、在日朝鮮人の大衆団体である朝連（在日本朝鮮人連盟）が、1946年11月に佐世保、博多、仙崎、佐賀などに派遣した視察団による報告だ。

かれらの目には、針尾収容所は次のように映った。

> 佐世保〔針尾〕収容所は元海軍用宿舎だったため〔ほかの朝鮮人収容所よりは〕さほど悪くない。だが鉄条網で囲まれ、日本人武装警官7、8人が監視している。食べ物はお

話にならないほどひどく、寝床は板の間に毛布3枚を敷いているだけなので〔人々は〕寒さにふるえている。外出も厳禁されている。密航が理由で海上や収容所で死んだ人々の遺骨の大部分は送還された。今は31柱が納骨堂に置かれている。収容同胞を監視する日本人警官は大部分が朝鮮帰りだ。かれらは公然と、排他的な感情と優越感で「国際法違反だ」などといって朝鮮人を賤待(せんたい)、蔑視し、正当な事情と理由を進駐軍に伝えない。テロ行為もよく起きるという。

(『解放新聞』1946年12月1日[9])

この描写は、鉄条網が張りめぐらされた粗末な建物の中に、大勢の朝鮮人たちが押し込められていたという、同年夏の仙崎の状況にも通ずる。「〔密航した〕正当な事情と理由を進駐軍に伝えてくれない」という部分からは、戦後の日本で出現した「アメリカ（英語）－日本（日本語）－朝鮮（朝鮮語）」という序列も浮かび上がる。

当時、日系二世の米軍人や日本の民間人などの「日本語－英語間の通訳」が、日本全国にくまなく配置されていた。それに対し、「朝鮮語－英語間の通訳」は日本にほぼいなかった。日本語という媒介語なしには、朝鮮人の声は為政者たちに届かないようになっていたのである。

朝連視察団は、1946年7月24日から11月時点までの佐世保での死亡者名簿も作成している（V024号などの船内および針尾収容所[10]）。それによると、死亡者総数272人のうち、その約半数の死因がコレラで、残りの半数は急性大腸炎や栄養失調で占められている。特に、幼い子どもたちの栄養失調死が目立つ。

針尾収容所における自らの収容体験をもとに小説『百年の旅人たち』（1994年）を書いたのが、旧・樺太の真岡で生まれた李恢成だ。1947年7月に樺太から北海道へ「密航」した彼とその家族は、函館のGHQから朝鮮への強制送還処分を下され、北海道から列車で佐世保まで送られたのだった。李恢成の描写によると、当時の針尾収容所は、GHQが「共産主義者」とみなした朝鮮人の管理、取締りの場とも化していたという。

佐世保引揚援護局は、日本人の引揚げ業務を1950年5月に終了した。その直後に朝鮮戦争が勃発し、佐世保港は、米軍による朝鮮半島への出撃と補給の拠点となった。佐世保引揚援護局の敷地内にあった収容所は、1950年9月30日の出入国管理庁設置令により、同庁の付属機関である針尾入国者収容所として改組された。

直後の12月、入管の収容所は針尾から同じ長崎の大村に移転した。劣悪な待遇、日韓外交の失敗による長期収容、収容所内の熾烈なイデオロギー対立で知られた大村収容所（大村入国者収容所）だ。大村収容所は、大村海軍航空廠（先述した「鄭オモニ」の息子が、戦時中にその建設のために徴用された大村飛行場）の跡地に設置された。

そこには、正規の渡航ルートがない中で「密航」した人々ばかりでなく、日本政府を批判したり、外国人登録証明書を携帯していなかったりという理由で送られた人々もいた。「大村」は、戦後の在日朝鮮人たちの日常に貼りついた恐怖の象徴となった。

1946年の夏に山口の仙崎から佐世保に送られたのち、乙先は船で送還されたはずだ。

そして、朝鮮への到着後に、釜山や故郷の大邱などでも、収容所暮らしをしていたかもしれない。米軍政下の南朝鮮では、乙先のように朝鮮に戻るも（戻されるも）、お金も行き場もない人々を、各地の援護団体などが支援した。

当時の南朝鮮では、各地から朝鮮に帰還した数多くの同胞のために、日本人家屋への入居促進、食糧の無料配給、農耕地の分配、消費組合や法律相談所の設立などの策が打たれた。だが帰還者の2割が住居を見つけられず、やむなく収容所に入ったとされる。そこでの生活は概して悲惨で、隔離施設がないために感染症の広がりも止められなかったという。乙先が夫と離ればなれになった１９４６年8月の末には、釜山港近くの大淵（テヨン）収容所で、毎日４、５人ほどの餓死（がし）者が出ていたと報道されている。[11] そこから４年後の１９５０年になっても、大淵収容所にはまだ237世帯もの人々が残っていた。[12]

金乙先（キムウルソン）は、１９２０年代前半の生まれだったとみられる。のちに尹紫遠が再婚する日本人女性の大津登志子（おおつとしこ）とほぼ同世代だ。朝鮮南部の大邱で生まれ、５歳のときに家族に連れられて日本にやってきた。乙先は、おそらく山口県の美祢（みね）にあった炭鉱付近に住み、日本の小学校に通った。そして、東京で暮らしてきた10歳以上年上の朝鮮人男性と１９４３年に結婚し、３年強を一緒に過ごした。後半の2年間は特に、「大きな移動」の連続だった。

日本語を話すほうがはるかに楽だっただろうこの20代の女性は、「その後」の時代に朝鮮戦争をどのように生き延び、どのような人生を送ったのだろう。

子ども時代の乙先が暮らしていた可能性がある山口県の美祢（みね）。近くに炭鉱があった

第２章　洗濯屋の家族

１９４６年の夏に尹徳祚は「密航」した。その決定的な移動ののち、彼の人生にはいくつもの変化が起こる。家族について。名前について。国籍について。

１９４６年８月、仙崎の米軍船に残した妻の金乙先と離ればなれになった。長い別れを意図したわけではなかった。すぐに会えると思っていたが、そうはならなかった。兄や弟など、朝鮮に残る家族の多くとは二度と会えなかった。朝鮮の土も二度と踏めなかった。

１９４７年２月、本名の「尹徳祚」ではなく、筆名「尹紫遠」での作品を初めて発表した。[1]その後は二つの名前を使い分けるようになり、作家としては尹紫遠、それ以外の場面では尹徳祚と名乗った。[2]

１９４７年５月、同時代を生きた在日朝鮮人や台湾人と同じく、大日本帝国憲法下の最後の勅令である外国人登録令によって、日本国籍を持っていながら「外国人」とみなされることになった。そして、１９５２年４月のサンフランシスコ平和条約発効に伴い日本国籍が一方的に喪失させられる。国籍は曖昧になった。朝鮮半島には１９４８年の夏まで国家が存在せず、それ以降は二つの国家に分かれた。２年後には朝鮮戦争が始まる。

１９４９年４月、日本人の大津登志子と二度目の結婚をした。同年10月に長男の泰玄が生まれる。１９５１年には長女の逸己が、１９５９年には次男の泰眞が生まれた。彼だけでなく、家族もみな「外国人」として日本で生きることになった。指紋押捺義務、外国人登録証明書の常時携帯義務が課せられ、退去強制の可能性に脅かされた。永住権はない。[3]

本章では「密航」以降の人生を辿る。１９６４年の夏に終わる尹紫遠のそれにとどまらず、彼とともに、そして彼のあとに生きた家族の人生をも辿り直してみたい。

短歌と小説に多くを頼らざるを得ない植民地期や密航以前に比べ、密航以後については、尹紫遠の日記を筆頭に、より多様な情報源がある。泰玄と逸己からは様々な資料を提供いただき、当時の家族の記憶、その後のそれぞれの人生についても話を聞かせていただいた。

妻の登志子は、衆議院議員の孫娘として、極めて裕福な家庭に生まれた。親族には政治家、政府高官、企業役員が名を連ねる。かれらの活動範囲は「内地」にとどまらず、大日本帝国の各地に広がっていた。登志子自身、高等女学校を卒業後の戦争末期に「満洲」へと渡っている。実のところ、彼女も未来の夫と同じく、日本の敗戦後に38度線を南下した可能性がある。ソ連兵から逃れるために丸坊主にし、自殺するために舌まで切ったという。

登志子が尹紫遠と出会ったのは引揚げ後の東京で、朝鮮人との結婚が理由で大津家との関係は途切れた。縁の切れ目は金の切れ目でもある。元いた家族は裕福で、新しい家族は極貧だった。１９５７年には家族で「徳永（とくなが）ランドリー」という名の洗濯屋を開業するが、その後も変わらぬ貧しさが夫婦の関係を蝕（むしば）んだ。諍（いさか）いが絶えず、夫はときに暴力も振るった。口論の際には、互いに「民族」を持ち出すこともあった。

夫は書くことに、妻は祈りに救いを見出す。尹紫遠の作品や日記を読むと、登志子の姿がくっきり浮かんでくる。だが、それはあくまで夫が描いた妻であり、登志子自身はほとんど何も書き残さなかった。この無名の女性についての情報は様々に残っていて、だが同時に、その核心には手が届きそうにない。何を思っていたのか。何に苦しんでいたのか。その片鱗（へんりん）に、少しでも触れられるだろうか。

3人の子どもたちは、朝鮮人の父と日本人の母のもとで育った。かれらの生きた条件は父とも違い、母とも違っていた。朝鮮学校でも少数派、日本の学校でも少数派となる存在。男女の違いも大きな意味を持った。父は朝鮮の、母は日本の家父長的な文化の中で育ち、その二人が3人の子を育てた。「男の子」が生まれるのは喜ばしく、「女の子」には特定の役割を期待する。男子厨房に入らず。娘の逸己は、それを「そういう世代」だと言った。

泰玄は上智（じょうち）大学を出て外資系の銀行に入った。逸己は定時制高校を中退し、産業機械の工場（こうば）で肉体労働に従事した。泰眞は兄と同じ上智大学を出て、金融業界に勤めた。「日本人」として生まれ、「朝鮮人」と結婚した登志子は、同時代の在日朝鮮人たちと同じ理由で、国民年金制度の外側に置かれた。息子たちは母の晩年まで仕送りを続けた。

登志子の介護が必要になったとき、中心的な役割を担ったのは逸己だ。娘は長く続けた仕事を諦め、母の近くに引っ越し、生活保護を受給し始めた。

かれらは同じ家族を生きた。同じ洗濯屋を生きて、同じ貧しさを生きた。だが、生きた人生はどこまでも別のものだ。

尹紫遠（ユンジャウォン）、登志子（としこ）、泰玄（テヒョン）、逸己（いっこ）、泰眞（テジン）。かれらは同じ場所にいて、違う経験をした。違う選択肢を前にして、違う選択をした。そして、違う場所へとそれぞれ辿り着いた。

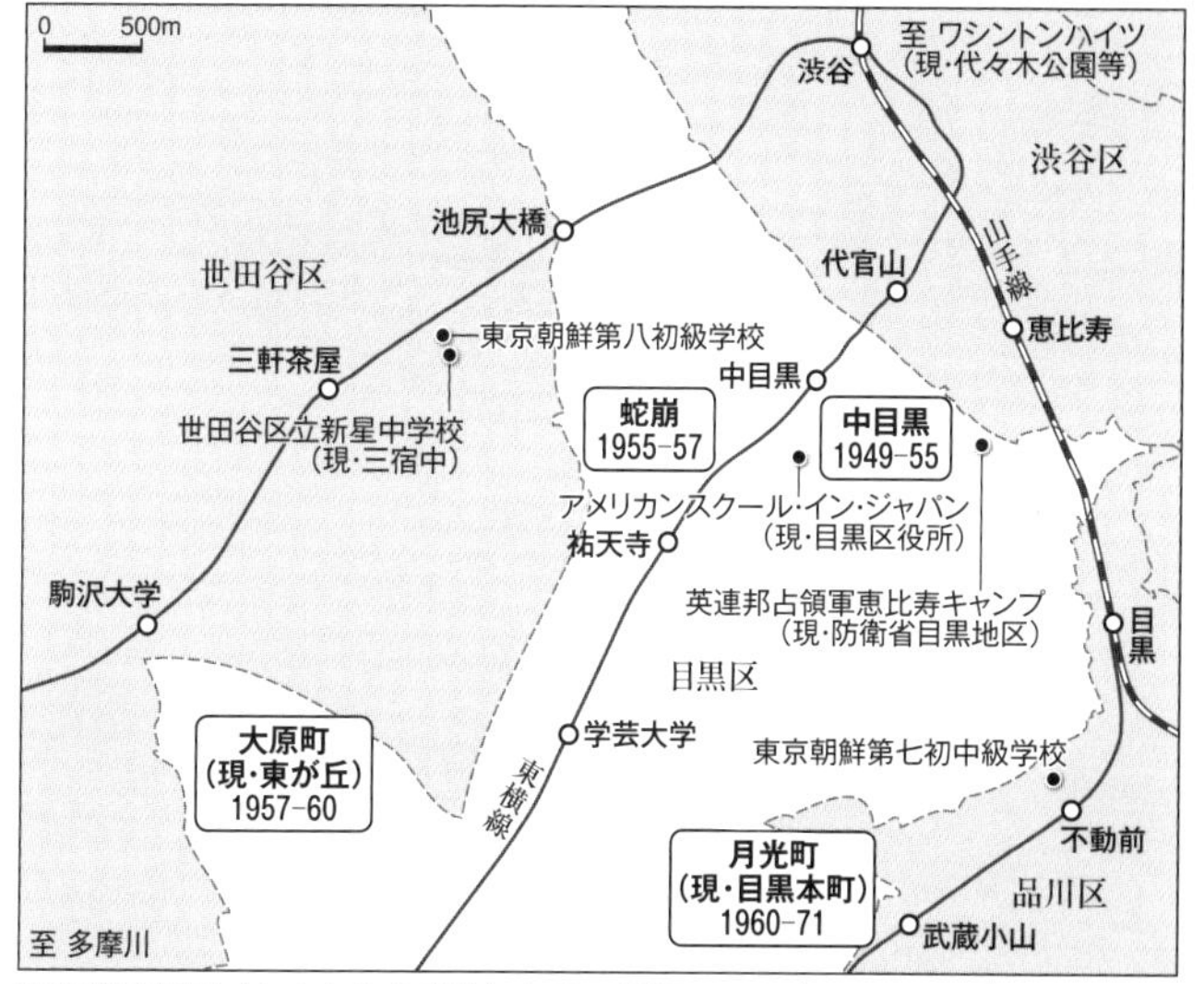

東京都目黒区（中央白抜き部分）とその周辺。1949年から1971年まで、尹紫遠（1911－64年）とその家族は目黒区の各地を引っ越しながら暮らした。家族で住んだ場所（中目黒［なかめぐろ］→蛇崩［じゃくずれ］→大原町［おおはらまち］→月光町［げっこうちょう］）、子どもたちが通った二つの朝鮮学校と世田谷区の夜間中学など。アメリカや占領軍の存在感もあった。大原町と月光町の時代には、家族の住居と洗濯屋の仕事場が一体化していた

1　尹紫遠

ユン ジャウォン

密航のち、18年の人生

植民地期から１９４６年の夏にかけて、尹紫遠（ユンジャウォン）は朝鮮と日本の間の海を何度も渡った。だがそれ以降、彼の人生からは「大きな移動」がめっきり姿を消した。朝鮮と日本の間の往来が「密航」を除いてほぼできなくなったことに加え、極貧の家計から旅費を捻出すること自体が不可能だったからだ。長男の泰玄（テヒョン）によると、日帰りで江ノ島（えのしま）に行くぐらいのことはあっても、泊まりで旅行に行った記憶は一度もないという。

１９４６年８月30日に東京に辿り着き、その直後に「東京はけふ雨が降ってゐる。このノートとペン等を上野（うえの）で買って戻りはずぶぬれにぬれた」（１９４６年９月14日）との書き出しで日記を始めた尹紫遠は、およそ18年後の１９６４年９月５日に西新橋（にししんばし）の東京慈恵（じけい）医大病院で亡くなるまで、「密航」以降の時間のほとんどを、東京とその周辺で過ごした。

そして、大きな移動のないこの期間にこそ、植民地期の短歌を除く尹紫遠のほぼすべての作品が集中している。「38度線の越境」や「玄海灘（げんかいなだ）の密航」は東京で書かれた。当時の彼にとっては、蔚山（ウルサン）や釜山（プサン）だけでなく、下関（しものせき）や仙崎（せんざき）すら手の届かない遥か彼方（かなた）にあった。

重要なことに、18年間の中で彼が執筆に費やせた時間は決して多くない。創作に対する経済的な見返りが得られることもほとんどなく、洗濯の仕事や各方面からの借金を重ねて食いつなぐしかなかった。日々の日記には、米すら買えない窮状を繰り返し書きつけている。うどん粉で空腹を満たし、粥をすすり、何度も芋を食べた。

移動範囲は狭くなったが、尹紫遠は動き続けてもいた。生き延びるための移動。金に追われての移動。毎日毎日の仕事を探し、小さな部屋を転々とする人生だ。例えば、当時45歳で自らの洗濯屋を開業したばかりの尹紫遠は、痛みがひかない胃の手術を決意して、遠くの友人を自転車で訪ねている。手術代にあてる金を借りるためだ。「目黒から赤羽までの自転車はつらかった」（1957年5月12日）。

電車賃を削るため、重病人自身が自転車で長距離を往復する。こんな移動が、彼の人生にはずっとつきまとった。国民皆保険（1961年）へと舵を切る日本社会の中で、その「国民」から除外された尹紫遠とその家族は、長く自費治療を余儀なくされていたはずだ。

この時期の尹紫遠にとって唯一最大の遠出となったのが、1960年秋の広島行きである。泰玄の記憶では、「遠くまで行ったっていうのは、母が家出して広島行ったときぐらいですよ。あとは東京離れたことな

尹紫遠と長男・泰玄。1951年の中目黒にて

いんじゃないかなあ」。妻の登志子が長女の逸己と次男の泰眞を連れて、広島の教会へと身を寄せたときのことだ。家族を失ってようやく、尹紫遠は夜行列車で東京を離れた。

1946年夏からの18年間。「大きな移動」の術を奪われた尹紫遠は、どこで誰とどんな時間を過ごしてきたのか。「密航のち」の人生を、辿り直してみよう。

自分ひとりの部屋

尹紫遠には自分ひとりの部屋がなかった。妻にも子どもにも、誰にも部屋はなかった。

> つくづく自分の部屋がほしい。自分ひとり切の世界がほしい。
>
> （「尹紫遠日記」1949年8月31日）

こう書いた頃の尹紫遠は、1949年4月に登志子と結婚した直後で、大岡山駅近くにあった北千束（大田区）の長屋に住んでいた。二人の部屋の広さはわずか3畳。すでに妊娠6、7か月で、長男の出産を間近に控えた登志子は、元いた家から道具を持ち込み、得意の洋裁の仕事で二人分の経済を一人で支えていた。同年7月14日と24日の日記。

> 三丈〔畳〕の間が裁縫所になった。ミシン、アイロン、物指、鋏等、仕事台は机。ここ連日の激労にとし子全く弱っている。裁断最中に、疲労に堪えかねて切れ端の乱雑

の中に死んだように眠る。〔…〕彼女に卵一個買ってやることが出来ない。
実生活のすべてを彼女に依存しているような始末である。済まないと思う。実際おれという男はダラシのない男である。生活能力は全くなしだ。

尹紫遠は、この頃すでに書き終えていた『38度線』の売り込みに奔走するがうまくいかず、原稿料は手に入らなかった。無職から脱するため、戦後すぐにできた在日朝鮮人の大衆団体である朝連（在日本朝鮮人連盟）への就職も模索したが、１９４９年９月に朝連自体が強制的に解散させられ、姿を消してしまう。皮肉なことに、世間での朝鮮への関心を高め、『38度線』の出版を可能にしたのは、翌１９５０年の６月に始まる朝鮮戦争だった（同年11月に早川書房から出版された）。

泰玄の出産（１９４９年10月）直前に女学校時代の友人を新潟まで訪ね、北千束の３畳から中目黒の６畳への引っ越し代を工面したのもやはり登志子だった。夫はといえば、戦前に経験した洗濯屋の仕事で開業を試みはした。だが、妻の名字を冠した「大津クリーニング」の名刺までつくったものの、すぐに頓挫する。何もうまくいかない。

「つくづく自分の部屋がほしい」と書いた1949年８月31日の日記（水曜日、嵐）

妙に、いや堪らなく淋しい。おれのような人間は生きる価値がないようだ。反動も進歩もない。どうにか暮らしの立つ仕事がほしい。それにおれは実に無能力者だ。

（「尹紫遠日記」1949年8月2日）

このあたりで1946年夏に始まる尹紫遠の18年間について、その居住歴を再構成してみよう。一か所にとどまる期間の短さ、畳数の少なさ、家族や隣人との極端な密接状況が理解できるはずだ。そもそも着のみ着のままで東京に戻って以降の最初の1年間は、知人宅や職場などに寝泊まりするしかなく、自分の部屋どころか家自体を喪失している。

彼の人生を考える際に、「作品史」や「労働史」、あるいは「家族史」や「民族史」などの視角はもちろん欠かせない。だが、彼とその家族の「居住史」にもまた、尹紫遠の人生が凝縮されているように思える。

1946年8月30日　東京到着後、いくつかの朝鮮人宅に泊めてもらう【3週弱】

1946年9月19日　**朝連小石川支部**（文京区）に寝泊まり【3週強】

1946年10月14日　**朝鮮国際タイムス社**（現・港区虎ノ門）に寝泊まり【9か月半】

1947年8月初旬　**大井伊藤町**（現・品川区西大井）の朝鮮人宅に間借り。4畳半で、自分と他人の部屋の区別がない状態【3か月】

1947年11月5日　**大船末広町**（現・鎌倉市大船）の家に間借り。金素雲夫人、金龍萬

青年と3人暮らし。8畳を金青年と共有【1年前後】

1948年　大岡山駅近く、**北千束**（大田区）の長屋。「臥龍窟」と名付け、国際タイムス社の高成浩編集長、康玹哲と住む。自身の部屋は3畳（1949年の結婚前後から登志子も同居）【1年前後】

1949年9月29日　**中目黒**駅近く（目黒区上目黒）の長屋に間借り。6畳一間に夫婦二人。のちに長男、長女との4人暮らしに【6年強】

1955年11月13日　**蛇崩**（目黒区上目黒）の長屋。6畳二間で4人暮らし【1年半】

1957年4月初旬　**大原町**（現・目黒区東が丘）の2階建て一軒家で「徳永ランドリー」を開業。店舗、洗濯場、干し場、住居が一体となっていた。職人二人も住み込む。1959年には次男の泰眞が生まれ、7人暮らしに（三毛猫と犬とカメもいた）【3年半】

1960年9月　**月光町**（現・目黒区目黒本町）のアパートの1階。店舗と4畳半の居間。大原町時代より規模を縮小。庭に2階建てのブリキ小屋をつくり、洗濯場と干し場に。引き続き7人暮らし【4年】

尹紫遠の家はいつも狭かった。寝る、食べる、働く、書くが常に同じ空間。子どもたちの声に加え、薄い壁を隔てた長屋の隣室から漏れ聞こえるラジオの音も耳にさわる。自分の洗濯屋を開業して少し広くなったあとは、生活の空間が洗い場や干し場と一体になっていて、職人の男たちもそこに住み込んだ。尹紫遠が書いていたのは、そういう空間だった。結果的に書くのは深夜になった。3時半まで書いて寝るか、3時半から起き出して書くか。泰玄には、昼間に父が原稿用紙に向かっている姿を見た記憶がほとんどないという。日記には、1951年頃と54年頃の二度にわたり、尹紫遠が執筆のための部屋を、自宅とは別に借りていた形跡も残っている。いずれも3畳一間で、後者は目黒区の中根にあった。だが、おそらく経済的な理由で、彼はそれらの個室を短期間で手放したようだ。

多摩川を泳いで渡る

ある真夏の日の午後、尹紫遠は多摩川を泳いで東京から神奈川の川崎側に渡り、そして再び東京側に泳いで戻ってきた。周りにはほかに泳ぐ人などいない。

川のほとりでは、小学生の泰玄と逸己が静かに父を見ていた。蔚山の海のそばで生まれ育った父と異なり、東京生まれの息子はカナヅチだった。夜になれば、数十万もの人々がこの土手に集まってくるだろう。今日は特別な日。年に一度の丸子多摩川花火大会だ。

多摩川の花火大会は、多摩川沿いの各地で1920年代の前半から始まった。丸子多摩川花火大会もその一つ。1923年夏に第1回が行われ、おそらくその直後に関東大震災が発生している。9月1日、11時58分。多摩川の水面は大きく揺れ、魚が飛び上がった。

12歳の尹紫遠が蔚山から横浜にやってきたのは、その翌年のことだ。戦争での中断を経て戦後に再開したこの花火大会は、1967年を最後に、その歴史に幕を下ろした。

関東大震災から百年にあたる２０２３年の1月。父や妹と見た花火から優に60年以上の時を経て、73歳になった泰玄は同じ多摩川をじっと眺めていた。この場所には小学校の頃に何度か連れて来てもらった覚えがあるそうだ。

川の向こうには、武蔵小杉（むさしこすぎ）のタワーマンション群が見える。もちろんかつてはそんなものなどなかったが、二つのアーチが特徴的な丸子橋ならあった。その長さ、約400メートル。

東京側から多摩川を眺める。奥に見えるのは神奈川県川崎市の武蔵小杉周辺

> 向こう岸でひと休みして、それで泳いで帰ってくる。花火を見る前に少し、まだ明るいうちにね。で、ご飯を食べながら花火を見るという感じですね。職人さんも一緒にいたような。彼も泳ぎが得意だったから。

尹紫遠が自ら持参した海パンに着替えて多摩川を往復したこの日を、厳密な形で特定することはできない。ただ、彼自身の日記、職人もいたという泰玄の記憶、当時の資料などを突き合わせると、大体のことは見えてくる。

それはおそらく、泰玄が東京朝鮮第八初級学校（世田谷区三宿(みしゅく)）の2年生から5年生だった頃、つまり、1957年から1960年の間の夏の出来事だ。例えば、1957年の丸子多摩川花火大会は8月2日の金曜日に開催され、70万人もの人出があったと記録されている[4]。そのうちの何人かが、尹紫遠たちだったかもしれない。

1957年は尹紫遠が「徳永ランドリー」を目黒区大原町(おおはらまち)（現・東が丘）に開いた年でもあった。今では駒沢(こまざわ)オリンピック公園がある場所に近い一軒家で、この一帯が古くはウサギや野鳥の暮らす大きな原野(げんや)だったという（だから「大原」町）[5]。泰玄の記憶では家の裏に湿地帯が広がり、虫やザリガニ、ヘビなどもいた。東映フライヤーズの本拠地である駒澤野球場もあったが、のちに東京五輪のために取り壊された。

この通りの右手に「徳永ランドリー」があった（1957－60年）。右奥には1964年東京五輪の第二会場となった駒沢公園が広がる

店名の「徳永」の由来はわからない。泰玄も聞きそびれたという。1946年夏に東京に戻って以来、尹紫遠自身、そしてその後にできた彼の家族は、いわゆる通名、日本名を持たなかった。本名・尹徳祚(ユントクチョ)の「徳」から来ているような気もするが、確かめる術はない。

いずれにせよ、そのとき初めて尹紫遠は自分以外の人間を雇った。住み込みの職人が二人で、どちらも日本人。そこに至るまでは何年間もずっと、彼自身がほかの洗濯屋の都合に応じて雇われる側の人間だった。固定の仕事でもなければ一か所の職場でもない。中野、九品仏、浅草。ほかにも様々な洗濯場へ、仕事さえあればどこにでも出向いて行った。

泰玄が6年生だった1961年には、おそらく花火大会に行っていないだろう。少なくとも泳いではいないはずだ。その年の前半、まだ49歳の尹紫遠は、「軽い脳溢血」(2月2日)、あるいは「極度の疲労からの脳神経のマヒ」(2月17日)のために、多摩川を下った先にある大田区安方の診療所に2か月入院している。

そこからわずか3年後、同じ診療所での入院を経て、53歳の彼は亡くなった。泰玄が言うには、日本酒や濁酒の「がぶ飲み」、「やけ酒から来る不健康な飲み方」の末に、彼の肝臓はがんに蝕まれていた。ビールは高価であまり飲めなかった。

故郷の戦争、弟の虐殺

尹紫遠はたびたび多摩川を訪れていた。雨の日曜日には子どもたちを遊園地の多摩川園に連れて行った。別の夜には酔いつぶれて電車を乗り過ごし、多摩川沿いの飯場で働く若者たちに一晩泊めてもらった。

1953年には多摩川の花火を「たったひとりで」見ている(7月25日)。旺文社版の学生日記を「新丸子まで買いに行った」(1月6日)り、原稿のまとめを「喧騒をさけて新丸子の橋の下でやった」(8月26日)りもした。中目黒駅近くの長屋で、6畳一間に4人家族がぎゅうぎゅう詰めで暮らしていた頃だ。多摩川までは東横線で数駅の距離だった。

じっとしていても汗が流れる。子供が泣きわめき、ラジオが両となりの部屋から大きくひびきわたる。〔…〕創作する者にとって、実に最大、最高の悪条件、悪環境である。気が狂わぬがフシギな位だ。

（「尹紫遠日記」1953年7月26日）

夏の暑さを避け、狭すぎる家を避けて、彼はしばしば多摩川で泳ぎ、原稿を書いていたのかもしれない。朝鮮戦争の休戦協定が38度線近くにある板門店で締結されたのは、この日記の翌日のことだった。1953年7月27日。

尹紫遠が泳いだ多摩川の下流は、大田区と川崎市の間、京浜工業地帯の中心部を通って東京湾に流れ込む。植民地期から数多くの朝鮮人労働者たちをも吸収してきた地域だ。

多摩川の河口の大田区側には羽田空港がある。戦時中は、東京、川崎、横浜がすべて大空襲の標的となり、敗戦後は米軍による接収が進んだ。そこからこのエリアが復活する一つのきっかけとなったのが、1950年6月25日に始まる朝鮮戦争だった。

日本の敗戦後、羽田飛行場は占領軍に接収され、周辺住民を強制的に立ち退かせて拡張を進めていた。朝鮮戦争時、そこから輸送機や爆撃機が朝鮮へ向けて飛び立った。

〔…〕敗戦後、米占領軍の管理下に置かれ、戦車などの修理や軍需生産を担うPD工場は、労働法が適用されず、強圧的な労務管理で知られた。大田区下丸子にあった東日本重工下丸子工場や、北区にあった日本製鋼赤羽工場などでは、戦車の修理が行なわれていた。
（道場親信『下丸子文化集団とその時代』324頁）

東日本重工（現・三菱重工）の下丸子工場は、日中戦争が始まる直前の1937年2月、多摩川沿いの敷地に自動車工場として新設された。翌1938年には陸軍の戦車専門工場となり、日本の敗戦まで戦車の生産を続けた[6]。現在、かつてあった工場の跡地には、三菱地所のタワーマンションが3棟並び立っている。

その同じ工場が、「戦後」の日本においては、朝鮮戦争を後方から支える拠点に変貌した。通用門にはカービン銃を持った米兵とガードマンが配置され、労働者たちは指紋と写真を取られた。1950年10月には、45人の労働者に対するレッドパージ（赤狩り）通告が行われ、パージを受けた労働者たちは実力入門闘争で対抗することになる[7]。

この時期、赤狩りの嵐は、韓国（大韓民国）ではさらに強く吹き荒れていた。尹紫遠と朝鮮戦争との関係を語るうえで、7人きょうだい（男6人、女1人）の末弟・尹六徳の最後に触れないわけにはいかない。

六徳はおそらく植民地期のいずれかのタイミングで渡日し、日本の敗戦直後に結成された朝連の一員として活

尹紫遠と弟の六徳（右）

動していた。そこでは、百万を超える同胞による日本から朝鮮への帰還の支援を担ったとみられ、逆方向の「密航」で日本に戻ってきた兄に対しては、複雑な感情を持っていたかもしれない（「密航者の群」にそのような描写がある）。

彼は東京の尹紫遠とも何度か会っているが、その後1948年か49年に南朝鮮、あるいは韓国で政治犯として逮捕され、鎮海刑務所を経て馬山刑務所に移送されていた。1949年12月には、六徳の妻・君子が夫の「釈放運動費」を得るために渡日し、尹紫遠を訪ねている。だが六徳はそれから1年もしないうちに、北朝鮮（朝鮮民主主義人民共和国）の侵攻を機に朝鮮戦争が勃発した直後、李承晩大統領が指令した自国民の大量殺人（保導連盟事件）で命を落としたようだ。「内なる敵」を恐れた指導者による虐殺の犠牲者だ。

韓国政府が設置した真実和解委員会が2009年に発表した調査結果によると、六徳のいた馬山刑務所では、1950年の7月から9月に少なくとも717人が韓国陸軍憲兵の手で処刑され、海に捨てられた[8]。保導連盟事件全体の犠牲者数は、子どもも含めて数十万かそれ以上ともいわれる。あまりに多くの人々が、国家の「安全」の名目で命を奪われ、その犠牲自体が隠蔽されていった。誰かが書かなければ、その死と殺人は忘却の穴に落ちる。

今さらのように六のことをいろいろ思い出した。弟よ！安らかにねむれ。お前の獄死は決して無駄ではなかった。お前のたましいの上に新しい朝鮮が生れるであろう。

（「尹紫遠日記」1953年1月8日）

こうした喪失を通過した在日朝鮮人は少なくなかっただろう。だが、赤狩りの犠牲となった人物の家族であることを、誰が安心して語り出せただろうか。

六徳が関わった朝連は、GHQと日本政府によって1949年9月に強制的に解散させられ、翌月には朝鮮人学校への閉鎖令も出された(9)。1950年には大村収容所が設置され、強制送還の恐怖も常に遍在していた。

長男の泰玄が現在の制度に則り交付請求し、入管庁から実際に交付された尹紫遠の「外国人登録原票」を見ると、外国人登録令(1947年5月)が義務化した登録に彼が応じたのは、同年の8月であったことがわかった。

外国人登録は、日本国籍を持つ朝鮮人を「外国人」と見なして登録対象とし、登録のない朝鮮人(外国人登録証明書を持っていない朝鮮人)を潜在的な「密航者」として炙り出す仕組みだった。だがそうであればこそ、逆説的に、登録がもたらす最低限の安心感というものも、あるいはあったかもしれない(10)。

尹紫遠が書いていたのは、そういう時代だった。

尹紫遠が外国人登録用に提出した顔写真、その元になったと思われる写真が残っていた(1947年)

横浜の検閲生活

その後の不安定さを思うと信じられないが、尹紫遠には、東京に戻った直後から1948年までの1年強にわたり、新聞社の准社員として月給をもらっていた時期があった。全国の駅売りを中心に毎日10万部が完売する夕刊紙、『国際タイムス』の仕事だ。左右の民族団体である朝連と建青（朝鮮建国促進青年同盟）の双方から距離を取った許雲龍という人物が1946年4月に創刊し、当時58名ものスタッフを抱えていたとされる。[11]

朝鮮国際タイムス社（現・港区虎ノ門）に入る前、家がない尹紫遠は、1946年の9月後半から朝連の小石川支部に寝泊まりしていた。たばこの吸い殻を拾って吸うような日々から脱却するため、彼は上野駅で新聞売りを始める。だが思った通りの稼ぎは得られなかった。国際タイムス社での職を得て、新聞売りをやめたのが翌月の10月7日。その数日後、国際タイムス社が右派の建青に近いとみなした朝連は、尹紫遠の宿泊を拒否した。以来1年近く、彼は国際タイムス社の机の上で寝る暮らしを続ける。

月給をもらい始めたとはいえ、その額は自分で部屋を借りるにも、満足な食事をするにも、全く十分ではなかった。しかも、戦後も食糧への国家統制が続く中で、尹紫遠は配給を受けるのに必要な米穀通帳を持っていなかったようだ。一時的に日本を離れた再渡日者であったことが原因かもしれない。闇市でしか食べ物を得られなければ、出費は当然嵩む。

国際タイムス社で尹紫遠が主に担当したのは「検閲係」だった。ＧＨＱの民間検閲支隊（ＣＣＤ）が行う検閲に対応する業務で、『国際タイムス』の原稿を横浜のＧＨＱに持ち込み、検閲後の原稿を修正したあと、神奈川新聞社へと運ぶのが彼の仕事になる。

なぜ神奈川新聞か。新興紙の国際タイムス社は自前の工場を持たず、他社に頼らなければ印刷すらできなかったからだ。最初に依頼した読売新聞社からは断られたのち、神奈川新聞に決まったのだという[12]。検閲の場所が東京でなく横浜だったのは、それが理由だろう。

こうして東京と横浜を往復する日々が始まる。毎晩９時過ぎに終わるこの業務を、尹紫遠は「いやな仕事」（１９４６年12月２日）と書いた。日記には検閲の具体的な内容もわずかに記されている。前出の、大邱（テグ）での抗議運動（大邱10月事件）などについての検閲だ。

毎日検閲、南鮮の労働者武装蜂起〝ボツ〟〝北満に朝鮮人連合民主軍、中共軍と連絡編成〟保留
（「尹紫遠日記」１９４６年10月22日）

山下（やました）公園からほど近い横浜税関は、ＧＨＱが進駐直後に臨時総司令部を設置した建物で、総司令部が東京に移って以降は米第８軍の司令部となった。

１９４５年８月30日に厚木（あつぎ）飛行場に降り立ったマッカーサーはここで執務を開始し、すぐそばの大桟橋（おおさんばし）からは第８軍の兵士たちが続々と上陸した。同年９月２日に、

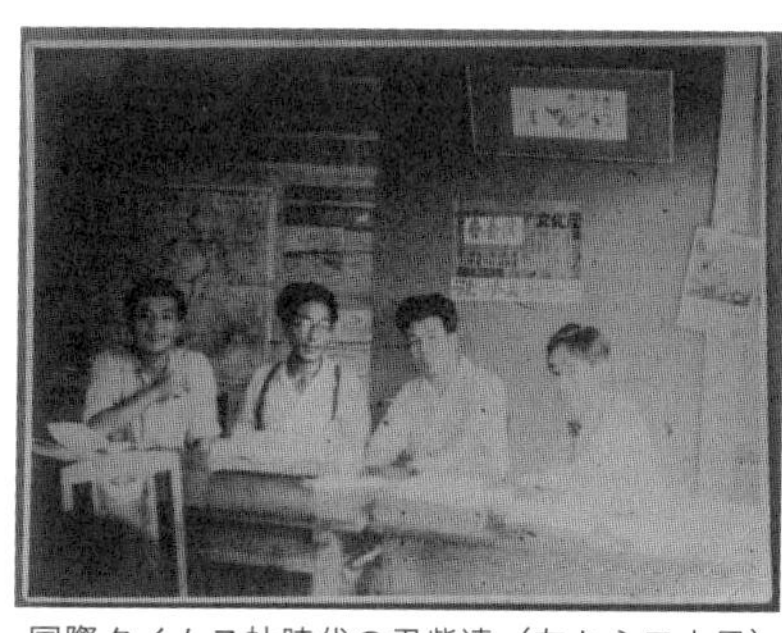

国際タイムス社時代の尹紫遠（左から二人目）

日本政府が米戦艦ミズーリ上で降伏文書に調印したのも横浜港だった。泰玄によると、尹紫遠はこの横浜で、その後長年の友人となるヘンリー・全（全憙）に出会った可能性がある。

> ヘンリーさんはGHQから〔許可されて〕新聞の紙の供給をやってたらしいんですよ。だからアボジ〔父〕が国際タイムスにいて紙のやり取りをしたときが、知り合いになったタイミングだったんじゃないかな。

横浜税関

ヘンリー・全は植民地期の朝鮮から、15歳で日本に留学した。戦時中から日本の敗戦を見越して仲間たちと英語を勉強し、日本の敗戦直後にGHQから仕事を得た人物だ。「ヘンリー」はそのときから名乗り始めた名前で、GHQでは新聞の検閲にも関わっていたとされる。[13] 尹紫遠とは対称的に、検閲される側ではなく、する側の立場にいたことになる。

英語といえば、尹紫遠はこの頃、神田の「日本英学院」や新橋の「りばてい米会話学校」に通っていた。日記には「東京へ来た目的も、新聞社に入った目的も、目的は英語をマスターすること」（1946年11月4日）と書いている。だが、その真意は定かではない。

ヘンリー・全のように、日本、あるいは南朝鮮を占領する米軍との関係で仕事を得たいと考えていたのだろうか。「朝鮮の詩を英訳出来る位(くらい)になりたい」(1946年9月29日)と書いていたのも気になるところだ。親しい関係にあった先輩作家・金素雲(キムソウン)の訳業『朝鮮詩集』のような仕事を、朝→日ではなく、朝→英の翻訳で夢見たのだろうか。

だが、この英語に対する熱意は、金も時間もない環境の中で、小説への熱意によって阻まれてしまった。仕事をし、買い物をし、自炊をし、洗濯をし、そうして最後に残ったわずかな時間を何に使うのか。「英語勉強しようとしながらも、創作欲故(ゆえ)に専念できず。後の悔ひ思ひ知れども…」(1946年11月16日)。そんな葛藤の末、次第に創作が優先されていく。日本語での作品が書かれ続けた一方、彼の英語力は伸びずじまいに終わった。

尹紫遠はのちに、小学生時代の泰玄を英語塾に行かせている。一緒に通ったのが親友の全祥輔(チョンサンボ)で、先述したヘンリー・全の次男にあたる。親たちだけでなく、子どもたち同士も仲良くなったのだ。かれらは1949年生まれの同い年で、1956年に三宿(みしゅく)(世田谷区)の朝鮮学校に入学した同級生だった。幼い頃から学び始めた英語は、のちに泰玄の運命を大きく左右していく。

売血もできない

『国際タイムス』は1948年12月23日に休刊届を出した。宛先はGHQの民間情報教育局(CIE)で、原因はGHQによる新興紙への用紙割当ての削減だった。[14] 1948年は

撮影時期不明。結婚4か月後の日記に「〔結婚〕写真が未だに取れない。情ない限り」（7月29日）とある

日記が残っておらず正確な時期は不明だが、この年のどこかで尹紫遠は月給の仕事を失ったことになる。

翌年1月9日の日記には、前年9月から「僕の生活を支えてくれ」ていたある朝鮮人の女性がいたこと、彼女がその日も米と味噌を持って尹紫遠を訪れていたことが記されている。女性には夫と子どもがいたが、離婚をしたうえでの結婚まで考えていたようだ。この時期、尹紫遠自身が働けていたかは定かではない。だが、執筆も手につかず、自殺もしきりに考えるような状態ではあった。

その直後、この女性との関係が崩壊したあとに、尹紫遠は日本人女性の大津登志子と婚約している。1949年2月8日のことだ。結婚式は4月1日に挙げた。そして、9月29日に中目黒の長屋に移り（6畳一間）、10月28日に長男の泰玄が渋谷区広尾（ひろお）の赤十字病院で生まれている。母子手帳にある父の職業欄には、「無」と記されていた。

この激動と言っていい時代の経験をベースにした短編小説が「人工栄養」（1954年）だ。発表されたのは『総評』紙だったが、その前には『群像』や『中央公論』といった著名な雑誌に掲載される可能性もあった。最終的に「人工栄養」とする前は、「行商人」や

「泥濘（ぬかるみ）」と題して書いた原稿だった。「人工栄養」は粉ミルクを意味する。

尹紫遠は、栄養不足で母乳が出ず、牛乳も高くて買うことができない、そんな3人家族の姿を描いた。父は粉ミルク代をも酒に変えてしまい、最後は赤子に重湯（おもゆ）を飲ませている。この作品に登場する李俊吉（イチュンギル）／蛍子（けいこ）／光一（こういち）の姿が、尹紫遠／登志子／泰玄の現実に大きく依拠していることは、次の箇所を読めばすぐにわかるだろう。つい先ほど引いた1949年7月の日記に出てくる言葉遣いや描写（本書152－153頁）と、ほぼ同じだからだ。

> 貸ミシン、アイロン、ものさし、鋏（はさみ）、きれはしの乱雑の中に妊娠六ヶ月の蛍子が連日のつかれにたえかねて、裁断最中によく居眠りをした三畳の間、その妻に卵一個の栄養さえあたえられなかった自分
>
> （尹紫遠「人工栄養」14頁）

李俊吉は神田や新宿の「カフェー街」の女給たち相手にストッキングの行商をして収入を得ようとするが、これも1949年11月以降の日記に現れる尹紫遠の経験そのものだ。

1949年よりあとの現実もまた、作品に取り込まれている。例えば、妻の蛍子が血液を売るために浜松町（はままつちょう）の製薬会社で検査を受けたものの、健康体と認められずに失格したという話。その元になっているのは、朝鮮戦争の勃発を跨（また）いだ1951年の登志子の経験だ。

この日、僕たちが酒を飲んでいる時に、とし子は浜松町の或る製薬会社へ血を売った

ことを後で知る。二百グラム四百円に栄養食をくれるそうだが、彼女の血は疲れ切っていて駄目だったと。

（「尹紫遠日記」1951年3月4日）

そもそもこのときの登志子は、長女の逸己を妊娠していて出産直前だった。出産直前であるにもかかわらず、直前だからこそ、売血（ばいけつ）の列に並んだのだろう。「逸己退院。これで彼（ママ）の生れたために8、000円の金がかかった」（1951年3月21日）。

作品の参照先は戦後の日記にとどまらず、植民地期の短歌にまで及ぶ。「朝鮮人、というそれだけの理由でニンジン、ニンニクとののしられ、低能、とつまはじきされた」[15]という李俊吉の回想は、尹紫遠が1942年に出した歌集『月陰山（タルムサン）』を下敷きにしているようだ。隣り合う二つの短歌[16]から要素を引き出し、混ぜ合わせながら言葉をつくっている。

わがことをにんじんにんにくと眞顔（まがお）にてののしりし人を忘れざるべし

やうやくに職につきしがせんじんといふただそれだけで追はれしことあり

尹紫遠が小さなテーブルに原稿用紙を広げ、その傍らに自らの日記や歌集を並べて執筆に取り組む様子が目に浮かんでくる。それらにかつて書き込んだ経験や感情は、新しい作品をつくるうえでの土台となり、ときには直接的に接木（つぎき）されたのだろう（そう考えると、歌集も植民地期の日記のように見えてくる）。さらには、作品の書き直しのプロセスと日記の蓄積とが並行し、現実に起きた新たな出来事も、作品の中には継ぎ足されたはずだ。

米兵と黒人兵

だが、そうすると逆に気になってくるのが、「人工栄養」にはあって日記にはないエピソードの出所だ。特に印象に残るのが、李俊吉（イチュンギル）が川崎の盛（さか）り場での行商の帰りに、南武線の立川（たちかわ）行に乗った際の出来事を描いた箇所。すぐ隣に二人の「黒人兵」も乗っていたところ、川崎の次の駅で「パンパン」を連れた別の「米兵」（文脈上「白人兵」と捉えて良いだろう）があとから乗ってきたという話だ。かれらは互いに知り合いには見えない。

> 正面に立っている米兵は、言いようのない、強いて言えば虫けらか何かを見る眼付（めつき）で黒人兵をジロっとにらみつけている。敵意のそれでも、たんに憎悪をこめた眼付でもない。何しろ人間が人間を見る眼付とは言い難い。冷酷な眼の光だ。〔…〕すわっている男は頭を深くたれ、もうひとりは思い切り背を丸めて、米兵のその視線から必死にのがれようとしている。うっかり反抗的な態度でもとろうものなら、あとでどんな目にあわされるか判（わか）らないという身のちぢめ方だ。
>
> （尹紫遠「人工栄養」26頁）

これは果たしていつの話なのか。尹紫遠自身の経験ともつながっているのか。その問いに手がかりを与えてくれるのが、南武線に乗る前の時間帯を描写した次の記述だ。

日が暮れた。俊吉はひと足のばして川崎へ向った。竣工に近い新駅の前は、退け時とケイリン帰りの人の波で、ふしぎな活気が盛り上っている。市電の踏切のところへ出外れると、俊吉は救われたようにフーと深呼吸をして、踏まれたクツの先をてのひらで拭いた。

（尹紫遠「人工栄養」25頁）

この「竣工に近い新駅」とは一体どこの駅なのだろうか。調べてみると、この頃、川崎にあった「川崎市電」（1944－69年）の始発駅（市電川崎駅）が、元の位置から百メートル強離れた場所まで移動していたことがわかった。1950年8月18日のことだ。[17] 尹紫遠の日記は1950年（と48年、54年）が失われているため確認しようがないが、8月18日の少し前の日付に、こうした経験が記されていてもおかしくはないと思える。

俊吉は黒人問題のことは、話にきいてはいたが、自分の肉眼でまともに見たのは初めてであった。〔…〕（結局は、黒人兵を見るあの眼、あの冷酷な眼こそ、彼らの東洋人を見る真実の眼ではないか？あの眼こそ、アジアの血を吸い取った眼だ——）俊吉は目をつぶっている。人間扱いにされない人間の悲しみと憤りが、彼の血管にぶつかり合っているのだ。

（尹紫遠「人工栄養」26頁）

「人工栄養」には、植民地期から1950年過ぎまで、それぞれの時代に尹紫遠が感知した「虫けらか何かを見る眼付(めつき)」が、幾重(いくえ)にも織り込まれている。日本人が朝鮮人を見る眼。「米兵」が「黒人兵」を見る眼。そして、自分を含む「東洋人」をも見る眼。

1950年8月18日の少し前、それは朝鮮戦争が勃発した6月25日の少しあとでもあっただろうか。尹紫遠が1954年にこの作品を発表したとき、吸い取られた「アジアの血」の中には、弟・六徳(ユクトク)の血も含まれていただろうか。

「黒人兵」たちが南武線の立川行に乗っていたのは、米空軍の立川基地があったことに関係しているかもしれない。立川基地はかつての陸軍立川飛行場が日本の敗戦直後に接収されたもので、朝鮮戦争の際には極東最大の輸送基地として機能したとも言われる。

当時の福祉相談員による、立川の「基地売春」についての文章。

> これらの店のドアには外人専用と標示されており、しかも白人と黒人とは全く分れており狭い立川市内で高松、曙(あけぼの)地区は殆んど白人専用で、富士見(ふじみ)地区は黒人専用となっていた。〔…〕女達についても一度黒人を相手とした者には、白人は絶対に手を出さないと言われ、厳しい人種差別がここにもはっきり表われていた。(18)

パンパンを連れた「米兵」と李俊吉は、「黒人兵」二人を残して同じ駅で降りた。南武線と東横線が交わる武蔵小杉駅。それ以降の行き先は書かれていないが、俊吉は多摩川を越えて中目黒の6畳一間に帰っていっただろう。「米兵」は渋谷経由で代々木(よよぎ)のワシントンハイツにでも向かったかもしれない。あるいは横浜方面への乗り換えだっただろうか。

尹紫遠の「作品」と「日記」を並べて読んでみる。すると、作品の中で日記との対応関係が見つからない部分にまで、欠落した日記、あるいは書かれなかった日記とのつながりが想像させられる。もしやこれも現実にあったことなのか？　と想像させ、考えさせ、様々な資料や地理、あるいは家族の記憶とぶつけてみたいと思わせる引力がそこにはある。

もちろん尹紫遠自身は、そんなことを構想してはいなかっただろうけれど。

洗濯屋のぬかるみ

尹紫遠が最初に自らの洗濯屋を開業しようとしたのは、登志子と結婚した直後の1949年8月だった。「大津クリーニング」の名刺をつくり、「パンパンのドレスなど」の洗濯を引き受けたいと考えていたが、うまくいかなかった。

そこで始めたのが、主に日給で雇われる「スケ（助っ人）」の仕事だ。田村町（現・西新橋）、麻布、新橋の洗濯屋から仕事を得たのが最初で、1957年4月に自分の店を持つまでのおよそ7年半、「スケ」の時代が続いた。1日に複数の店をはしごする場合もあった。

日記から私が読み取れただけでも、尹紫遠は合計12の洗濯屋で働いていて、地理的には世田谷から中野、浅草まで広範囲に点在している。だが全く仕事のない期間もあり、そのためストッキングの行商など別の稼ぎを模索したこともあった。

こうして関わりを持った数々の洗濯屋から、尹紫遠は頻繁に金を借りている。給料を前借りし、働いて返す場合もあった。中には、現金は貸せないが妻の着物と羽織（はおり）なら貸せるという洗濯屋の店主もいて、尹紫遠はそれらを質（しち）に入れてなんとか急場をしのいだ。

登志子が家で洋裁の「賃仕事」を続けていたことも忘れてはならない。この服を縫ったらいくら、という形での収入だったのだろう。徹夜で働くことも少なくなかったようだ。

だが、そこまで努力してもなお、尹紫遠の家族は貧困から抜け出せなかった。日本政府が『経済白書』で「もはや戦後ではない」と宣言した1956年は、かれらにとって家賃の支払いが滞り、泰玄のランドセルを買えるかどうかに苦しむ1年だった。

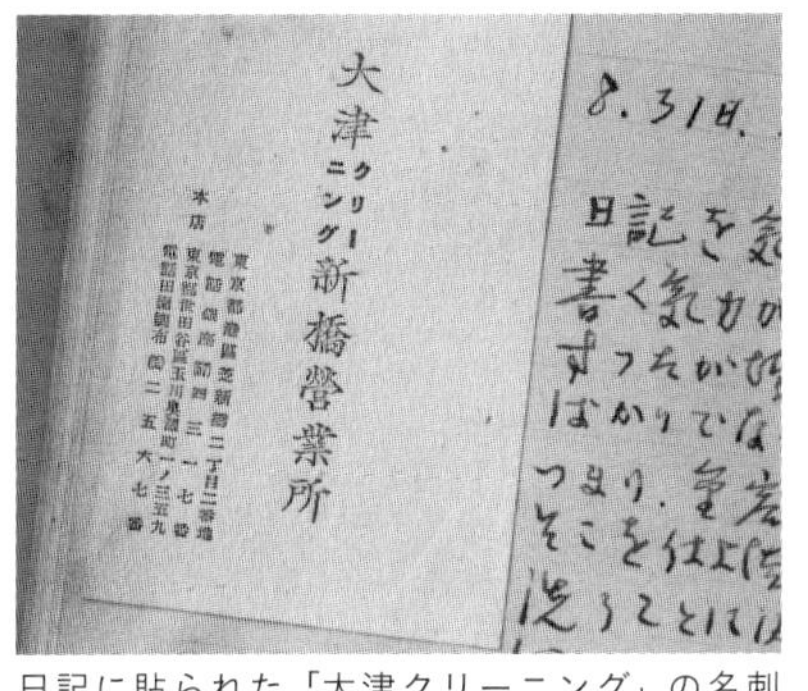

日記に貼られた「大津クリーニング」の名刺（1949年8月31日）。大津は妻の名字。知人の事務所を借りる予定だったが幻に終わった

登志子はその年に中絶も経験している。理由は不明だが、出産や子育てに伴う費用の問題も大きかったのではないか。尹紫遠と登志子は、泰玄と逸己の出産の際にも経済的な困難を通過していた。

1957年の開業は、「子供たちのことなどを考えるとどうしても生活の基そをつくり上げなければならない」（1月15日）という思いで決心したものだった。こうした「基そ」の欠落した生活は、短編「人工栄養」の末尾で、蛍子（けいこ）と俊吉（チュンギル）が抜け出すことを決意した「ぬかるみ」と同じものだろう（先述の通り、「人工栄養」となる前の題は「泥濘（ぬかるみ）」だった）。

「わたしたち、ひどいぬかるみの中で、踏み場を失ってるみたいなのね！」〔…〕
「おい、ぬかるみから出るんだ！あせらずにな！一歩、一歩！」

（尹紫遠「人工栄養」33頁）

この決意が1949年の結婚から1950年代前半の経験に基づく願いだったとすれば、かれらはその後もずっと、「ぬかるみ」にはまり続けていたことになる。

尹紫遠の人生における重要性からすると奇妙にも感じられるのだが、彼は洗濯屋の労働の具体的な姿をほとんど書いていない。『38度線』や「密航者の群」の主人公は東京のクリーニング工場で働いているが、それらも日々の労働を詳細に描いたものではない。

そこで、日記から細かい記述を拾いつつ、小学生の頃から「徳永ランドリー」で働いていた息子の泰玄に、当時の様子を教えてもらった。そのうえでの私なりの理解を示すと、洗濯屋の労働は大きく分けて四つの部分から構成されている。「営業」「洗濯」「配達」「経理」だ。つまり、得意先を広げ、洗濯物を受け取り、きれいにして返し、お金を管理する。

さらに、自宅と職場（店舗、洗い場、干し場）が一体となった家内工業であるために、四つの労働すべてを支える部分に「家事」というもう一つの巨大な労働が存在する。この点については、別の箇所で再び触れることになる。

得意先の数自体はそれほど多くなく、「渋谷、世田谷、目黒のあたり」に広がっていた。配達は自転車でしていたため丸一日かかる。「どうしてもオートバイが必要だ」（1957

年5月4日）という日記があるものの、結局手に入らなかったようだ。一般家庭や日本人が経営する機械関係の中小企業も回ったが、一番の大口は「渋谷で在日がやっていた中華料理のチェーン店」で、その家の子どもは泰玄の朝鮮学校時代の同級生だったという。

小さな工場（こうば）には、大型の洗濯機が設置されていたそうだ。洗濯物をその中に入れ、あらかじめ水を貯めておいた大きなドラム缶からバケツで水を汲み出してどんどん入れていく。「水道でやってたら間に合わない」ため、人間がバケツを使って入れる必要があった。

水が十分に入ったら、洗濯機をぐるぐると20分ほど回す。それを3回から4回繰り返したそうだ。厨房用の白い調理服など、油汚れが強いものについては、洗濯機に入れる前にお湯で油分を溶かし出すという追加の工程も必要になった。

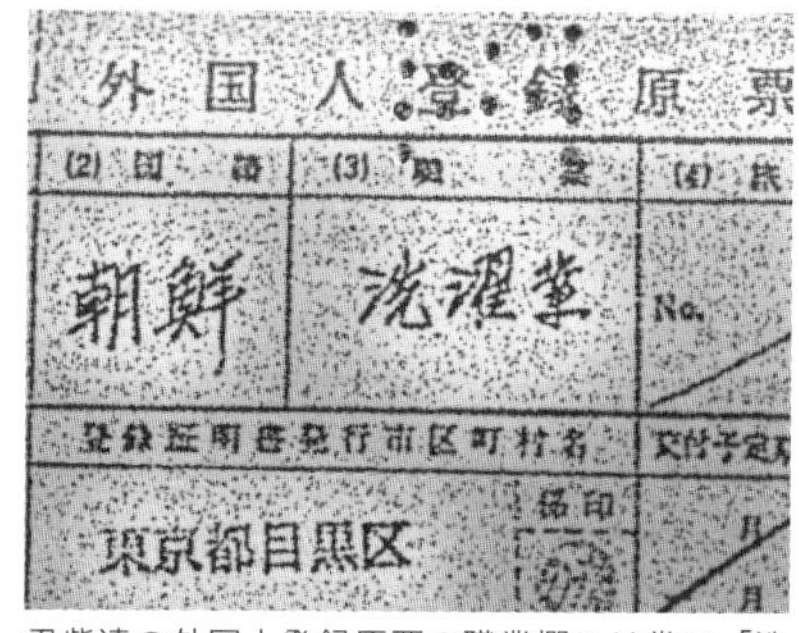

尹紫遠の外国人登録原票の職業欄には常に「洗濯業」と記されていた（登志子は「洋裁」）

洗い終わったものは「振り切り」という遠心分離機に入れて脱水し、干し場に運んで物干し台で乾燥させる。乾燥機はなく、天候に大きく左右された。乾いたあとはアイロンがけをしてきれいに畳み、配達に回す。とにかくすべてが手作業。配達先では新たな洗濯物を預かり、戻ってくる。この流れをひたすら繰り返す。

「スケ」の時代は尹紫遠が一人でやっていた洗濯業に、登志子と二人の子ども、そして二人の職人が巻き込まれていった理由が、泰玄から話を聞いてよく理解できた。帳簿管理などのお金周りについては、尹紫遠が存命の頃から妻の登志子が担っていたそうだ。

そして営業。生きていくために最も重要な役割であり、経理と同様、子どもたちの関わらない領域でもある。尹紫遠は夫婦それぞれの知人にあたるだけでなく、港区の白金（しろかね）や世田谷区の駒沢など、様々な地域で飛び込みの営業もかけていたようだ。

開店直後、1957年4月の営業については、「人間扱いにせぬ主婦さえいた」（4月6日）、「片っぱしから断られる」（4月11日）といった様子で、相当にきつかった状況が伝わってくる。「ときどき自殺のことを考えたりする」（4月15日）とまで書くような日々だ。

その後、総連（そうれん）（在日本朝鮮人総連合会）系の同和信用組合（のちの朝銀東京信用組合）から得意先の紹介を受けつつ、のちに民団（みんだん）（在日本大韓民国居留民団）の団長となる権逸（クオンイル）らからも仕事の紹介を受けるなどしたことで、状況は一時的にやや好転したようだ。

だが、大きすぎるプレッシャーの中で、尹紫遠自身の健康状態は悪化を続けていく。胃と肝臓の両方が病に侵（おか）され、外回りの途中で吐く、夜中に起きて続けざまに吐くといった病状が日記につづられる。そして、1957年7月頭を最後に、日記はぴたりと止まった。

そこから先、亡くなる1964年9月までの日記は、それ以前の時期に比べて量が極めて少ないだけでなく、その7割近くが二度の入院期間に集中している。日々の生活の中で日記を書けるだけの条件は、洗濯屋の開業とともにほぼ失われたかのようだ。

「徳永ランドリー」を開業して、尹紫遠たちは「ぬかるみ」から抜け出せたのだろうか。

1957年4月の開業は、泰玄が朝鮮学校の2年生になった時期にあたる。当時の泰玄には「ほかに比べて貧しいな」という意識があったそうだ。学校に弁当を持って行けず、昼に一人だけ教室の外で時間をつぶした記憶もある。「月謝も滞って払ってないときありましたからね。私が小学校の2、3、4年、あそこらへんですから。それは覚えてます」。

ときどき作家

日記が滞っていた時期に書かれた尹紫遠の文章がある。1957年の開業の翌年に、『コリア評論』に掲載された2頁の短いエッセイ[19]で、胃や肝臓の状態の急激な悪化、そして「自分は今後何年ぐらい生きられるのだろうか」という死への意識をつづるところから書き始められている。まだ47歳だが、もう先は長くないと感じていたのかもしれない。

そんな気のするときの私は、これまでの自分はいかに、ただまんぜんと生きて来たのであろうか、という悔いとあせりの中に叩き込まれるのである。眼の前には死ぬまでに片付けてしまわなければならぬ仕事が異様な速度で急に山のように積みかさなってくる。何とかして書き残して死にたい奴ばかりである。〔…〕何の天分も才能にもめぐまれてない私は、なぜ、文学に一生をかけたのであろうか。

このとき、彼の念頭に、未完、未発表の「密航者の群」があったことは間違いない。尹紫遠の中では「密航」の主題にまだケリがついていなかった。同じ『コリア評論』で「密航者の群」の連載が始まるのはここから2年後、1960年3月のことだ。では、翌61年に連載を終えたことで、彼は自分の文学をやりきったと感じられただろうか。

もし彼が「密航」より前、つまり植民地期から解放前後の時期における自らの過去、民族としての経験を、ある種の歴史として書き残すことを目指していたとすれば、それは『38度線』や「密航者の群」によって、かなりの程度達成されたように思える。だが、尹紫遠は「密航」より後、つまり現在についても書きたかったはずだ。その最大の成果の一つが「人工栄養」だが、対象とできた時期は登志子との結婚前後の数年間にとどまる。「密航」という現象自体が「1946年の夏」を超えて延長していたことも重要だ。殺された弟の六徳(ユクトク)も含め、尹紫遠の日記には、彼よりあとに朝鮮から日本に渡ってきた人々や、朝鮮と日本の間を行き来する人々の姿も刻み込まれている。

尹紫遠は、本質的に達成不可能な構造の中で焦り続け、走り続けていた。「眼の前には死ぬまでに片付けてしまわなければならぬ仕事が異様な速度で急に山のように積みかさなってくる」という意識は、過去だけでなく、現在をも書こうとした尹紫遠という作家の特徴を鮮やかに表現しているように思える。

「文学に一生をかけた」彼が直面した困難、それは、「洗濯屋の時間」と「作家の時間」とがゼロサムの構造の中で互いにせめぎ合っていることだけではなく、「作家の時間」の中で「過去」と「現在」とが互いにせめぎ合っていることにも大きな原因があった。

尹紫遠

尹紫遠は「人工栄養（旧題・泥濘）」の出版を願い、学芸大学駅前のうなぎ屋（目黒区鷹番）の2階で先輩作家の金素雲に原稿を預けた（1953年3月）

読んでみるとわかるが、「密航者の群」は奇妙な作品だ。それは、必ずしも「密航」だけをテーマとしていない。連載が始まった1960年の実生活で起こっていた登志子との格闘（広島への家出がその年の9月）をも主題とし、日々の日記を取材メモのように利用しながら、そのまま作品の中に持ち込んでいるのだ。残り少ない時間への意識を背景に、「過去」と「現在」の両方を、一つの作品の中へと焦って無理やり封じ込めたかのように。

テープレコーダー

尹紫遠には自分ひとりの部屋がなかった。だが、死の病に瀕して、彼にはついに個室が与えられた。大田区安方（やすかた）の診療所での二度の入院だ。尹紫遠は1961年の病室で「密航者の群」の大幅な改稿を行い、1964年夏の最後の病室で「朝鮮戦争と私」（その前の題は「或る船乗りの話」）という未完の原稿を52枚まで書き進めている。

いずれの原稿も今は読むことができない。だが、遺稿とも言える「朝鮮戦争と私」については、大学病院へと転院する前日に、尹紫遠自身がその一部をテープレコーダーに吹き込んだ音声が残っている。[20] 泰玄によれば、そのレコーダーは得意先の電気屋から、洗濯代との交換で手に入れたものだという。死の直前、今に残る最後の肉声だ。

はあ…。明日は、慈恵医大へ、入院する。退屈しのぎに、これを吹き込んでみる。もちろんこれはあとで、徹底的に直さなければならない原稿だ。（鼻を啜（すす）る音）

そして朗読が始まる。彼は最後まで、「密航」した人間たちの生(せい)にこだわった。

金(きん)せいこうの本職は船乗りであった。彼は、貿易が目的で、南鮮の釜山(ふざん)から密航船に便乗して、日本の神戸(こうべ)へ来たが…

そこから26分後、尹紫遠は物語の途中で唐突に朗読を止める。そして、こう語り出した。私が知り得る、作家・尹紫遠の終わりの言葉。

ここまで18枚だ。ほとんど文章はめちゃめちゃだっ！　息が切れてやっとここまで読めたくらいだ。これは徹底的に書き直さなくちゃいけない。書き…いや、書き直すんじゃない。筆を入れなくちゃいけない。はああ…。筆を入れなくちゃならないわけだ。

彼の声の後ろに、小さな子どもたちの声が折り重なって聞こえる。耳を澄ますと、かすかにカンカンカンという踏切の音も聞こえた。電車がガタンゴトンと通り過ぎていく。多摩川沿いの丸子橋付近を通り、蒲田(かまた)へと至る東急目蒲(めかま)線だろう。今の多摩川線だ。
その日は真夏のよく晴れた、暑い日だったかもしれない。
もうすぐ始まる東京五輪を、彼が見ることはない。

尹紫遠と大津登志子。結婚翌年の中目黒にて

2 大津登志子

おおつ としこ

満洲から38度線へ

大津登志子と尹紫遠は虎ノ門（現・港区）周辺の食堂で知り合った。その頃、登志子は「満洲」から一緒に帰ってきたばかりの親友二人とそこで働いていて、尹紫遠は近くの国際タイムス社に勤めていたはずだ。1946年の後半から1948年にかけての出会いだっただろう。だが二人はそのずっと前から、物理的にはかなり近くにいた。

1941年、二人の家はそれぞれ新宿御苑の南北にあって2キロも離れていない。当時30歳の尹紫遠は、結婚したばかりの金乙先と、東大久保（現・新宿区）の秀明荘という4畳半のアパートに暮らしていた。家のそばには東京医学専門学校（現・東京医科大学）があった。おそらく、日本人が経営する近くのクリーニング工場で働いていた頃のことだ。[21]

同じ年の3月に、17歳の登志子は実践高等女学校（現・渋谷区東）の最終学年を卒業しただろう。高等女学校への進学率が15％に満たない時代、[22]登志子は渋谷区千駄ヶ谷の立派な屋敷から車で通学していた。彼女の祖父は茨城出身の大津淳一郎で、第1回の衆院選から10回以上もの当選を重ねた政治家だった（のち貴族院議員、大東文化学院総長）。自宅のそば

実践高女時代（下から2列目、右から4人目）

には巨大な徳川家達邸（現・東京体育館）があり、日銀総裁を勤めた土方久徴の邸宅もあった。

当時の登志子は、お金を持たずに買い物をしていたという。近所では「大津です」と言えば良かったからだ。のちに逸己が母から聞いた話である。父の大津武敏は早くに亡くなったが、生前は東大の法科を卒業後に、東京と台湾で事業を展開する東洋コンクリート工業という会社で専務取締役をしていた[23]。父の勤務先は東京駅前の丸ビル。大日本帝国のヒエラルキーの中で、登志子の家族は最も上に、尹紫遠は最も下にいた。階層としては、極めて遠くにいた。

尹紫遠が１９４４年に朝鮮北部の兼二浦へと逃れ、38度線を南下し、１９４６年夏に「密航」で日本に戻ったことにはすでに何度も触れた。実は登志子も尹紫遠と近い時期に日本を離れ、同じく敗戦後に日本に引き揚げている。彼女の場合、行き先は満洲だった。

生前の登志子は、泰玄や逸己に満洲時代の詳細を語らなかった。二人は母が満洲のどこにいたのか、何をしていたのか、いつからいつまでいたのか、ほとんど知らないという。泰玄は母が「満洲でアイススケートをした」と話していたのを覚えているくらいだ。確かに、満洲の冬は湖が凍るほど寒い。逸己はといえば、こんな話を聞いたことがあった。

満洲から朝鮮半島を南下して、平壌（ピョンヤン）まで来たところで日本の敗戦を知ったという話です。帰るべき母国が敗戦になって、死のうと思ったと聞きました。洋裁は死ぬまで好きでしたけど、「はさみで舌を切った」と言って舌を見せてくれたんですね。舌って馬蹄形（ばていけい）をしていますよね。その片側が少し欠けてるんです。

ソ連兵が南下してきますので、女性たちに「男装にしろ」という話があって髪を切ったということと、満洲から引き揚げてくる中に楼閣（ろうかく）にいた女性が何人かいて、「私たちが相手をするからあなたたちは隠れてなさい」と言ってかばってもらったというのは聞きました。若い女性たちはソ連兵にレイプされることもなく助けてもらったのよと。

もう一つわかったことがある。登志子が残した古い白黒の写真を、泰玄と一緒に見ていたときのことだ。ある1枚の写真の右下に、微（かす）かに刻印のようなものがあることに気づいた。着物姿で三つ編みおさげの登志子が、洋服を着た同年代の女性と二人で映っている。刻印をよく見ると「吉岡写真場　新京」と読めた。新京（しんきょう）は「満洲国」の首都で、今の長春（ちょうしゅん）だ。裏には赤いペンで「とし子　二一才」と書かれている。登志子が21歳になるのは1945年1月だから、そこから8月の敗戦までに、新京の写真館で撮ったものだろう。[24]

左が登志子。右下に「吉岡写真場　新京」の刻印が微かに見える

日本の敗戦時、満洲国には約200万人の日本人がいたとされる（約150万の住民と約50万の軍人・軍属）[25]。1946年5月に始まる葫蘆島からの引揚げでは100万人以上が帰国したが、敗戦前に新京にいて、平壌で敗戦を知った登志子は、葫蘆島とは別のルートで日本に戻ったかもしれない。彼女は、ソ連による対日参戦（1945年8月9日）直後、新京や奉天（現・瀋陽）から列車で朝鮮に逃れた「満洲避難民」の一人だった可能性がある[26]。

当時、平壌満洲避難民団の本部員だった小林貞紀はこう記している。

> 昭和二十年八月九日、関東軍司令部の通化移転が決まり、同夜から新京・奉天の居留民を乗せた疎開列車が北鮮に向け出発した。〔…〕六万二千の避難民がこの地に一年有半の間、難民生活を続けるようになったのである。北鮮に疎開した満洲避難民の出発地は、疎開命令の伝達の早かった新京・奉天の二大都市の市民がその九割を占め、しかも団体行動のとり易い関東軍家族、満洲国諸官庁、満鉄等の大きな団体がその大半を占めていた[27]。

父が満鉄の関連会社で工場長をしていたため、1945年5月に神戸から新京に渡った南風洋子（当時15歳、のちに俳優となる）も、満洲からの避難民だった。登志子と年齢が近く（6歳下）、類似の経験をした可能性がある人物だ。「人生観を変えた引揚げ体験」という題で回想記も残している。8月11日頃、新京駅から石炭を積む無蓋列車で出発したという。

この列車は、私たちをどこに連れて行こうとしているのか分からず、全く列車任せの避難行となった。どこまで行けば安全なのかは分からないが、このまま南へ南へと下れば、そのうちにあのすさまじい連日連夜の空襲に脅えている内地に行ってしまうのではないだろうか、と思ったりした。暗闇の中から、だれかの声で「鴨緑江を渡った！　もう日本だから大丈夫だ。安心しろ！」と言っているのが伝わってきた。[28]

この時点ではまだ朝鮮が「日本」の一部であり、満洲との境界を成す鴨緑江を渡れば安心だと認識されていたことがわかる。むしろ、その先にある「内地」のほうが空襲に晒される危険な場所として見えていた。だが、その見方もすぐに変わっていく。

敗戦時、朝鮮北部には約27万の在朝日本人がいた（南部には約50万人）[29]。ソ連軍による進駐ののち、「38度線」は早々に封鎖される。軍関係などで8月中に南部の京城（現・ソウル）や釜山に到達した者もいたし、満鉄や満洲国の関係者で朝鮮から満洲に再び戻った者もいたが、満洲避難民の多くは38度線以北の各地に収容され、極寒の越冬を経験した。[30]

平壌には10月末時点で1万2千人超の満洲避難民がいた。その多くは女性か子どもで、17歳以上の男性は1割もいない。[31]平壌以外でもその割合に大差はなく、登志子が逸己に語った女性たちの丸刈りや男装、ソ連兵の暴行も現実に起きていた。[32]再び南風洋子の回想。

父は、「犠牲者」の前に手をついて頼んだ。そして、その人たちはそれからその日がくると、一人ずつ順番に出掛けて行った。〔…〕その夜、部屋の襖を少し開けて、手をついて「では行ってまいります」と言った人の顔を、私は忘れることができない[33]。

栄養失調、発疹熱などでの死者も相次いだ。平壌の満洲避難民のうち3900名が亡くなったとする記録[34]も残っている。多数の幼児を含め、死亡率は極めて高かった。

朝鮮北部に残る日本人たちの38度線越えは、翌1946年の5月末から8月にかけてようやく本格化する。6月にコレラの拡大で38度線が再び封鎖されたものの、9月末には平壌の避難民団本部が撤収するまでに至ったようだ[35]。

南下は様々なルートで行われた。鉄道やトラックを利用できた時期や場合もあれば、金がないために全行程を歩く人々もいた。ベストセラーとなった藤原ていの『流れる星は生きている』（1949年）で描かれた市辺里コースでは、数万の日本人が山中の道を歩いたとされる[36]。38度線を越えて南部に入ったあとは、釜山や仁川から船での引揚げとなった。

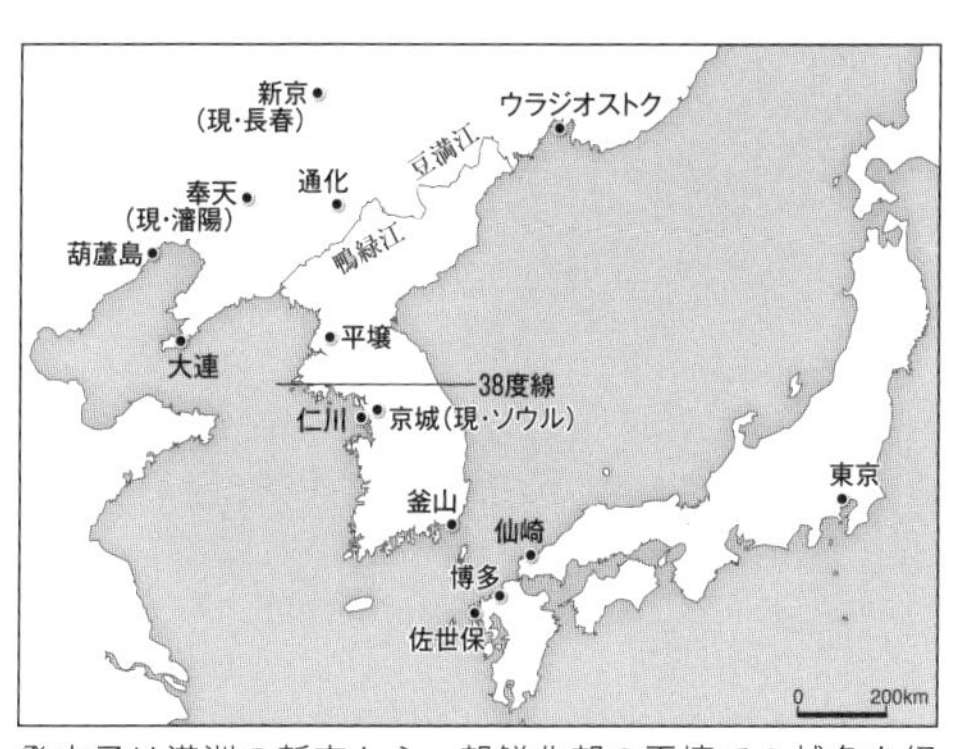

登志子は満洲の新京から、朝鮮北部の平壌での越冬を経て38度線を南下し、朝鮮南部からの引揚船で佐世保や博多、仙崎などに渡った可能性がある

登志子自身が新京で何をしていたのか、今では知る由もない。唯一わかったのは、登志子の伯父（父の兄）である大津鎌武が、満洲や関東州と関わりを持っていたことだ。東大法科を卒業後に大阪商船の大連支店[37]に勤め、のちに関東庁の取引所長[38]や哈爾濱所在企業の役員[39]にもなっている。とはいえ、登志子の満洲行きとの関係は不明だ。

登志子は平壌で越冬し、38度線を南下したのだろうか。おそらくそうではないかと思える一方、満洲から朝鮮に入ったあとにすぐに満洲へと戻り、その後、葫蘆島経由で引き揚げた人々の一部だった可能性も残る。

いずれにせよ、日本に戻った時期は１９４６年の半ばから終わりにかけてであり、朝鮮や満洲からの主要な引揚港である佐世保や仙崎、博多を経由して東京に戻った可能性が高い、とまでは言える。コレラにも何らかの形で直面したはずだ。尹紫遠や金乙先との同時代性は明らかだろう（船の規模や扱い、日本での処遇など、差異はもちろんある）。

付言すれば、１９４９年生まれの長男・泰玄がのちに結婚する女性は、敗戦直前の４月にインドシナのサイゴン（現・ホーチミン）で生まれている。つまり、泰玄にとって未来の父、母、妻となる人物は、３人ともほぼ同時期に船で日本に渡っていたことになる。

戦争に敗れた帝国の解体過程で、陸や海に引かれた境界を越えようとする巨大な人の波があちこちで発生した。その移動を制御しようとする様々な勢力が無理やり人々を閉じ込め、ときには船が、ときには学校が収容所となった。

戦後の東京で初めて出会ったとき、登志子と尹紫遠は、互いの経験をどれくらい話しただろうか。今となってはそれもわからない。

私はこのときから、私に接する人に対して、「この人は、あのときのような状況の中に身を置いたら、どうなる人間なのだろうか」と考えるようになった。人間は、学歴のあるなしではない。あのような状況においては、むしろ慎ましい人々の方がちゃんと生き抜いていた。どんなに立派な言葉を聞かされても、実際の行為を見て信じられなくなった人もいた。純粋に人を信じるという心がなくなった私は、意地悪くすぐに人をひんむく癖がついてしまった。あまり良いことではないと思っているが、あの十五歳時代の体験から得た人生観は根強く、なかなかに抜け切れないことである。

（南風洋子「人生観を変えた引揚げ体験」106頁）

朝鮮人との結婚

登志子が満洲に行ったとき、両親はすでに亡くなり、兄も弟も亡くなり、残った妹も養子に出されていた。登志子は大津家の中で居場所を失っていた。満洲行きを決めた理由もそこにあっただろうか。泰玄によれば、登志子は「家出」状態で満洲に向かったという。

最初に亡くなったのは生まれたばかりの弟・成だった。登志子が尋常小学校2年だった1931年のことだ。そこから1年も経たずに父の武敏が肺の病[40]で、母の八代が結核で立て続けに亡くなっている。親しかった兄の敏も、登志子が実践高女の2年だった193

登志子（右）の左上が兄の敏、左下が他家の養子となった妹

7年に病気で命を落とした。サナトリウムらしき場所で白衣を着た敏の写真が残っている。享年17歳。この頃、死因の首位はほぼ毎年結核で[41]、感染症で若い命もが奪われる時代だった。

満洲から日本に戻った登志子は、女学校時代の友人を頼ってしばらくは新潟で暮らしていたようだ。尹紫遠と出会った東京の食堂で働くよりも前のことで、右下に「大野　ニヒガタ」と刻印が押された当時の写真には、かつておさげだった頃よりもだいぶ髪の短い（とは言っても丸坊主よりはだいぶ長い）登志子が、二人の女性と一緒に映っている[42]。

登志子にはその頃すでに、大津家を頼りにできない（したくない）状況があったのだろう。尹紫遠の作品にも、彼女が両親を失ったあとに起きた境遇の変化が書き込まれている。

> 実践女子大の前を歩く時は、複雑な思いにおそわれた。かつては少しの雨にも車で送り迎えされた母校なのだ。しかし両親の死と共に彼女の境遇も変った。一時、親戚の家に身を寄せたこともあったが、結局は世話になるからこそ自分の意志に反することもきかなければならぬことに気がついた。そして、どんなに貧しくとも自分の力で、

意志で親戚からのうるさい結婚のすすめや一切の援助を拒みつづけた。

（尹紫遠「人工栄養」27頁）

満洲から戻ったあと、実家との断絶が決定的になった契機は、尹紫遠との結婚、というより朝鮮人との結婚だった。尹紫遠の日記には、登志子が伯母（父の姉）の大津勝とその夫である小島甚太郎（こじまじんたろう）の家まで、結婚の許可を得に行った際の様子が記されている。小島は東大工科を卒業後に古河（ふるかわ）鉱業に就職して足尾（あしお）銅山に入り、のちに取締役まで務めた人物だ。

とし子、石神井（しゃくじい）の叔父、叔母の所へ結婚の許可を得に行ったと。見事反対。理由、朝鮮人は盗癖（とうへき）あり、然（し）かもそれは国民性なり、と。それに朝鮮人は口が上手いくて（ママ）人をよくだます。故にむしろ、印度（インド）人と結婚すべし、と言ったそうな。とし子泊る。

（「尹紫遠日記」1949年3月25日）

登志子と尹紫遠の家族が貧しいのには、ここにも理由があった。もし登志子が大津につながる親族から何らかの経済的支援を得ていれば、あるいは両親の遺産の一部でも登志子に渡っていれば、彼女は自らの血を売ろうとする必要などなかったかもしれない。夫が「作家」と「洗濯屋」とのあいだで経験した葛藤はずっと弱まっただろうし、子どもたちを小さい頃から働かせる必要も、きっとなかっただろう。

少しあとの時代のことだが、泰玄は母が古い写真を見ながら「この人は従兄弟だよ」と言って、プロ野球パ・リーグ会長の「岡野さん」だと教えてくれた日のことを覚えている。阪急ブレーブスの球団代表を経て、１９６８年から10年間、パ・リーグの会長を務めた岡野祐だ。その父は、鉄道次官や旧西武鉄道の社長を歴任した岡野昇で、登志子にとっては伯母（父の姉）である大津廣の夫、つまり伯父にあたる。なお、岡野昇の兄・敬次郎は、西園寺公望内閣と山本権兵衛内閣で法制局長官に三度就き、関東大震災の直前に病死した加藤友三郎の内閣では司法大臣を、震災後の第２次山本内閣では農商務大臣と文部大臣を務めた人物だ。登志子の親族には、大物の政治家や官僚、企業人が相当多くいた。

> 俊吉との結婚によって、蛍子は親戚たちの自分に向けてくれた愛情が、いかに見せかけのものであったかを発見した。つまり、朝鮮人の妻になった、という理由で彼女は見限られたのだ。蛍子は意外だった。無知な人たちならばまた考えようもあったが、理学博士や経済学博士といったいわば高い教養のある人やその家族たちなのだ。しかし、ふしぎにも彼らのその冷やかな態度に、彼女の自尊心はかえって高くなるのだった。
>
> （尹紫遠「人工栄養」27頁）

尹紫遠と結婚したことで、登志子を見る目は変わった。親族だけではない。日本社会で受ける扱いが変わった。多数者から少数者へと、その立場は大きく変化した。

登志子の祖父・大津淳一郎と祖母・もよ

登志子の父・大津武敏と母・八代

短編「人工栄養」の中から、1949年10月に泰玄を産んだばかりの登志子が、目黒区の福祉施設、「民生館(みんせいかん)」を訪れた際の様子だと思われる場面を読んでみたい。


「もう、たのまない。あんなところ――」

蛍子の体がふるえている。三十分ほど前に赤児(あかご)の医療保護の手続に民生館に行って来たところだ。

「どうしたんだ?」

俊吉は無感動の口調できいた。

蛍子はうっ憤のやり場のない表情で、外人登録証を俊吉の前におき母子手帖を整理箱にしまった。〔…〕

「民生館へ行って必要事項を書いて窓口へ出しましたら、それまではなんでもなかったのに、あなたの名前を見てから急に態度も言葉づかいも変りましたわ。それだけならまだいいけれど、年とったのがひとり「こんど朝鮮人はみんな強制送還するらしいね」と言うと、もうひとりが「あんな朝鮮人なんか速く叩き出しちゃった方がいいんだ」と、それも大きな声で言ってみんな笑っていましたの」

「――」


(尹紫遠「人工栄養」27-28頁)

このエピソードには重要な情報がいくつも詰まっている。蛍子(登志子)が民生館の窓口で相対したのは民生委員たち（児童委員も兼ねる）で、当時、生活保護や児童福祉の実務を担った人々だ。[43] かれらは朝鮮人である夫の名前を見るや、差別発言を連発し始める。現代の生活保護行政でも、窓口で申請を妨げる「水際作戦」の実態がたびたび指摘されているが、当時の登志子たちも結局保護は受けられなかったようだ。[44]

医療保護はとうとう受けられなかった。というより俊吉と蛍子の方でサジを投げた。あした来い、あさって来て見て、と言われ、半月以上も蛍子が民生館へ通ったが掴みどころがなかった。

（尹紫遠「人工栄養」29頁）

蛍子が持っている「外人登録証（外国人登録証明書）」にも注目したい。1947年の外国人登録令が「外国人」に常時携帯を義務付けたものだ。在日朝鮮人と台湾人は当時まだ日本国籍を持っているという建前（たてまえ）だったが、この勅令（ちょくれい）との関係では「外国人とみなす」とされて登録の対象となった。登志子はまず朝鮮人男性と結婚したことで「朝鮮人」とみなされ、その帰結として外国人登録令上の「外国人」ともみなされたことになる（詳細後述）。

その一方で、生活保護との関係では、旧植民地出身者はそれ以外の「外国人」から区別されており、1952年4月のサンフランシスコ平和条約までは日本国籍を持っているという扱いだった。ただし、1950年6月の厚生省通達により、生活保護の申請の際には外国人登録証明書の提示が必要とされてもおり、「日本人」とも異なる扱いだった。[45]

日本人でもあり、外国人でもある。日本人でもなく、外国人でもない。

福祉に関わる仕事をしながら、申請者の強制送還を口にして大笑いする民生委員たち。強制送還と生活保護との連関をさらに強めたのは、退去強制の対象に「貧困者、放浪者、身体障害者等で生活上国又は地方公共団体の負担になっているもの」を含めた出入国管理令（1951年11月施行）だった。[46] 在日朝鮮人も、日本国籍を喪失させられた1952年4月末以降、同令の適用対象となった。[47]

言うまでもなく当時の首相は吉田茂（よしだしげる）だ。吉田は1949年のマッカーサー宛の手紙で、「すべての朝鮮人を日本政府の費用で本国に送還すべきである」と主張していた。[48] その「朝鮮人」の中には「日本人」として生まれた登志子のような人々も含み込まれていく。

では、登志子は具体的にいつ、どのようにして、「朝鮮人」になったのだろうか。

日本人と朝鮮人のあいだで

日本の現在の国籍法では、日本国籍者と外国籍者が結婚しても国籍は変わらない。だが、登志子は1949年に尹紫遠と結婚したことで、「朝鮮人」とみなされることになった。その理由は、植民地期において「日本人（大日本帝国臣民）」の内部に「内地人（内地戸籍）」と「外地人（朝鮮戸籍、台湾戸籍、樺太（からふと）戸籍）」の区別と階層を生み出した戸籍のシステムが、植民地支配終了後の占領期にもなお残存していたことにある。[49]

登志子は尹紫遠との結婚によって大津家の戸籍（内地戸籍）から外れ、尹家の戸籍（朝鮮戸籍）に入ったとみなされた。[50] 研究者の遠藤正敬は、この仕組みを「「血統」を食い破る「家」の原理[51]」と表現する。日本人男性と結婚した朝鮮人女性など、登志子とは逆向きに朝鮮戸籍から内地戸籍に移った人々は、「日本人」となった。「家」の原理に従い、「血統」を超えて戸籍を移動するのは、日本人であれ、朝鮮人であれ、ほとんど女性だった。

登志子に起きた戸籍上の変動に、具体的な日付を入れてみよう。尹紫遠との婚姻届が目黒区に提出されたのは１９４９年11月８日で、これは泰玄の母子手帳に記された出生届の日付と同じ日にあたる。二人が北千束で結婚式を挙げたのは同年４月１日だったが、当時はまだ婚姻届を出しておらず、９月末に中目黒に引っ越したのち、泰玄の出生届と一緒に婚姻届も出したのだろう。これをもって、登志子は内地戸籍から外れた。

その結果何が起きたか。登志子はまず、４年前に得たばかりの参政権を失った。女性に参政権を付与した衆議院議員選挙法の改正（１９４５年12月）は、その附則で「戸籍法の適用を受けざる者の選挙権及被選挙権は当分の内之を停止す」と定めていたからだ。[52]

裏に「大津とし子　二〇才」と書かれた写真。おそらく1944年に撮られたものだが、満洲か日本かは不明

登志子は「女性」として得た参政権を、「朝鮮人」になってすぐに失った。なお尹紫遠は、植民地期に内地在住の朝鮮人（25歳以上、男子、帝国臣民）として得ていた可能性がある衆議院議員選挙の参政権[53]を、登志子が参政権を得たのと同時にすでに失っていた。

登志子が内地戸籍を外れたことのもう一つの帰結が、外国人登録令上の「外国人」とみなされ、外国人登録の対象となったことだ。同令の第4条は「外国人でないものが外国人になったときには十四日以内に〔…〕所要の事項の登録を申請しなければならない」と規定していた。

当時の外国人登録証明書には、左側に国籍（出身地）、居住地、職業、生年月日及(および)性、入国年月日、登録日、市区町村長の押印、右側に登録番号、氏名、写真が配置されていた。[54]登志子が登録された場合は、国籍（出身地）欄には「朝鮮」と記載され（「韓国」の記載が可能になるのは1950年2月以降[55]）、入国年月日には「ナシ」などと記されただろう。朝鮮の戸籍では夫婦同姓とならないため、氏名欄は「大津登志子」となっていたはずだ。

居住地欄には目黒区の住所が書かれただろう。だが、それは戸籍の概念たる本籍ではない。泰玄の母子手帳の本籍欄には「朝鮮蔚山郡温山面江陽里(ウルサングンオンサンミョンカンヤンニ)」と、現住所欄には「目黒区上目黒」と、それぞれ記されていた。その後、家族全員が日本国籍を喪失するのは、1952年のサンフランシスコ平和条約に伴う法務府民事局長通達によってである。[56]

1955年には、外国人登録法（1952年）に基づく指紋押捺(おうなつ)の強制が始まった。満洲の労働者に対する指紋登録の過去ともつながり、住民登録法（1951年）の制定過程などでは日本人を含む全住民を対象として構想された指紋押捺だったが、最終的には外国人登録法にのみ導入される形へと着地する。

その際、日本人の場合は「住民登録（住民票）」の正確さを「戸籍」で担保し、外国人の場合は「外国人登録」の正確さを「指紋押捺」で担保するという論理が展開された。ここでいう戸籍とは、当然かつての内地戸籍を意味する。[57]

こうして登志子は「朝鮮人」となり、「外国人」となった。だが、それはあくまで国家や行政がそう処理したというだけの話である。日々の生活において、その境界線は簡単に越えられるものではなく、また同時に曖昧な形で行き来するものでもあっただろう。

さらに、夫婦間の境界線は、民族や国籍のそれだけでもなかったはずだ。男女の違い、階層の違い、食べ物の違いもあった。ぶつかることもあれば、混ざり合うこともある。ヒジキの入ったご飯を食べたことも、父が母を殴ったことも、泰玄に聞くとよく覚えていた。

> 彼女の漬けたキムチ（朝鮮漬）ひといろが変らぬごちそうだ。ヒジキを飯に炊き込むことは俊吉（チュンギル）が教えた。朝鮮の農村や漁村ではヒジキで真っ黒い飯に、セリやカボチャの葉の味噌汁で舌鼓（したつづみ）を打つ。「案外くえるだろう?」〔…〕蛍子（けいこ）は二十六の今日までヒジキというものの食べ方を知らなかった。ましてそれが主食になろうとは――。しかし彼女の顔にはそういう曇りの影すら認められない。顔全体がまだはれぼったい。唇の傷のあともなまなましい。俊吉は悔恨（かいこん）の情を深めた。
>
> （尹紫遠「人工栄養」23頁）

ストッキングの行商で稼いだわずかな金を、新宿の焼き鳥屋ですべてカストリに変え、泥酔して帰る道すがら、近所の犬の吠え声に大声で怒鳴り返す男。そんな自らの暴力的な姿、荒れ狂う夫に相対せざるを得ない登志子の姿を、尹紫遠は小説の中で執拗に描いた。

「朝鮮人の家庭ではこんなことがゆるされるのですか」
微動もしない態度でとげとげしく蛍子が言った。〔…〕
「きさままでが朝鮮人を――」
「え、けいべつします」
俊吉は蛍子の髪の毛をひっつかんだ。蛍子はまったく相手のなすがままの姿勢だ。それだけに俊吉の逆上の度は増す。顔をゆがめながら蛍子の背を打ち、顔面を拳骨で烈しくつき上げる。〔…〕
「これが妻の人格を認めている男のやることですか?あなたはオニです」〔…〕
「きさまになんかおれの気持がわかるもんか。夫婦といいながら気持の上では万里の距離がある。血をすするような思いで酒を飲む場合だってあるんだ」〔…〕
「あなただってわたしの気持はわかりません。わたしは祖国をすてて、あなたをえらんだ女です。朝鮮人の妻として誇りをもって生きたいのです」

（尹紫遠「人工栄養」21－22頁）

日記の中でも尹紫遠は妻を殴っている。逸己が生まれた十日後、無職の尹紫遠は昼から仕事を探しに出かけ、何らの成果も得られず、恵比寿（渋谷区）で酒を飲んで帰ってきた。「とし子を殴る。顔がはれ上り、鼻血が大分出た。とし子家を出る」。その翌日の日記。

泰玄の洋服、逸己の着物、つけもの、からふとんに至るまで、とし子の手のかからぬものはない。今午後四時だ。往来を通る人々の足音が、すべてとし子の足音にきこえる。帰って来るような気もするし、もうこれきり、永遠にとし子の姿は見られないような気もする。万一自殺でもと思って今朝の新聞はとくに念入りに見た。

（「尹紫遠日記」1951年3月26日）

泰玄が中学に入る頃になり、体が大きくなってくると、ようやく両親の衝突に割って入って止められるようになった。逸己は両親がたびたび「国を持ち込んでの悪口」を言い合う様子[58]を今でも覚えている。寂しい記憶として、心に残っている。

夫婦で仲良くというのももちろんありましたけれど、私が本当に寂しいと思ったのは「日本人の女」っていうような言い方をアボジがする。で、母のほうは「朝鮮人は……」っていう言い方をしますので。別に夢見るわけじゃないけれども、国は違えど互いを愛し合って一緒になったんだろうになあと思うと、私は非常に寂しかった。

国家が「朝鮮人」と一括りにした家族の中に、この現実があった。

夫の日記と広島の教会

登志子はいつしか、キリスト教へと救いを求めるようになった。

彼女が晩年まで通った教会と出会ったのは30代前半の頃だ。蛇崩（じゃくずれ）（目黒区上目黒）の長屋（ながや）の近所に神学校を出た信徒夫妻が住んでいたことがそのきっかけで、登志子は娘の逸己も教会学校という日曜日の礼拝に通わせるようになった。だが、「尹家の長男」である泰玄にもそうさせることは、「アボジがまずうんと言わな」かっただろうと逸己は振り返る。

泰玄によれば、登志子はある手紙に、1958年頃に信仰によって救われたと書いた。

そして、1960年9月、登志子は尹紫遠との結婚生活における最大の家出をする。蛇崩で知り合った夫妻が牧師となって赴任した広島の教会へと、9歳の逸己と1歳の泰眞（テジン）を連れて突然旅立ったのだ。実のところ、一人だけ父のもとに残された泰玄も、母の家出の準備を手伝っていた。母の行く先も知っていたが、父には話さなかった。「徳永ランドリー」を開いた翌年のことで、当時は「自殺を思うまで追い込まれ」ていた。[59]

> 一九六〇、九月十日、土。とし子、逸己と泰真をつれて行方をくらます。無事であれ、と祈るばかり。この朝に限って、泰真を一度もだきあげなかったことが頭をしめる。まさか、まさかと思っていたのに。泰玄、案外平気。涙でもうんと流れてくれればよ

いが。何にも手につかず。毎水曜日夜の教会行きの約束を守らなかったぼくがわるい。

（「尹紫遠日記」１９６０年９月10日）

登志子が１９５８年に自殺を考えた理由は一体何だったのか。その答えは、１９６０年に連載が始まった「密航者の群」の後半部分に、かなり唐突な形で挿入される姜人沢（カンインテク）とその妻・清玉（チヨンオク）のエピソードを読むことで見えてくる。

１９６０年９月の現実世界と同じく、物語の中の清玉は置き手紙を残して夫のもとから突然姿を消し、遠方の教会に身を寄せていた。

教会にいる妻から姜人沢に届いた手紙には「二年前の六月に〔…〕死ぬべき生命をイエス様に出遇（あ）って救っていただいた」と書かれている[60]。この記述を現実に当てはめ直せば、登志子が自殺を思ったのはやはり１９５８年頃ということになるだろう。

そのとき何が起きていたのか。秋の夜更けに突然「別れて下さい」と切り出した清玉（登志子）に対して、姜人沢（尹紫遠）が「いつでも別れてやる」とやり返した場面。

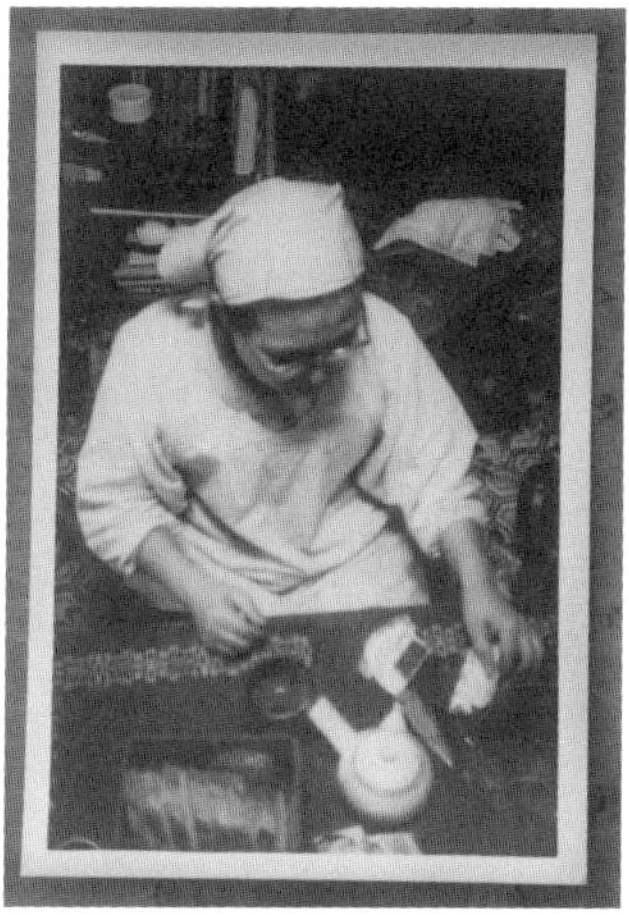

この頃、いつも割烹着姿だった母の姿を、泰玄は覚えている

「そうでしょう。それがほんとうのあなたです。あなたは、わたしと結婚したことを後悔しているのでしょう?」

「後悔する女と一所にくらせるおれと思うのか」〔…〕

「出まかせはもうよして下さい。わたしはあなたの日記をみました」

「日記?」

「わたしはだらしの無い女です。不潔な女です」

「………」

「半年もまえ、わるいと思いながら、あなたのその日記をよんだとき──」

清玉の涙がランプのひかりに盛り上った。


(尹紫遠「密航者の群」96頁)


登志子はおそらく夫の日記を読んだ。(61)

泰玄によれば、父の日記はどこかに隠してあるということもなく、読むなと言われることもなく、狭い部屋の机の上などに雑然と置かれていた。1957年3月の日記を読むと、「だらしの無い女」も、「不潔な女」も、そこに書かれていた。


女のだらしなさ、しまりのなさは、そのるすをみれば判(わか)る。としナ子は家庭的には全くしまりの無い女である。泰玄と逸己をつれて映画に行ったのだが、どこにも家を空けて出る主婦らしい神経のくばったあとが見出せない。(「尹紫遠日記」1957年3月1日)

義理にも幸福な家庭生活とは言えない。無反省な女、強情な女、そんなところからは明るい笑いごえは生れないようだ！不潔と無感覚な女！

（「尹紫遠日記」－１９５７年３月29日）

日記は誰でも、いつでも、読もうと思えば読める状態にあった。尹紫遠は１９４９年の新婚の頃からずっと、妻に対する批判や憤りの言葉を何度も繰り返し書き連ねていた。

「あんな女と結婚したのは失敗だった」とか「やっぱりブルジョアジー崩れの女はダメだ。おれの敵だ」とか――。彼としては何の底意（そこい）もなく、ただ酔った気まぐれに書きとばしたにすぎなかったその日記が、これほど重大な結果をまねこうとは。だいいち彼は、とっくにそんなことは忘れ果てていたのである。

（尹紫遠「密航者の群」96－97頁）

登志子は夫の日記を10年近くも読まずにおいたのだろうか。我慢したのだろうか。それとも、読んでいながらも耐えていたのだろうか。

それでも彼女は、その日記をみるまでは、生きる希望を夫に賭けていた。夫のゆく道

> ならどんなところにもついて行こうと思っていた。だが、彼女のうけた打撃は大きかった。時が経つにつれて、その一字一句が彼女の生きる道に立ちふさがった。もし韓（ハン）女史〔登志子を信仰に導いた牧師夫妻の妻がモデル〕と知り合いにならなかったなら、彼女はほんとうに死んだかも知れない。だから彼女にキリストに光明を得ようとした必然の動機をあたえたのは人沢（インテク）であった。
>
> （尹紫遠「密航者の群」97頁）

1960年11月8日の夜行列車に乗って、尹紫遠は妻と子どもたちがいる広島の教会に向かった。14年前の「密航」の後で最も長い移動。生前、最後の遠出だったかもしれない。だが、登志子は一緒に戻ってはくれなかった。尹紫遠は逸己と泰眞を連れて東京に帰る。妻が広島から帰ってきたのは、おそらく1961年の年が明けてからだ。

ちょうど登志子が離れている間に、「徳永ランドリー」は大原町（おおはらまち）から同じ目黒区内の月光町（げっこうちょう）に移って規模も縮小した。「密航者の群」での描写によれば、「一年以上も家賃をためた」ことで立ち退きを迫られたようだ。「たたんでしまった方が、わたしはいいと思いますよ」と妻は廃業も提案している。その言葉を聞き、「借金さえなけりゃ」と夫は嘆いた。[62]

泰玄には、広島から帰ってきた母と二人で交わした印象深い会話の記憶がある。母から突然「一緒に北朝鮮に行こう」と言われたのだ。

とにかく夫と離れたいという動機から出た、突発的な提案だったかもしれない。「朝鮮人は……」と言って夫とぶつかり合った女性が、その夫を日本に残して北朝鮮まで行こうとしていた。それもまた一つの現実だった。

1959年12月に始まった在日朝鮮人とその家族による北朝鮮への「帰国事業」の初期に、泰玄は朝鮮学校の行事で新潟港まで見送りに行っている。同級生も二人帰国したそうだ。どちらも父親がすでに亡くなっており、経済的な厳しさがその背景にあった。1961年までのわずか2年余りで、およそ7・5万人もの人々が「帰国船」に乗った。

泰玄はと言えば、母の誘いには乗らずに嫌だと断ったそうだ。「日本にいたい、みんなと離れたくないという」気持ちがあったという。母が帰国を口にしたのはその一度きりだった。

朝鮮人と結婚したいわゆる「日本人妻（夫も少数いた）」が、夫や子どもと一緒に、言葉の通じない北朝鮮に向かう場合は数多くあった。朝鮮人の夫を日本に残し、日本人の妻だけが子どもたちと「帰国」するケースも中にはあっただろうか[63]。

このときもし泰玄が母の提案を承諾していたら、登志子と子どもたちの人生は大きく変わっただろう。父はそのあとどうなっただろうか。おそらく、日記は残らなかっただろう。

だが実際には、母は日記を残した。

「もっともさびしい女と、もっともさびしい男とがなぜいたわり合い、愛し合えなかったのだろう？」
(1961年10月26日)

1964年5月、埼玉県日高（ひだか）市の高麗（こま）神社にて。白い民族衣装を着た尹紫遠（前列左）、登志子（後列左）のほか、友人の作家・金達寿（キムタルス）（後列右）や尹学準（ユンハクチュン）（前列右）も映る。金達寿は尹学準の体験などを題材に「日本に残す登録証」と『密航者』を書いた。尹紫遠はこの2か月後に最後の入院をする

3　泰玄　テヒョン　たいげん

Money, money, money

尹紫遠(ユンジャウォン)は最後の最後まで金の心配をしていた。医療費をどうするか。命と金の天秤(てんびん)。亡くなる十日前に書かれた、最後の日記を読む。

二十五日　火。安方(やすかた)より、大学病院に移院することを決めた。院長の二度目のすすめによる。つまり、安方診療所では手におえなくなったのだ。さあ、こんどから入院費用が大へんだ。十万円はかかるだろう。一カ月十万円にして、九月下旬まで、二十万円はかかるわけだ。腹のハレのひかないことと、両脚のむくみ

（「尹紫遠日記」1964年8月25日）

父が死んだとき、長男の泰玄(テヒョン)は14歳だった。妹の逸己(いっこ)は一つ下で、弟の泰眞(テジン)は5歳。40歳の登志子(としこ)も含めて4人全員が朝鮮籍の母子家庭だ。

大黒柱を失ったあとも、洗濯屋の仕事は残された家族と職人たちの手で続けられていっ

た。父の日記が止まった翌年の正月、高校受験を目前に控えた泰玄は、洗濯仕事の合間に本屋で初めての日記帳を買っている。そう、彼もまた日記を書いたのだ。

> 9時半ごろ起きる。どうも寝坊の癖がついてしょうがない。白衣を仕上げてやっと少しやる気がでて来た。2月の20日には試験がある。もうのんびりもできない。さあやるぞ！本屋へ行って数学の参考書を買う。この日記も一緒に。
>
> （「尹泰玄日記」1965年1月4日）

泰玄の日記はおよそ9年間続いた。朝鮮学校から日本の夜間中学への転校。日比谷高校の定時制から上智大学の英語学科へ。大学時代の日記は、ほとんどが英語で記されている。

自らの青春時代をつづった日記を泰玄が今も保管していると知り、「もしよければ読ませてほしい」と頼んでみると、彼は少しだけ逡巡したのちに了解してくれた。父の日記の出版に同意したことも含め、どこまでもオープンな性格の人だと思う。飄々としていて、堂々としていて。自分だったら、きっとＯＫできない。

泰玄の日記は、大学卒業を間近に控えた１９７４年の2月に終わる。4月からはイギリス系のバークレイズ銀行で働くことが内定していた。勤務地は東京駅近くの三菱ビル。父の日記は死によって終わり、息子の日記は就職で終わった。

バークレイズに行く。4月1日からに決まる。サラリーは85、000円、上々。がんばるぞ!!

（「尹泰玄日記」1974年2月12日）

この年の新規学卒者の初任給は大卒男子で平均7万8千円強（高卒男子で6万5千円強）[64]。泰玄が約束された8万5千円の月給、100万円超の年収は、確かに「上々」と言っていい金額だった。加えて月給3・5か月分のボーナスも支給されたという。

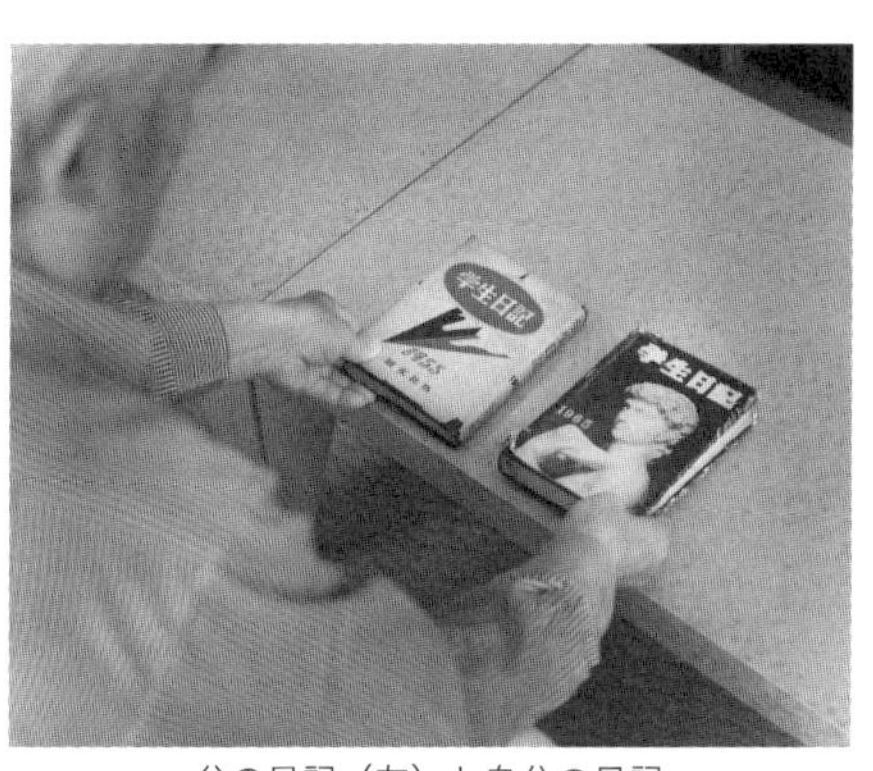

父の日記（左）と自分の日記

泰玄は上智に合格してようやく、「これで一応道は開けたな」と思ったという。子ども時代からずっと「うちは貧乏だなと常に感じてましたから」。上智への入学は、三度の大学受験の末にようやく手にした切符だった。当時は18歳から21歳の人口に占める大学生の割合（短大を含む）が日本全体で19・0%、朝鮮人ではその半分の10・9%だった[65]。

働きながら定時制高校に通っていた苦学生の泰玄は、浪人時代も含めてひたすら上位校、しかも英語系の学科を目指した。最初の二度は学費の安い国立の東京外国語大学だけを受けたが、苦手な理数科目が原因で二度とも失敗する。三度目の受験を前にして、登志子は息子に理数系のない私立受験への転換を薦めた。進学に必要な費用は母が知人からの借金で賄ったそうだ。

泰玄は上智の英語と早稲田の政経に合格し、最終的に上智を選んだ。だが、１９７０年４月に大学生になってからも、貧しさと日々の労働は変わらず彼の人生につきまとった。

Melancholic, I got angry with myself because I impudently went to school in spite of poverty.〔憂鬱だ。自分に腹が立った。貧しいくせに厚かましくも大学に行った自分に。〕

（「尹泰玄日記」１９７０年12月22日）

当時の日記には、たびたび「Brass〔真鍮〕」という言葉が出てくる。旋盤加工で真鍮に穴を空けて小さな部品を大量につくる仕事をメモしたものだ。「Brass ２０００個。ただそれだけ」。「イヤイヤ仕事　Brass １万」。「Brass 売却－￥６４８６」。

泰玄が高校生だった頃、母はついに「徳永ランドリー」を畳んだ。機材を売って借金のいくらかを返し、元の洗い場を小さな工場に変え、今も大田区に本社がある荏原製作所からの下請け業務を始めたのだった。１個１円に満たない部品を製造する内職のような仕事。自分たちがつくった部品が最終的に何に使われていたのかすら、よくわからないという。

Most melancholic day, Money, money, money〔最も憂鬱な日。金、金、金〕

（「尹泰玄日記」1972年6月17日）

大学3年だったこの日、泰玄は名古屋に行けるかどうかで悩んでいた。カトリック修道会を設立母体とする上智大学と南山大学の「上南戦」に、彼がずっと打ち込んできたサッカー部の一員として参加したかった。だが、その交通費や宿泊費はどうすればいいのか。泰玄はこの頃、上智の国際部でアルバイトをしており、朝鮮奨学会から奨学金も得ていた。そうであってもなお、金のために移動が制約される、そんな状況がまだ続いていた。

泰玄が上智に入学した1970年の9月、愛知県生まれで18歳の新井鐘司という青年が、日立製作所ソフトウェア戸塚工場（横浜市）の採用試験に合格した。しかし、彼が在日二世の朴鐘碩であることを知るとすぐに、日立側は採用を取り消す。

朴鐘碩は裁判を起こした。多くの日本企業が当然のものとしてきた就職差別を問う、日立就職差別裁判だ[66]。3年半に及んだ歴史的な裁判の末、横浜地裁が日立による採用取り消しを「民族差別」と明言し、原告全面勝訴の判決を言い渡したのは1974年の6月だった[67]。泰玄の就職活動が終わって

「Brass」の仕事をする泰玄。元の洗い場を小さな工場に変えて作業した

サッカーは朝鮮学校の5年生頃から上智大学まで続けた。センターフォワードだった

から、1年近くが経ったあとのことだ。日本社会が変わるには、さらに時間がかかった。

泰玄が英語系の学科への進学を志向し、国連や外資系企業を志向した理由は、「日本の会社はダメだ〔入れない〕とはっきりわかっていた」からだという。彼は日本の企業を一つも受けていない。

モルガン、シティバンク、バンク・オブ・アメリカ。元々、金融業界に関心があったわけではなく、当時の日本には金融機関ぐらいにしか外資系がなかった。だから、そこを目指した。

朴鐘碩が裁判闘争を通じて日立への就職を勝ち取ったのと同じ時代に、尹泰玄は英語を武器にしてバークレイズへの就職を勝ち取った。泰玄の生活が本当の意味で貧しさから抜け出したのは、この時期以降だと言える。

同世代の在日朝鮮人の9割は大学に行か（け）ず、日本企業への就職も難しい状況が続いていた。20年近く続いた日本の高度経済成長の出口にあって、不可視化が進む「ぬかるみ」はまだそこかしこにあった。

金、金、金、ミカン箱が茶タンスになり、結婚記念写真も未だ取れず。

（「尹紫遠日記」1949年4月26日）

母が最初の子どもを身ごもっていた頃、父もまた日記に「金、金、金」と書いた。そこから24年後、24歳の泰玄にとって、そう書かなくていい人生がようやく始まろうとしていた。彼はその後の職業人生の中で、ロンドンでの研修、ソウルでの駐在、香港やシンガポールでの仕事を経験していくだろう。泰玄は国際化が加速する時代に金融の世界に飛び込んだ。彼の移動可能な範囲は、急激な広がりを持ち始めていた。

中目黒の外国人たち

時計の針を占領期へと巻き戻す。1949年10月28日、尹紫遠と登志子の長男である泰玄は、渋谷区広尾（ひろお）の赤十字病院で生まれた。彼が6歳になる頃まで、家族は中目黒（なかめぐろ）の6畳一間で暮らした。中目黒駅からほど近い長屋で、すぐ裏にはアメリカンスクールがあった。今は目黒区役所になっている場所に、1927年から学校が建っていたのだ。

現在の中目黒の雰囲気からは想像もつかないが、「アメリカンスクール・イン・ジャパン」（ASIJ、1902年創設）が関東大震災での被災を機に中目黒へと移ってくる前、この大きな敷地は牧場だったという(68)。

目黒区は1945年の4月から5月にかけて、米軍による「山の手（やまのて）空襲」で大きな被害を受けた。敗戦までに区全体の3割ほどが焼失し、中目黒周辺も例外ではなかったとされ

中目黒の目黒銀座商店街。この右手にかつてASIJだった目黒区役所があり、すぐ近くに泰玄の生家もあった

る。だが、ＡＳＩＪがそこにあったためか、Ｂ29は上目黒２丁目を攻撃しなかった。泰玄たちが暮らした木造の長屋も、空襲で焼けずに残った古い建物だったかもしれない。

区内における敗戦までの被害は、死者291人、負傷者１５５３人、全焼家屋２万６０９５戸、罹災者10万３４２５人にのぼる。植民地期に朝鮮人の集住地があったとされる上目黒４丁目や唐ヶ崎町（現・中央町）も、空襲の被害に遭った。[69]

占領期以降、中目黒周辺には多くの「外国人」がいた。現在の防衛省目黒地区にはイギリス連邦占領軍の恵比寿キャンプがあり、山口県での業務を終えて移動してきたあのニュージーランド兵たちもいた。[70] 中目黒から代官山、渋谷にかけて多くの住宅が接収され、代々木には米軍の兵舎や家族住宅などからなる巨大なワシントンハイツもあった。[71]

１９５２年４月28日、サンフランシスコ平和条約の発効とともに日本の占領は終わり、法務府民事局長の通達で朝鮮人と台湾人から日本国籍が喪失させられた。尹紫遠とその家族はみな「外国人」となり、外国人登録法と出入国管理令の対象となった。泰玄はその頃、妹の逸己と一緒に都立の中目黒保育園に通っていた。まだ２歳だった。

同じ「外国人」でも、その内側には厳然たる境界線が引かれた。同日に発効した日米行政協定には、こんな条文が含まれている。「合衆国軍隊の構成員及び軍属並びにそれらの家族は、外国人の登録及び管理に関する日本国の法令の適用から除外される」。２０２３年の今もなお、日米地位協定（１９６０年）にそのままの形で残る条文だ。

この境界線を越えた経験を持つ人物に、『天皇の逝く国で』などで知られるシカゴ大学名誉教授のノーマ・フィールドがいる。米軍座間キャンプのＭＰ（憲兵）だった父（のち軍属）と日本人の母のもと、１９４７年に目黒区碑文谷で生まれた。泰玄の二つ上にあたる。最初はワシントンハイツ内の学校に通っていたノーマ・フィールドは、父がアメリカに帰国したことで軍属学校の在籍資格を失い、小６から中目黒のＡＳＩＪに移ったのだという[72]。このとき、米国籍の彼女は初めて外国人登録の必要に迫られた（それまでは不要だった）。

なお、朝鮮人との結婚の帰結として日本国籍を失った登志子と異なり、１９４６年にアメリカ人と結婚したノーマ・フィールドの母は、日本国籍にとどまったようだ[73]。

軍属学校からＡＳＩＪへの転校は、上方への「階級的シフト」を伴うものだったという[74]。同級生の親が軍人や軍属ではなくなり、政治家や知識層へと変わったからだった。

中目黒のアメリカン・スクール――ここはケネディ大統領が駐日大使に任命したＥ・ライシャワーの母校でもありますが――に行くと、大学教授の子どもや、外交官の子どもが通っている。一番貧しいのは宣教師の子どもですが、宣教師は宣教師で、学歴のある人が多く、ミッションに送られてくる古着を着ていても、文化的資産があった。
（ノーマ・フィールド『ノーマ・フィールドは語る』15頁）

泰玄の記憶では、彼が6歳頃に住み始めた蛇崩（じゃくずれ）（目黒区上目黒）の長屋の前には藪（やぶ）があり、ザリガニのいる沼もあり、その横にアメリカ人が住むひときわ大きな一軒家があった。

そこだけ2階あったかな。あとはみんな平屋だけど。そこのおうちに同い年ぐらいの男の子が二人いたような気がする。時々おうちの中に入れてもらったりして、みんなで遊んでたんですなあ。

朝鮮人とアメリカ人。「外国人」の子どもたち同士だけでなく、親たち同士の交流もあったただろうか。なかったただろうと、泰玄は振り返る。

この頃、ノーマ・フィールドと同じくＡＳＩＪ（１９６３年に調布（ちょうふ）に移転）に通った生徒の中には、台湾出身のジュディ・オング（１９５０年生）や香港出身のアグネス・チャン（１９５５年生）など、のちに泰玄が上智大学国際部でのアルバイト時代に出会う人々もいた。

上智の国際部自体、その起源は１９４９年に米兵とその家族を主な対象として開講した夜間プログラムだ。自宅のすぐ裏にありながら、階層、国籍、法的地位、何から何まで住む世界が違ったアメリカンスクールの人々と、泰玄の人生は20年越しに再び交差する。

朝鮮学校の頃

中目黒から蛇崩に引っ越した頃、尹紫遠は上目黒保育園の年長クラスに転園した泰玄の進路について、思い悩んでいた。「日本の学校か朝鮮人学〔校〕か?考えさせられる」(1956年1月2日)。保育園の同級生は日本人だから、もちろん全員が日本の小学校に進む。

その年の4月2日、泰玄は世田谷区の三宿(みしゅく)にある東京朝鮮第八初級学校に入学した。蛇崩の自宅からは大人の足で15分ほどの距離。半年前に中目黒駅近くからの引っ越し先を検討するに際して、父は朝鮮学校への通いやすさについても考えたかもしれない。

6歳の泰玄にとって、朝鮮学校への入学は大勢の朝鮮人の子どもたちと出会う初めての機会となった。当時の生徒数は全学年で162名[75]。泰玄によると、その中には世田谷の「朝鮮人部落的な」集住地から通ってくる子どもたちもいたが、自分の家族が住んできた中目黒や蛇崩の家の周辺は、そうした地域ではなかったのだという。

朝鮮語も朝鮮学校で一から習い始めた。家庭での会話は日本語で、父以外は誰も朝鮮語を解さない。その父においても優位な言語は日本語だった。尹紫遠は息子を「たいげん」と呼び、保育園でも「いんたいげん」と呼ばれてきた。それが「ユンテヒョン」に変わるのが朝鮮学校だ。その後も日本の夜間中学への転校から高校までは「いんたいげん」、大学以降は「ユンテヒョン」という形で、「尹泰玄」の読み方は揺れていくことになる。

父が子どもたちを朝鮮学校に入れた理由を、妹の逸己はのちにこう聞いている。

朝鮮人として母国語がわからないなんてことはあり得ないんだから、ウリハッキョ（朝鮮学校、直訳すると「私たちの学校」）にやると。それはアボジから聞いたの。その必要があるというか、それは当然だろうと。私のうちは日本名を持たなかったことも、アボジの中にはあったんだろうと思うけどね。

当時、東京都内には、泰玄が通った世田谷区の「第八」と品川区の「第七」を含めて、朝鮮初級学校が13校あり（うち中級併設が5校）、東京朝鮮中高級学校、朝鮮大学校と合わせて総連系の学校が15校あった。23区内では板橋区から江東区にかけての北東部に9校、大田区から杉並区にかけての南西部に4校、加えて西側の市部に2校という分布で、自宅近くに朝鮮学校がない家庭も少なくなかったはずだ。

日本全体に視点を移すと、1950年代半ばのこの頃は、小学校年齢の朝鮮人児童のうち、朝鮮学校に通う割合は1割強だった[76]。つまり、大多数の子どもは日本の公立学校に通っていて、朝鮮語を十分に学ぶ機会を持たなかった（ほかに、民団系の学校なども少数あった）。

歴史を遡ると、「第八」の源流を成す第八朝連小学校は、日本敗戦の翌年、1946年の12月に設立されたようだ[77]。当時は日本中の朝鮮人たちが学校をつくり、長く抑圧されてきた朝鮮語での民族教育に取り組み始めていた。1947年10月には初等学校が500校以上を数え[78]、翌48年には在日朝鮮人児童生徒の5割ほどが通っていたとされる[79]。

しかし、朝鮮半島の南北分断が進み、冷戦構造が強固になっていく中で、GHQと日本政府は1948年に入る頃から朝鮮学校の閉鎖に取りかかる。最大の抵抗となった同年春の阪神(はんしん)教育闘争では、日本国憲法下で唯一となる非常事態宣言が神戸(こうべ)に発出され、占領軍が主導して抗議行動を鎮圧した。翌49年には朝連が強制的に解散させられ、朝鮮学校の閉鎖が進められた。朝鮮学校に通う子どもは少数者の中でもさらに少数者となっていった。

なお、外国人登録令上は「外国人」と見なされ、外国人登録の対象となっていた朝鮮人だったが、民族教育を否定する文脈においては、日本国籍者であるがゆえに日本の学校への就学義務があるとの論理が持ち出された[80]。

日本人でもあり、外国人でもある。日本人でもなく、外国人でもない。

左手前の学校が世田谷区立三宿中（泰玄が夜間に通った旧・新星中）。その奥のマンションの敷地にかつて「第八(チェパル)」があった

当時、すべての民族学校や外国人学校が等しく抑圧を受けたわけではない点も重要だ。中目黒のアメリカンスクールでは、英語での授業が問題なく行われていただろう。

東京では、1949年12月に朝鮮人学校がそのまま公立化され、「教育用語は日本語とする」、「民族科目は課外とし、中学校では朝鮮語を外国語として取り扱う」など、四原則[81]の遵守が求められた。

こうした「都立朝鮮人学校」には日本人と朝鮮人の教職員がいたが、朝鮮人講師たちは日本の公立学校で「教諭」となることができず、「専任講師」や「時間講師」として3か月更新の不安定な位置に置かれた[82]。

泰玄が入学した1956年は、都立朝鮮人学校が1954年度末に廃止され、私立各種学校として再出発した翌年にあたる。1952年の平和条約に伴い尹紫遠たちは日本国籍を喪失していたから、3人の子どももすでに「外国人」として就学義務の範疇外となっていた。

初級学校時代の泰玄（左）

両親は朝鮮学校に深くは関わらなかった。仕事や生活に忙しく、親同士の付き合いもほとんどなかったそうだ。参観日にもあまり来なかった。教科書も宿題も朝鮮語で、母には読むことすらできない。だが、母が日本人であることや、父が総連との関わりが薄いことで、泰玄が学校で居心地の悪さを感じた記憶もない。自らのアイデンティティにまつわる葛藤も、彼にはほとんどなかったのだという。

　朝鮮人、日本人、一緒だと思ってますからね。親が日本人と朝鮮人だから、私は日本人と朝鮮人だなあって思っていて。うちで朝鮮と日本の区別ってのはあまりしてないから。ご両親とも朝鮮人の場合は、結婚させるのも同族じゃなきゃだめだとか、そういう人たちもいたみたいですけどね。

母親が日本人の生徒は泰玄のほかにも少数ながらいた。だが、父親が日本人の生徒は記憶にないという。当時の日本の国籍法は父系血統主義を取っており（のち1985年に父母両系に改正）、父親が日本人である子どもは日本国籍を持った。たとえ母親が朝鮮人であっても、父の名字を引き継ぎ、日本の学校に通っていた場合が多かったのではないか。国籍とジェンダーが絡み合う中で、父と母のどちらが朝鮮人であり、日本人であるかが、子どもの国籍や教育のあり方に影響を与えた。1歳年下の逸己にはこんな記憶もある。

いつだったかな。家でも朝鮮語だけで通すようにって〔学校で〕言われたことがありましてね。そうすると一年間丸々オモニとの会話は必然的になくなります。彼女は日本語しかわかりませんから。どうしてもののときは兄が通訳してたと思いますけどね。まあ、ほとんど会話がないんです。アボジとも話をすることはほぼありませんでした。

父は子どもたちを映画館によく連れて行った。子どもの頃の泰玄にとって、アメリカは朝鮮学校で「アメリカ帝国主義」と教わる国で、国としての印象は良くない。だが、西部劇の映画は好きだった。その二つの感情が、自分の中では矛盾なく共存していたという。英語を好きになる最初のきっかけは、この時期の映画体験だったと泰玄は思っている。

生活苦の中からどのように費用を捻出したかは不明だが、尹紫遠は泰玄を初級学校の低学年ではバイオリン教室に、高学年では英語の塾にそれぞれ通わせている。ただ、それらはあくまで長男だけの話で、妹の逸己はどちらにも通っていない。

英語塾は隣駅の桜新町にあり、初級学校2年に住み始めた大原町の家（徳永ランドリー）から玉電（東急玉川線）で通った。先生は日本人の女性で、母が実践高女時代に教わった英語教師だという。立派な家だった。親友の全祥輔（父の友人、ヘンリー・全の次男）と泰玄以外は生徒も全員日本人。朝鮮学校で英語かロシア語の授業が始まるのは中級学校からで、英語を選ぶ生徒が多かったという。泰玄はもちろん英語を選択した。

父が浅草で買ってくれた学ランを着た泰玄

小学生の頃から、泰玄は洗濯屋を手伝い始めている。父の外回りにもついていった。主に自転車移動だったが、電車で通った得意先も二つだけある。十二社（現・西新宿）と吾妻橋（墨田区）近くにあった朝鮮料理屋だ。父は「朝鮮妓楼」と呼んだ。「錦龍閣」、「平和閣」という名前で、チマチョゴリを着た女性がお座敷で歌や踊りを披露する店だったという。父が店の女性たちと朝鮮語で話していた気もするが、はっきりとは覚えていない。

泰玄は店の中までは入らず、近くの茶店で父を待った。1、2か月に一度、店が始まる前の夕方にチマチョゴリを預かり、大きな風呂敷に包んで担いで電車に乗る。父は長鼓など朝鮮の楽器も借りて家に持ち帰り、酔って奏(かな)でる夜もあったそうだ。「徳永ランドリー」にはドライクリーニングの設備がないため、チマチョゴリの洗濯は専門の工場に回した。

尹紫遠が亡くなる直前の日記には、「錦園」と「平和園」の電話番号が営業先のメモのようにして書き残されている。錦龍閣と平和閣だろう。調べてみると、吾妻橋の平和閣を経営していたのは高遠衡(コウォンヒョン)という実業家で、浅草(あさくさ)を拠点とした同和信用組合の役員でもあった[83]。尹紫遠が開業の際に金を借り、営業先の紹介も依頼した総連系の金融機関だ。

朝鮮学校の初級から中級に上がる頃、平和閣へ行くついでに、父が浅草で中古の学ランを買ってくれたことを泰玄は覚えている。

> お店の正価が書いてるんだけど、もう最初から値切るんですよ。あーやめてくれって子供心に思ったんですけどね(笑)。確か半分ぐらいになったんじゃないかな。浅草で買い物するときは値切るもんだ、という風なことを、聞いたような気がするなあ。

この学生服にまつわる記憶には、泰玄が「あんまりなかった」と語る子ども時代の被差別の経験もある。攻撃する側にとっては、朝鮮学校の学生帽も目印になったようだ。

> 通りすがりに「朝鮮人！」と言われるようなことは時々ありましたけどね。朝鮮学校の制服着てうちに帰るときとかね。そんなときぐらいですかなあ。

逸己には、お店で「おじちゃん、ちょっとまけて」と言って、母から「はしたない」と叱られた記憶がある。積極的に値切る父とは対照的で、夫婦の違いを表すエピソードだ。

夜間学校と祖国訪問団

三宿の「第八」には初級学校しかなく、泰玄は中級学校の2年半、西五反田の「第七」に通った。一家が月光町（現・目黒本町）に洗濯屋ごと引っ越したあとのことだ。学校までは徒歩20分ほどの距離。やはり、朝鮮学校に通える場所で家探しをしたのではと思える。

「第七」の期間が3年でなく2年半なのは、父が亡くなった直後、母の強い薦めに泰玄が同意し、日本の夜間中学に転校したからだ。昼間は洗濯屋の仕事があったし、日本の中学を出ないと日本の高校に進学できなかった。もし父がこの時期に亡くなっていなければ、朝鮮学校の同級生と一緒に高級学校に進んでいたかもしれないと泰玄は振り返る。

転校先の夜間中学は世田谷区立新星中（現・三宿中）の二部。数年前まで通った「第八」の真横にあり、元々その周辺は陸軍の近衛野砲兵連隊が持つ巨大な敷地だった。東隣にある世田谷公園も駒沢練兵場の跡地で、南隣にある都営住宅「下馬アパート」は野砲兵第一連隊の跡地だ。１９５８年に都営住宅へと建て替えられる前は、元の兵舎群を用いた引揚者住宅「世田谷郷」だった。「満洲」からの引揚者が千世帯以上暮らしていたという。

新星中に夜間ができたのは１９５４年だが、そこにもこうした地域性が関係していたようだ。[84] 働かざるを得ず不就学状態になっている子どもたちや、小学校までしか出ていない

「学齢超過者」がそこで学んでいた。記録によると、泰玄の同級生は13人で、そのうち15歳は泰玄を入れてわずか2人だけ。16歳から19歳が7人、20代が2人、30代が1人、40代が1人だった。[85] 泰玄の記憶でも、戦後に「中国から戻ってきた」30代から40代くらいの日本人女性がクラスにいたという。満洲から引き揚げた母の登志子と同年代の女性たちだ。

1949年に兵庫から始まった戦後の夜間中学は、1955年頃をピークにすでに生徒や学校の数を大幅に減らしていた。東京五輪のあった1964年、夜間中学に行かざるを得ない人々は全国で588人、東京に259人しかいない。[86] その中の一人に泰玄が含まれていた。

夜間中学時代。後列右から３人目が泰玄。中列に年上の女性の同級生が映る

夜間中学を卒業後、泰玄は日比谷高校（千代田区）の定時制に進む。昼に洗濯屋で働き、夜に学ぶ生活が続いた。高校入学当初の日記には、朝鮮学校時代の若い先生を見舞いに、東村山の結核療養施設、保生園に行った日の様子が記されている。

〔先生は〕総連系の誰もが言うように日本の高校へ進んだことを半ば非難していた。要するに民族性を持てないと、こういうわけだ。〔…〕ボクは「朝鮮人である前にりっぱな人でありたい」やるぞ！

（「尹泰玄日記」１９６５年６月20日）

翌々日の日記では、銭湯の湯船につかりながら、朝鮮学校の友達を思い浮かべていた。

　あいつら今頃やってるだろうな。オレもやらにゃ。（「尹泰玄日記」１９６５年6月22日）

この日は、日本の佐藤栄作（さとうえいさく）政権と韓国の朴正熙（パクチョンヒ）政権が日韓基本条約を締結し、韓国政府が「朝鮮にある唯一の合法的な政府であること」を確認した日でもあった。

日韓法的地位協定も同時に結ばれ、韓国籍の取得を前提に、一般の外国人より退去強制の対象を狭めるなどした「協定永住」という選択肢が示された。日本側もそれを後押しした。同時代の少なくない在日朝鮮人と同様、泰玄とその家族ものちにこの道を選ぶ。

泰玄は朝鮮学校を離れてからも当時の同級生との関係を保ち、その中には先述の祥輔（サンボ）をはじめ、生涯の親友となる人々もいた。朝鮮学校について聞かれれば「そらいい思い出ですよ」と答える。朝鮮語を学べたことも大きく、ソウル駐在など、のちの仕事にも活きた。

だがこの時代、「総連がだいぶ北系になっていく」ことについては抵抗を感じてもいた。「政治的云々というのは、私もあんまり好きじゃなくて」。仕事、学校、サッカー部で、泰玄の時間はいっぱいいっぱいだった。当時は日本中で学生運動が盛り上がっていたが、泰玄はこちらにも関わりを持たなかったそうだ。

泰玄が入管庁に開示請求した自身の外国人登録原票を見ると、この直後の１９６５年8月に「朝鮮」から「韓国」に国籍欄の記載が変わっている。だが当時高１だった泰玄自身にはその記憶がない。母の登志子が自分と子ども3人分の記載変更を進めたのかもしれない。おそらくその背景には、釜山で建材商を営む父の次兄・尹奉守の存在もあった。

弟の死を知った奉守が、この頃日本に送った数々の手紙が今も残っている。登志子には日本語で、泰玄には朝鮮語で。植民地期に日本で暮らした経験を持つ奉守が二つの言語で書き分けた手紙を読むことで、彼が泰玄に韓国まで会いに来るよう何度も伝えていたことがわかった。甥の渡航に必要な手続きにも、力を尽くしたようだ。

1966年に泰玄(後列中央)は釜山で伯父の奉守(泰玄の左)や叔父の五徳(後列左)に会った。奉守は戦前、日本や中国でも暮らし、解放後に弟の尹紫遠らとともに38度線を南下した。最初の妻とはそのとき離ればなれになった

そして翌1966年の夏、高2の泰玄は初めて日本の外に出る機会を得た。前年の国交正常化を受けて民団が組織した韓国への「祖国訪問団」に、母の登志子が参加させたのだ。奉守も当然協力しただろう。東京駅発の夜行列車で下関へ。船で釜山に着いたのが7月30日だった。

泰玄はソウルと釜山での「夏季学校教育」ののち、8月8日に韓国軍の船で鎮海の港に到着したようだ[87]。先述の通り、鎮海は叔父(父の弟)の六徳が一時収監された地でもあったが、当時の泰玄は知らなかっただろう。訪

問団の若者たちは慶州（キョンジュ）など韓国各地を回り、泰玄が38度線近くの板門店（パンムンジョム）で撮った写真も残っている。泰玄はその後、釜山の奉守宅で数日を過ごした。父の故郷である蔚山（ウルサン）にも行こうと考えたが、叶わなかったという。

伯父の奉守には最初の妻との間に英子（ヨンジャ）という娘がいて、二人は『38度線』で福樹（ポックス）（尹紫遠）やその妻・花順（ファスンヌ）（金乙先（キムウルソン））とともに38度線を南下した親子、泰樹（テス）と榮春（ヨンチュン）のモデルになっている。奉守の最初の妻はおそらく38度線を越えられず、夫や娘と離ればなれになった。娘の英子は朝鮮戦争に従軍した米兵と１９５６年に結婚し、すでにアメリカに移住していた。そして１９７０年に釜山へと里帰りする際、東京にも寄って泰玄たちを訪ねている。英子は朝鮮語と英語しか話せない。そのため、日本語しか話せない登志子との会話は泰玄が通訳した。その日の様子は、父が最後の音声を吹き込んだのと同じレコーダーで録音されていて、上智大学に入ったばかりの泰玄の流暢（りゅうちょう）な英語を、今でも聞くことができる。

祖国訪問団に参加した、泰玄より四つ年上の信縞（シンホ）という上智大生にもここで触れておきたい。外資系金融機関への道のりを先取りする、重要なロールモデルとなった人物だ。泰玄が大学進学、特に英語系の学科を意識し始めたのは、まさにこの高２の頃からだった。

国籍と永住の葛藤

泰玄が生きてきた74年超の時間には、「国籍」の歴史が刻まれている。

大きく分けて四つの時期がある。①１９４９年10月に形式上は日本国籍を持って生まれたものの、外国人登録令で「外国人」とみなす扱いを受けていた時期（約2年半）。②1952年4月の平和条約に伴う法務府通達で、日本国籍を喪失したあとの時期（13年強）。③1965年に国籍欄の記載を「朝鮮」から「韓国」に変更し、韓国籍となったあとの時期（約27年）。④1992年に日本国籍を取得したあとの時期（31年強）。最後の④の時期が、すでに最も長くなっている。

①と②の合計16年弱、泰玄の外国人登録の国籍欄には「朝鮮」と記されていた。いわゆる「朝鮮籍」で、朝鮮半島が南北二つの国家に分かれる中、いずれの具体的な国籍とも直接的には紐づかない表記だとされる。そのため、実質的な無国籍状態ともされてきた(88)。

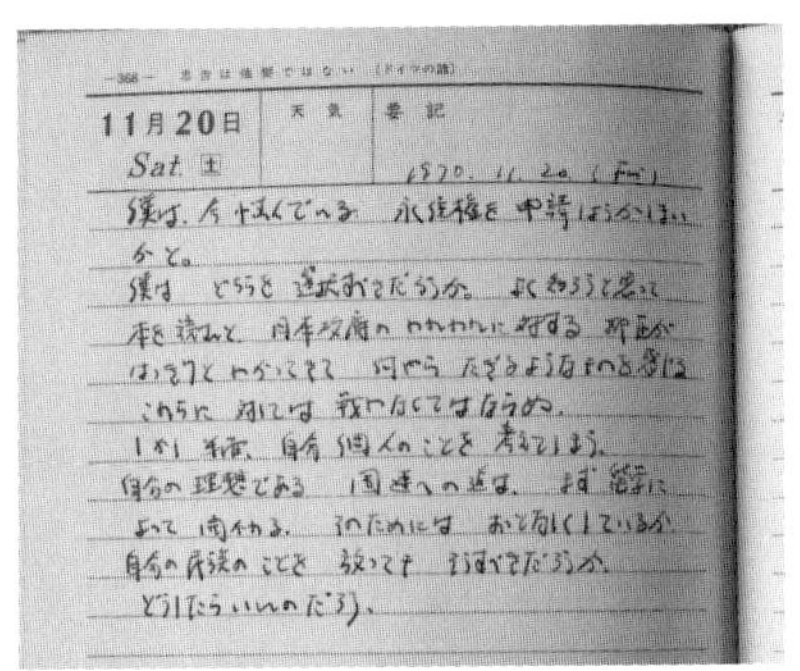

大学1年の泰玄が日本語で書いた日記。「僕は、今悩んでいる。永住権を申請しようかしまいかと」（1970年11月20日）

泰玄が初めてパスポートを持ったのは③の時期で、韓国のパスポートでバークレイズのロンドン本社に行き、ソウル支社への駐在も経験した。協定永住は1971年に得ている。その後、1987年に会社の同僚である日本人の女性と結婚し、1992年に帰化申請で日本国籍に変わった。今に続く④の時期が始まる。

なお、外国籍者には戸籍がないため、日本国籍を持つと新たに戸籍をつくることになる。泰玄は元々「尹」の名字でと考えていたが、常用漢字にないとの理由でそれができなかった。そのため、戸籍上の名字は妻のそれを選んだ。仕事ではその後も「尹泰玄（ユンテヒョン）」を用い続けた。

②と③のあいだ、つまり朝鮮籍と韓国籍の間での逡巡、そこに絡み合う協定永住をめぐる決断は、泰玄の個人史としても、より広い歴史的な意味でも、重要な意味をもつ。

当時上智大学の1年生だった泰玄は、その葛藤を日記の中にたびたび書きつけた。この時期には英語で書くことがほとんどだった中で、「国籍」や「永住権」についての日記の多くは、例外的に日本語で書かれている。

今僕は、国籍を変更すべきかどうか迷っている。正確にはその意思を表明するかどうかである。韓国籍であっても韓国政府を支持など少しもしていないし、いわば生活上そうしているまでであるから韓国籍を持つことに矛盾を感じてもいる。しかしいちばんの問題は外国渡航及び就職だ。果してどれだけ有利かはわからん。しかし、慎重に考える必要はありそうだ。いずれにしても、朝鮮人が有形無形の圧迫を受けていることは事実だ。

（「尹泰玄日記」－１９７０年９月３日）

協定永住の申請は、日韓法的地位協定の発効（１９６６年１月17日）から5年間と期限が切られていた。１９７１年１月にその日が迫る中での韓国政府や民団による働きかけもあり、全体で35万人超の申請者のうち20万人近くは最後の１年間に申請している。１９６９

年には朝鮮籍の人数が韓国籍を初めて下回り、その後も減少を続けた。[89]総連は当時、泰玄のように韓国籍となった人々に対して朝鮮籍へと再度書き換えるよう働きかけていた。[90]彼が日記で「国籍を変更すべきかどうか迷ってい」た背景にはその影響もあっただろうか。だが、50年以上も前のことで、泰玄自身は覚えていないという。

泰玄が日記の中で韓国籍と「外国渡航及び就職」を結びつけているのは、4年前の韓国への「祖国訪問団」で知り合った先輩の信縞（シンホ）がすでにスイス系の銀行に就職し、さらにモルガンへと転職していたことにも関係していたかもしれない。

当時の泰玄は、外国への留学や国連への就職も考えていたようだ。

> 僕は、今悩んでいる。永住権を申請しようかしまいかと。僕はどちらを選択すべきだろうか。よく知ろうと思って本を読むと、日本政府のわれわれに対する抑圧がはっきりとわかってきて、何やらたぎるようなものを感じる。これらに対しては戦わなくてはならぬ。しかし半面、自分のことを考えてしまう。自分の理想である国連への道は、まず留学によって開かれる。そのためにはおとなしくしているか、自分の民族のことを放ってもそうすべきだろうか、どうしたらいいのだろう。
>
> （「尹泰玄日記」1970年11月20日）

泰玄は、外国人登録証明書の常時携帯義務が生じる14歳頃から、強制送還の可能性について強迫観念のような感情を持ち始めたという。「これをちゃんと持ってなきゃだめだよ」という言葉が生み出す恐怖。「持たないで引っ張られるというケースだってあり得なくはない」という恐怖だ。権利の名に真に値するかは別だが、「永住権」は重いものだった。

今日シンホ〔信縞〕兄と会った。永住権のことについて相談するためである。その結果、僕は永住権を申請することにした。僕は僕自身で悩んだ、その結果選んだ道だ。後悔はすまい。シンホ兄のいう通り、今は国家が僕を選定するのではない。ただ便宜上のためだと割りきろう。それを選択するのはもっとわかってきてからにしよう。

（「尹泰玄日記」1970年11月22日）

最終的に、泰玄は協定永住の申請を、期限直前の1970年12月にしている。父の死、日本の夜間中学への転校、「祖国訪問団」への参加、信縞（シンホ）との出会い、それらが重なった末にこの選択はあった。泰玄の日記には、10歳年下で「第七（チェチル）」の5年だった泰眞が、朝鮮学校で「申請」について話したこと、弟がそのことで「なやんだ」ことも記されていた。

Tejin〔泰眞〕が学校で申請のことをしゃべったらしい。Tejin も Tejin なりに考えてのことだと思う。話さずにおいた方がよかったかもしれない。いらぬことであいつもなやんだんだろう。

（「尹泰玄日記」1971年1月12日）

三菱重工爆破と朴正熙暗殺

２００９年に60歳で定年退職するまで、泰玄はバークレイズとＨＳＢＣという二つの英系銀行で働いた。１９７４年に丸の内で働き始めた頃は、母と弟と清瀬市の都営団地で暮らし始めた時期でもある。西武線と山手線を乗り継ぎ、毎日１時間以上かけて出勤した。

同年８月30日の昼には、バークレイズが１階に入る三菱ビルの隣で、「三菱重工爆破事件」が起きている。死者８名。翌１９７５年にかけての「連続企業爆破事件」の発端となった事件で、泰玄はその日、偶然会社を休んでいたという。上智のサッカー合宿にＯＢとして参加していたからだ。合宿先のテレビで事件を知り、途中で切り上げて急いで東京に戻った。

大道寺将司ら「東アジア反日武装戦線〝狼〟」による声明文は、自らの行動を「三菱をボスとする日帝の侵略企業・植民者に対する攻撃」としていた。８月30日を選んだのも、関東大震災で朝鮮人虐殺が起きた９月１日より前に実行したいとの考えが背景にあったようだ。

泰玄が働いていた三菱ビルヂング。左隣に見える三菱重工ビル（現・丸の内二丁目ビル）とは1階がつながっている

三菱重工ビルの仲通り側の入り口近くに仕掛け

られた爆弾は、同年8月14日に昭和天皇の御召(おめし)列車の爆破を企図した「虹作戦」が未遂に終わったため、そこで準備したものが流用されていた。

翌8月15日にソウルで起きた「文世光(ムンセグワン)事件」からの影響もあったとされる。[91] 在日二世の青年が朴正熙(パクチョンヒ)大統領の暗殺を試み、妻の陸英修(ユクヨンス)が流れ弾で死亡した事件だ。

そこから5年後、中央情報部（ＫＣＩＡ）部長の金載圭(キムジェギュ)が、朴正熙大統領と大統領府警護室長の車智澈(チャジチョル)を射殺した１９７９年10月26日、泰玄はバークレイズの駐在員としてソウルで暮らしていた。朴正熙はその日の宴席で、直前の「釜馬(プマ)抗争」（釜山と馬山(マサン)での学生たちを中心とする大規模デモ）への対応などをめぐり、金載圭を叱責していた。[92]

泰玄、1975年のロンドンで

朴正熙らの暗殺がなされた金曜日の夜、泰玄は三井銀行の日本人行員と二人で飲んでいたそうだ。当時のソウルでは毎日夕方に街中のスピーカーから国歌が流され、歩く人もみな立ち止まらなければならなかった。防災訓練も定期的になされていたという。

> 夜の10時以降は戒厳令なんです、あの頃は。だけど〔外で飲んだあと〕ちょっと酔っ払って彼のところまで歩いて〔泊まりに〕行ったんです。10時以降で咎(とが)められるかなと

思ったらまだ大丈夫だった。その翌日、朝起きてみたら半旗が掲げられてたんですね。

日本で朝鮮学校を出ていた泰玄は朝鮮語がうまかった。「日本生まれなのにすごい」と驚かれたそうだ。だが、それは諸刃の剣でもあった。特に駐在初期の頃は、朝鮮学校を出た事実を言わないようにという緊張感があったという。「(学校について)聞かれたら困るなと思ってはいましたよ」。留学などで韓国に渡った在日朝鮮人が、韓国政府から北朝鮮側のスパイとみなされ逮捕される事件が相次ぐ時代だった。

１年間のソウル駐在を終えた泰玄が１９８０年5月に東京に戻り、そこから3年が経った頃、清瀬の都営団地で同居していた母の登志子が、突然マンションを購入して泰玄に与えた。山手線の田端駅近くの物件で、もちろんローンを組んでの購入だ。「多分、独立させようと思ったんでしょうね」。泰玄自身は長男として、父を早くに亡くした母とはずっと一緒に暮らし続けるつもりだったという。だが、母の考えは違った。

母はその後、泰玄だけでなく弟の泰眞にもマンションを買って独立させ、ついに一人暮らしになる(逸己はその頃すでに、母や兄弟と離れて暮らしていた)。１９８７年に結婚した泰玄は、妻の意見もあり、当時63歳の母を田端のマンションに呼び寄せ、再び同居しようとした。だが「オモニのほうがね、いやだっつったんですよ」。父の日記が詰まった段ボール箱が母から届いたのは、ちょうどその頃だった。

父の日記と泰玄

4 逸己 いつこ イルギ

歴史を準備する人

逸己は１９５１年3月15日に東京の助産院で生まれた。72歳になった今、彼女は6畳一間の小さな部屋で暮らす。独居となって20年近くが経った。

20歳で産んだ一人息子を育て、90歳で亡くなった母の介護も終えた。最近では同じアパートに住む80代、90代のご近所さんを気にかける毎日。手紙を代わりにポストへ届け、病院や役所とのやりとりも手助けする。「私が一番若い」し、「自転車に乗れるのがほかにいませんので」。体は丈夫。冷房も暖房も要らない。近くの子ども食堂に時々お米を届ける。

尹紫遠の人生、その家族の歴史を辿る私たちの試みは、実のところ逸己の働きに深く依存していた。泰玄が見せてくれる昔の写真はきれいに整理され、その多くに説明書きの付箋がついていた。誰かがしてくれたその作業を、私たちは当然視して意識の外に置いた。家族の歴史を教えてくれるのはいつも泰玄だった。だが、その背後にはいつも逸己がいた。

彼女が黙々とこなしてきた仕事の重さを理解するまでには随分時間がかかった。泰玄に対して「妹さんからもお話を聞けないか」とたずねたのはだいぶあとのことだ。

泰玄を介しての打診に対し、逸己は「会うのは遠慮するが電話でなら」と承諾してくれた。これまでずっとひとりを好み、色々な誘いを断ってきたそうだ。

良くも悪くも一人がいい、というだけですね。家事労働もそうですけれど、手仕事なんかも全部一人でやることのほうが好きです。今でもご近所でもお誘いくださいますが、端から断ってますね。「ごめんー」とか言いながら。

こう語る逸己だが、電話では時間を惜しまず何度も丁寧に話をしてくれた。これは誰。これはそれ。これはいつ頃の写真。これはわかりません。こちらの依頼に応じて、追加で送ってくれた母の古い写真にもメモをつけてくれた。「オモニに会ったことのない人が見る写真ならば、付箋をつけて書かないとわからないだろうなと思ったんですよ」。

一人の人間が死ぬと、その人間はいなくなって、物だけが残る。服が残る。本が残る。道具が残る。書類が残る。写真や手紙、日記も残るかもしれない。それら残された物たちと、残された人々は向き合わなければならない。捨てるのか、残すのか、どう捨てるのか、どう残すのか、決めなければならない。決めたあとには、実行しなければならない。

そこには何らかの感傷が伴うかもしれない。だが本質的にそれは仕事である。時間と労力をかけて、誰かがやらなければならない。その作業を逸己は「整理整頓」や「片付け」、「後始末」と呼ぶ。「我が家で整理整頓するのが私だったんですよ」。

1964年9月、父が死んだときに彼女は中2だった。1971年に逸己が20歳で結婚した頃、それまで10年以上も住んだ月光町（現・目黒本町）の家から立ち退きを迫られ、母、兄弟、夫とともに、港区の慶應大学近くに引っ越した。古い一軒家だった。翌年に息子を出産し、1974年からは大田区で暮らし始めた。母はと言えば、同じ頃に都営住宅への応募が当たり、二人の息子を連れて清瀬の団地に引っ越していった。

その後、1980年代に入ると、母は息子たちを団地から順に独立させて一人で暮らし始める。清瀬の団地には父の遺品や母の古い写真が整理されずに残っていて、母は娘に「片付けといて」と言った。逸己は清瀬に通って、早速整理の作業に取り掛かった。「これは誰？」とか「これはいつ？」とか、母に質問しながら。

逸己が母の写真に書いたメモ書き

逸己が付箋にメモを書けるのは、こうしたやり取りがかつてあったからだ。片付けのために必要な会話だった。残すか捨てるかは母が判断した。整理した父の遺品のほとんどを収めたみかん箱は、母の意向で長男の泰玄に送った。登志子は夫の日記を捨てなかった。理由はわからない。泰玄は、届いた日記をじっくり読むこともなく、自宅で保管した。

２０１４年の5月と6月、弟と母が相次いで亡くなった。55歳と90歳。逸己は二人の部屋をそれぞれ片付けた。そのとき初めて見た母の古い写真もあれば、弟が持っていた父の書きかけの原稿用紙や昔の手紙もあった。逸己はそれらの一部を処分して、残りの一部を一旦倉庫に預けた。そして再び倉庫で整理を始め、一つひとつ処分を進めていった。

２０２３年。私たちが泰玄のマンションで目にした資料の多くは、いずれかのタイミングで一度は逸己の「片付け」を通過している。そして、彼女がその仕事に際して得た知識や、両親との細切れの会話の記憶が手掛かりとなって、過去の解読も可能になっていた。逸己の仕事と記憶がなければ、家族の歴史を辿り得る範囲はかなり狭まっただろう。例えば、登志子が「満洲」から朝鮮北部に逃れた避難民であった可能性、そして尹紫遠と同時代に38度線を南下していた可能性も、見えてこなかったはずだ。

その意味で、彼女は確かに歴史を準備していた。だが、逸己自身は家族の遺品整理を、「女の子」に期待される「家事労働」の一環だとも捉えていたという。

「女の子だから」っていう意味合いも、多分あったんだろうと思いますよ。だから、アボジが死んだときの片付けも、家事を私がやっていたからその関係なんだろうと思います全部。〔清瀬の団地にも〕母から頼まれて片付けに行ったので。〔母と団地で〕一緒に暮らしてた泰玄なり泰眞なりには、オモニは頼まなかったわけだから。

1970年、19歳の逸己（左）。アメリカに住むいとこの英子（ヨンジャ）（中央）が来日した際の写真。右は46歳の登志子。月光町（現・目黒本町）の自宅前で

2014年に相次いで亡くなった母・登志子と弟・泰眞。泰眞は映画好きで、NHKの韓流ドラマも欠かさず見ていた

〔私が〕単に家事労働に従事していたので、その一環で母は私に言ってきたんだろうと思うんですね。はっきり言ってオモニ苦手なので、そういうのが。整理したりっていうのが誰もやらないで、いつも私がやってきましたけれども。

女性でロボット屋で

逸己の兄が生まれたとき、父は日記にこんなことを書いた。

廊下で待っていると、看護婦さんが、「お坊ちゃんがお生れになりました。九時一五分にです」と言った。それまでは全く何にも思っていなかったし、どうせ女の子だろうと思っていた。ところが看護婦さんから男の子と言われて、間もなく、涙が出て仕方がなかった。

（「尹紫遠日記」1949年11月17日）

女の子だと何も思わない。男の子だと涙が止まらない。

私が生まれたときのアボジの最初の一言は、「死んでもいい」って言ったそうだから。女の子だからね。そういう男女差は、あったんでしょうね。男を大事にする。チョソンサラム〔朝鮮人〕も日本人も、あまり変わらないような気はします。それはオモニから聞きました。もちろんアボジが死んだあと。結婚する前の話ですね。

具体的にいつ、なぜ、母がこの話をしたのか。逸己は覚えていない。家事に追われる日々の中でだったか。それとも、逸己自身が妊娠したときだったか。

うちは年子だったから年の差がほとんどありませんけれども、泰玄に対するものと、私に対するものとは、だいぶ違いましたから。家事労働にせよ、私の世代では女の子がやるもの、やって当たり前のものだということでしたから。もちろんやりましたけど、とても不公平だなとは思いましたよ。

逸己によると、当時は学校のクラスが男女別に分かれていたそうだ。

女の子同士が集まると不公平だよねっていう話は確かにしましたし、学生の頃も。どこの家でも「女だから」って言われて感じる理不尽さはあったんだろうと思いますよ。今私がこの歳になって、女の子だから、女性だから、あとは妻だから、色んな理由で女性がこき使われてることは、今もそう変わりはないです。

逸己は泰玄と同じ保育園を経て、東京朝鮮第八初級学校（世田谷区三宿）に通った。家では小学生の頃から家事を担ってきた。料理、洗濯、掃除。何から何までやった。

小4のとき、母に連れられて広島の教会に行った。海のそばで、干満の差を初めて知った。綿花畑も見た。主食はパンの耳。シジミやイナゴもとって食べた。母は洋裁店で働き、小さな部屋を借りた。父に連れられて弟と東京に戻ると、大原町から月光町に引っ越しが済んでいた。逸己は「第八」から、東京朝鮮第七初中級学校（品川区西五反田）に移った。

9歳違いの弟・泰眞は、「ほとんど（母ではなく）私が育てた」と逸己は言う。「産まなかったけど、育ててはきた」のだと。病弱で幼い泰眞（逸己は「ちび」と呼ぶ）を自転車のかごに乗せ、保育園の送り迎えもした。同じ自転車で、洗濯屋の配達もした。

中2のときに父が亡くなり、大きな借金が残った。逸己は「第七」を卒業後に朝高（東京朝鮮中高級学校、北区十条）に進学したが、すぐに退学して兄と同じ夜間中学（世田谷区立新星中）に入り直した。朝高が家から遠すぎて、家事に支障を来たしていたからだ。

その頃から、昼は祐天寺（目黒区）の電機会社で働き始めた。母の口利きで、コイルをつくる仕事だ。2万8千円の給料の大部分を家に入れ、残ったお金から学費などを払った。高校は家からすぐの小山台高校（品川区）の定時制にした。途中、腎臓を患い一年休学している。仕事と家事に忙しく、学校外での友達付き合いはほとんどできなかった。

高4の9月に歳の離れた日本人男性と結婚したとき、担任の先生は逸己に「おめでとう」と言った。結婚式は兄が通う上智大学の教会で挙げた。その少しあとに妊娠がわかると、「下級生のことを思って退学してくれ」と同じ先生が言った。１９７２年3月の卒業直前に逸己は退学する。母も「家庭人というか母親にもなるんだし、学業はもういいんじゃない？」との考えだった。大学2年だった兄の日記に、出産直前の逸己の姿が見える。

I had my hair cut at home, barber was my sister.〔家で散髪した。床屋は妹だ。〕

（「尹泰玄日記」1972年1月24日）

この1年ほど前の泰玄の日記（1970年12月29日）には、散髪に自分でお金を払ったのが人生で二度目であること、その金額が650円であったことが記されていた。妹が散髪すればお金はかからない。家事労働には対価が発生しない。逸己の髪は、逸己が自分で切った。息子の出産を終えたあと、妹は兄にささやかな散髪代を請求したようだ。

Had my hair cut at home, my sister charged it at Yen 100.〔家で散髪した。妹は散髪代として100円請求した。〕

（「尹泰玄日記」1972年9月24日）

逸己の結婚は長くは続かなかった。正式な離婚までには時間がかかったが、実質的には早くに母子家庭の状態となり、再び本格的に働き始めた。稼ぐ必要があった。

25歳からは大田区の自宅近くにあった電機会社の工場（こうば）に勤め、42歳の頃まで「ロボット屋」として働いたという。大企業などから発注される「一点もの」の産業ロボットを造る仕事だ。大卒の男性正社員たちに囲まれながら、アルバイトとして時給で働き続けた。

設計屋が設計を書き上げて、機械屋が機械を組み上げます。で、機械屋から上がってきたものを私たちデバイス部門が配線し、調整して、ユーザーに届けるという流れですよね。ハードワーカー、ロボット屋ですね。〔取引先にとっての〕試作品なんだと思うんですよ。それが稼働可能ならばラインに乗せて量産ということなんだろうと。「一点もの」なので機械は違いますが、回路図受け取ってやる仕事は結局同じですよ。

当時は休みがほとんどなかった。三日続けて休めるのは正月くらいで、その休みも清瀬の団地で「お正月の料理」をつくるのに消えた。「このへんでお正月の支度は御免被りたい」と母に伝えたのが28歳の正月。この頃まだ小2だった息子と、親子二人でゆっくり過ごせる時間がほしかった。山が好きな逸己はのちに、息子と一緒に丹沢(たんざわ)や穂高(ほたか)に登った。

母の育った家のしつけもあるんでしょうけれども、とにかく「男子厨房に入らず」の世代じゃないでしょうか。全くさせませんでした。オモニが初めて入院したときに、泰玄にも泰眞にも、洗濯物を持って帰るとかそういうことはさせたくない。母自体が難色を示しました。で、私が文句言ったんです。きょうだい3人とも同じように働いてサラリーマンやってる。だから、負担も同じようにしないとそれはおかしいと。

兄も弟も上智大卒で金融業界に勤める一方、逸己は高校中退でシングルマザーのロボット屋だった。「兄弟二人がホワイトカラーなので、そういう意味では全然反(そ)りが合いませんけどね。私はがっつりブルーカラーなので」。逸己は30代後半に工学院大学の夜間部に入学した。ロボット屋としての長年の経験で、すでに「実技」はわかっていた。だが、その背後にある「理論」まで知りたかった。けれどもお金が続かず、1年未満で辞めた。

１９９０年代前半、逸己が20年近く続けた仕事を手放す契機になったのは、すでに一人で暮らし始めていた母の認知症だった。登志子には70歳の節目が迫っていた。正式な診断が出る前から逸己は母の異変に気づき、週末に大田区から清瀬に通う日々が始まる。清瀬は遠いが、誤食も始まり目が離せなかった。

都営野塩(のしお)アパート（清瀬市）

その後、逸己は仕事との両立をやむなく諦めた。同居は母が拒んだので、自転車で通える近くの部屋を借りた。収入源を失った逸己は、この頃から生活保護を受給し始める。認知症が進むと、母は千駄ヶ谷の鳩森(はとのもり)八幡(はちまん)神社や明治神宮で遊ぶ女の子に戻っていった。

当時、経済面では、息子たちの仕送りが母を支えていた。登志子は洗濯屋や旋盤(せんばん)の穴開け仕事のあとも、夫の友人だったヘンリー・全(チョン)の会社で経理として働き、清瀬では駅前の韓国料理屋で会計の仕事をした。仕事をやめたのは泰玄がバークレイズに就職し、その稼ぎで暮らせるようになったあとのことだ。50代の半ばだっただろう。

同時代を生きた多くの在日朝鮮人と同じく、尹紫遠との結婚によって「朝鮮人」となった登志子には年金がなかった。国民年金制度が国籍条項によって外国人を排除してきた歴史の結果だ。[93] そのため、息子たちの仕送りがなければ暮らしていくこともできない。

母の最晩年、介護施設や病院での日々が続いていた頃、逸己は兄と弟にある提案をした。泰玄もすでに60代となり、年金収入での生活が始まっていた（泰玄はバークレイズに就職できたことで、被用者年金にも入ることができていた）。

兄も40年近く母をみてきてくれましたので、本人たちは嫌だったでしょうけれど、「もう母への仕送りは要らない」、「生活保護を申請したい」と、兄と弟に言ったんです。これ以上二人に負担がなくてもいいかなあと思ったので。長い間ありがたかったけれど、年金生活の中で母の生活を支えるというのも大変なので。それで〔母の〕最後の1、2年弱は生活保護を受給していました。

混乱する国籍

母の介護が始まった頃よりも前に、家族4人はみな日本国籍になっていた。だが、そのうち帰化申請によって日本国籍を取得したのは泰玄だけで、ほかの3人は突如、思いがけない形で日本国籍になった。きっかけとなったのは、逸己の離婚だった。

逸己が1971年に結婚したとき、彼女は「外国人」だった。両親が結婚した1949年とは違い、逸己は「日本人」である夫の戸籍には記載されなかった。新国籍法（1950年）下では、結婚後も基本的に国籍は変わらない。逸己は引き続き外国人の「尹逸己」として日本政府に登録され続けたが、実生活では夫の名字を名乗った。その一方で、翌年生まれた息子は日本国籍となり、夫の戸籍に記載されて夫の名字を持った。

夫との離婚を決めたとき、逸己は息子との法的な名字の違いを懸念した。また、夫の姉妹はみな「他家へ嫁いで」おり、「後継ぎとしてはうちの息子が嫡子だった」ので、彼の名字は元のままが良いとも考えた。逸己はそのとき帰化を模索した。自分が日本国籍を取って夫と同じ戸籍に記載され、夫の名字となってから離婚すれば、逸己と息子は同じ名字になる。だが1977年頃に帰化申請を始めたところ、思いがけない壁にぶつかった。

1979年9月29日付け、当時バークレイズ銀行のソウル支店に赴任していた泰玄に対して、母の登志子が日本から送った手紙(94)。

逸己の帰化についての法務局の見解なのですが、オモニ〔母〕は一九四九年一一月八日婚姻の為除籍となっていますが、アボジ〔父〕の戸籍には金さんという先妻が在籍していて五二年〔に〕離婚しています。〔…〕その後重婚とみなされ婚姻は成立せず〔、逸己の〕帰化申請をとり下げ、オモニが婚姻不成立の申立をして、日本に復籍する手続をとれということで、子供も日本籍になるわけです。

登志子のいう「法務局の見解」を整理してみよう。尹紫遠が登志子と１９４９年に結婚したとき、彼は別の女性＝「金さん」と結婚していた。そのため法的には登志子との結婚が成立しておらず、登志子は「内地戸籍」のままで「朝鮮戸籍」に移動していない。つまり、「内地戸籍」の登志子が婚姻外で3人の子を出産したのであり、かれらも元から「内地戸籍」だった（ただし泰玄を除く、詳細後述）。だから逸己が「帰化」することはできない。

この時点まで約30年、登志子と子どもたちは「外国人」として暮らしてきた。登録証明書を持たされ、指紋を押捺してきた。逸己によれば、きょうだいの中で特に「朝鮮人」という自己認識が強かった弟の泰眞にとって、突然「実は最初から「日本人」だった」とされたのは耐えがたい出来事だった。それにしても、なぜそんなことが起きたのだろうか。

ここまで幾度も触れてきた通り、尹紫遠には植民地期に結婚した一人目の妻がいた。金乙先だ。二人は１９４４年に「内地」から朝鮮へと逃れた際、蔚山の役場で婚姻届を出した。そして、兼二浦で解放を迎えたのちに38度線を越え、玄海灘を越え、仙崎湾の米軍船で離ればなれになった。１９４６年夏の離別だった。そこから1年後の尹紫遠の日記。

生涯に於いて最も記念すべき日なり。六徳朝鮮より帰る。成守兄は釜山府立病院に入院。然し全然見込なしと。痛恨。噫！乙先は遂に僕を捨て他に走ったか？必ずしも彼女ばかりをせめていいか。僕は果して彼女をせめる資格があるだろうか？僕に若し真正な愛情があったならば、恐らく彼女は他に走らなかったらう。いづれにせよ、僕

は女房に見切をつけられた男だ！噫！たまらない！夜半二時　記
（「尹紫遠日記」１９４７年９月26日）

当時、日本と朝鮮の間を行き来していた弟の六徳が伝えた暗い知らせ。そこには長兄の病だけでなく、乙先が自身との関係を見限ったことも含まれていたようだ。翌日の日記には「終日、妻の順子（乙先）（もう妻ではないが）のことを思ふ」とある（順子は乙先の日本名）。「もう妻ではない」との思いに嘘はなかっただろう。だが、法的には婚姻関係が継続していた。実はこの乙先についても、逸己は母から重要な話を聞いたことがあった。

結婚していなくなってしまったお嫁さんは行方知れずだったので、アボジとしては離婚届が出せなかったらしいんです。けれどもその方がアボジに会いたくて日本に来たんだと思いますけどね。（別の女性＝登志子と）結婚してると思ってたかはわからないけれど。オモニも「一度だけ会った」と言っていましたから。

逸己によると、金乙先は（おそらく「密航」で）日本に来て尹紫遠と登志子に会っている。１９４６年夏の離別は今生の別れではなかった。二人の再会はいつだったのだろうか。
１９４９年の12月、尹紫遠と登志子が婚姻届を出したちょうど翌月に、六徳の妻・君子が朝鮮から日本に来て、尹紫遠に乙先の近況を伝えている。

六徳の妻、君子来る。〔…〕順子〔乙先の日本名〕が釜山へたづねて来たと。感慨無量なるものあり。彼女に対する愛情がまだあるらしい。一度逢ってみたいと思う。だが、すべ〔て〕はもう終りか？

（「尹紫遠日記」１９４９年12月16日）

尹紫遠が乙先に「一度逢ってみたい」と書いたということは、この時点でまだ二人が再会していないことを意味する。１９５０年は日記が欠落し、５１年以降の日記にはそれらしき記述がない。

いずれにせよ、二人の離婚届は１９５２年１月に、おそらく韓国に再び渡った乙先によって、蔚山の役所に提出されている。そこからすると、乙先は１９５０年か５１年頃の東京で、尹紫遠と登志子に会ったのかもしれない。計算上、重婚の期間は２年ほどになる。

占領下の日本と朝鮮との間の移動は厳しく制限されていた。その向こう側に夫がいようが妻がいようが、親がいようが子どもがいようが、境界線を合法的に越えるのはほとんど不可能だった。だからこそ、この時代は「密航」の時代となった。尹紫遠が当時消息不明の乙先と連絡をつけ、南朝鮮、あるいは韓国の役所で離婚届を出すことは容易ではなかっ

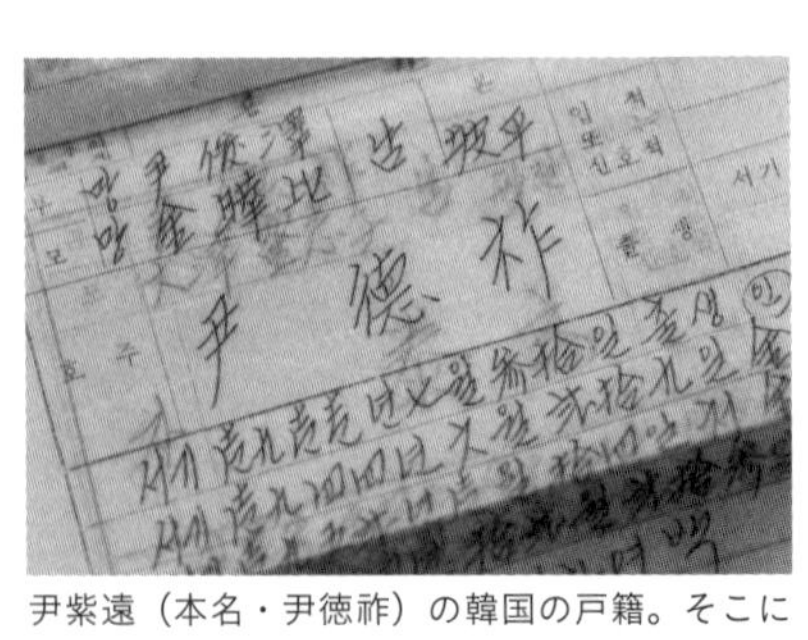

尹紫遠（本名・尹徳祚）の韓国の戸籍。そこには、乙先との結婚（1944年）と離婚（52年）が記載されていた

たのだろう。日本が韓国と国交を結ぶのが１９６５年。北朝鮮とはいまだに国交がない。
逸己には朝鮮学校時代に、船で日本にやってきた友達が二人いたという。どちらも日本語が話せなかった。日本の親戚を頼り、慶尚道（キョンサンド）からハルモニ（祖母）と来たほうの子は、逸己にとってノルティギ（朝鮮の板跳び）の相棒になり、「帰国船で北へ行った」そうだ。その後も数年は手紙の行き来があったが、「検閲されてるんだな」と感じる文面だった。
逸己がまだ小学生の頃、家に父と二人でいたときに、若い男性が訪ねてきたこともあった。４畳半一間しかないので、大人たちが朝鮮語でする会話も否応（いやおう）なく耳に入ってきた。

その人が最後に「お嬢ちゃんは大丈夫ですか？」ってアボジに聞いたんですね。「どこか行ってしゃべりませんか」という意味です。自分が密航しているということをね。そのときにアボジが「この子は大丈夫です」と答えた。それだけはよく覚えてる。

１９７９年、日本の法務局は逸己の帰化申請をきっかけに、尹紫遠の重婚状態を初めて認識した。その帰結として、登志子が大津家のあった渋谷区千駄ヶ谷（せんだがや）で戸籍を回復し、そこに逸己と泰眞も入ったのが１９８３年のことだ。３人はこのときから日本国籍となる。逸己と泰眞の名字は「尹」から「大津」になった。選択ではなくすべて自動的に。逸己はさらに大津の戸籍から夫との戸籍に移り、夫の名字になった。そのうえでようやく離婚を済ませた逸己は、大田区で新たに息子と二人の戸籍をつくった。元の夫の名字で。

ではこのときなぜ、泰玄だけが日本国籍とならなかったのか。おそらく分岐点は、婚姻外で生まれた子に対する父親の「認知」、その法的な効果が変わったタイミングにあった。

一九五〇年一二月六日に内地人と朝鮮人または台湾人との間で認知がなされた場合については、民族籍の変動は生じないものとする民事局長通達が出された。これは、同年七月施行の新国籍法が家制度に基づく国籍変動を廃止したことから、同法の趣旨に則したものとされる。

（遠藤正敬『新版　戸籍と国籍の近現代史』248頁[95]）

この通達が意味するのは、大津登志子との間に婚姻外で生まれた子を尹紫遠が自分の子と認知した場合、それが1950年12月6日より前なら「内地戸籍」から「朝鮮戸籍」への変動が生じるが、その後ならば生じないということだ。そして、1歳違いの泰玄（1949年10月28日生）と逸己（1951年3月15日生）は、まさにこの日付の前後に生まれている。

したがって、たとえ尹紫遠と登志子の婚姻が不成立だったとしても、泰玄に限り、父による認知の効果で「母の内地戸籍」から「父の朝鮮戸籍」に移動していたとされたわけだ。そのため、家族の中で唯一泰玄だけが「元から日本国籍だった」という扱いにならなかった（父の認知自体は逸己と泰眞にも及んだが、その戸籍上の効果が異なるものとされた）。

旧来の「家」意識を引きずる母は、長男の泰玄と「戸籍」が別々になったことにショックを受けたという。そして、逸己の離婚と帰化申請がその発端になったことから、娘を責めもした。「国籍」で苦悩した弟の泰眞と異なり、母の登志子は「戸籍」で苦悩した。

家族3人が日本国籍となった9年後、泰玄は1992年に帰化申請で日本国籍となった。1987年に結婚した妻は日本人で、その後生まれた娘も日本国籍を持った。[96] 彼がつくった戸籍の続柄欄には、「長男」ではなく、婚外子であることを示す「男」と記されていた。

差別と暴力と

自分と子ども二人の国籍が変わった頃、3人の子育てを終えて一人暮らし（一羽のベニスズメもいた）となった登志子は、教会以外の様々な社会活動にも参加し始めた。その一つが清瀬の団地からほど近い国立ハンセン病療養所、多磨全生園（たまぜんしょうえん）でのボランティアだった。

逸己によれば、母は施設の入所者に本を読み、かれらが短歌を詠むのに付き添っていたという。自分と同じ「大津」という名字の入所者もいて、特に親しい付き合いがあったそうだ。ある日のボランティアから戻った母と、逸己はこんな話をしている。


「なぜそれをするのですか?」と私が聞いたんですよね。自宅に戻って石けんで手を一生懸命洗っていたので。「ハンセン病はうつらないものですよ」と説明をしました。照れくさそうに笑ってましたけれども。きちっと学んで理解したうえで行っているかというと、感情が先にってことだったと思いますよ。行くこと自体はいいことだと思います。ただ、母の心持ちがそうであるということがちょっと悲しかったんですね。

この話題に続けて、逸己は自分の右手のことを話した。父の日記にも書かれているが、1952年の元旦、まだ0歳だった逸己は、火鉢に手を入れて大火傷を負った。「午後三時頃、逸己焼土〔やけど〕す。右の手全部。火鉢」（1952年1月1日）。

一応私は障害者ということになっていまして。じゃんけんぽんでグーつくりますよね。形としてはほぼあんな感じです。火鉢の中、残り火に手を突っ込んでたらしいので。軟骨も燃えてしまいましたから。ですが、右手で字も書きます。物心ついたときには右手の指は全損でありませんので、現実の問題としてはほぼ不自由はないんですよ。

縫い物もしますし、編み物もしますし、大工仕事もすれば、というぐらいで。大きなものを右手一本で持てと言われるとつかむところがないから困るけど。ハンセン病も同じように、やっぱり差別してほしくはないと思っているのです。

父はたびたび娘の手のことを日記に書いている。逸己が4歳になった日のそれを読むと、金がないために手術もできなかったようだ。

逸己の誕生日だ。金がなくて何にもしてやれない。手の手術もまだだ。かわいそうな逸己！父はよくお前の手のこと〔で〕泣く。死ぬまでよく泣くことだろう。すこやか

にのびよ　幸福な一生を送れ

（「尹紫遠日記」１９５５年３月15日）

この頃、逸己は兄と一緒に中目黒の保育園に通っていた。「逸己の手、友だちにきらわれはじ〔め〕たらしい。痛苦の極みだ」（１９５５年４月４日）。この日記と同じ日かどうかは不明だが、逸己もかつて「お遊戯の時間」での話を母から聞いたことがあった。

丸くなって手をつないで踊るというときだったそうで、隣の子が「気持ち悪いから手つなぎたくない」って言ったんだそうです。で、私が「いいよ」って言って手をつながなかったらしいんですよ。「強い子ですね」っていう話だったみたいですよ。

ジェンダー、民族、障害。逸己は様々な意味で少数者だった。平日は朝鮮学校に、週末は母と教会に通っていた。学校の中でも少数者だった。

ウリハッキョ〔朝鮮学校〕でもずいぶん文句っていうか、色々言われました。オモニは日本人だし、クリスチャンだしということで。〔朝鮮学校の〕外に出てくれれば朝鮮人ということで、そういうものもありましたけれど。それと一応、障害児ということになるんでしょうかね。そういうのはよく言われました。言われたけど気にはなりません。からかう材料としては、向こうは良かったかもしれません。

逸己は自分が受けた差別や暴力については「それほど気にしない」、「いっかな気にならない」といった言葉で表現する。「人は差別するものではある」とも言う。だが「それでもしてはいけないと思う」。だから「文句も言いますし、口は出しますよね」。

昔はソンセンニム〔先生〕が子どもを叩くっていうのは割とあったことなのですが、同級生が頬に5本の指〔の痕〕が残るほどにはたかれてクラスに戻ってきたんですよ。それで腹が立って文句言ったんですよね。「それでも教師か」って。しーんと静まりかえってるホームルームだったけれども、私はやっぱり許せなかったんですよね。もう少し大人になって、腹を立てるのは良くないなあと思って、以来やめたんです。

兄の泰玄からは、妹についてのこんなエピソードも聞いた。

私が小さい頃にいじめられてるときにね、「お兄ちゃんいじめちゃダメ!」って逸己が追いかけてたって。それは母が言ってました。全然記憶がないんだけど。

子どもの頃から差別も暴力も人生の中にあった。家族の中にも、学校の中にも、社会の中にもあった。「暴力が嫌いであったり、差別が嫌いであったりというのは、今も変わりはありません」。逸己は今、そんな風に話す。

手を見て色んなことを子どもの頃から言われてきたんだけど、中学生くらいじゃないかな、周りが何を言おうとも、私自身が私の右手を大好きでなければ、本当に手が可哀想だと思ったんですよ。働きもんで、よく働いてくれる手だしね。自分で自分のことは好きでいたい。「こんな障害がなければ」っていうのは違うと思うのね。その障害も含めて自分だから。自分のことを大事にするから、多分、ひとに対してもね。

少数者の痕跡

1946年夏の「密航」。その後の尹紫遠と家族の歴史を辿ってきた。そのありようは家族5人の中だけに閉じるものではなく、閉じられるものでもなく、むしろ国家や社会のあり方から大きな影響を受け、翻弄（ほんろう）されるものとしても展開していった。

国籍、戸籍、外国人登録。教育、労働、福祉、社会保障。力と制度が移動を制約し、貧しさが人生のあらゆる選択肢を狭めた。朝鮮や蔚山（ウルサン）とのつながりは断たれたが、その一方で様々な仕方でつながり続けてもいた。植民地支配の過去はそれが終わったあとにも残響し続けた。多数者の眼差（まなざ）しも変わらずそこにあった。

尹紫遠は戦後日本社会における少数者であり、その場所で生き、その位置から書いた一人の作家でもあった。彼は無名だった。だが色々な形で生の痕跡を残した。生活に追われながらも作品を書き、日記も書き残した。

その葬式では、彼が生前吹き込んだ般若心経のテープが流されたという。蔚山の母・金燁比（キムヨプビ）が誦（そらん）じたあの般若心経だ。酒に酔った父が、家で機嫌よくお経を唱えていたのを逸己は覚えている。「とても、幸せそうでしたね」。

「在日朝鮮人」としての経験をともにしながら、家族の中には大きな差異もあった。夫婦の間にも、親子の間にも、きょうだいの間にもあった。言葉や文化の差異があり、役割の差異があり、機会の差異もあった。夫と異なり、登志子が書いたものは、一部の手紙など以外ほぼ残っていない。

もちろん、彼女が何も書かなかったわけではない。何よりも登志子には書く能力があった。実践高等女学校卒の彼女が受けた教育は、識字学習の機会すら得られなかった同年代の多くの朝鮮人女性たちとは違ったし、引揚げ後に夜間中学へと通った日本の女性たちともやはり違っていた。そうであってもなお、彼女の言葉を今読むことはできない。

登志子は洋裁の仕事でデザイン画を描いた。洗濯屋の仕事では帳簿をつけていた。それらはもう、どこにも存在しない。登志子は夫の原稿の清書もたびたびしていたが、雑誌や新聞に掲載された作品に彼女の名前はない。

1歳の逸己（左）と兄の泰玄。白い字は母の登志子が書いたもの

1955年には『小学生朝日新聞』の「お母さんの童話」という懸賞企画で、31歳の登志子が書いた「きのこの家」が3等に入選している。「とし子の「きのこの家」小学朝日に入賞」(1955年4月23日)。その童話を読むことは、おそらくもうできない。[97]

夫の原稿に、登志子は挿絵を寄せてもいたようだ。逸己が1枚覚えているのは「チョソンのハラボジ〔朝鮮のおじいさん〕の座っている墨絵」だ。「いい絵でしたよ。色々な線を入れずに、非常に簡潔な絵でした」。その挿絵を探しているのだが、まだ見つかっていない。

1980年代、子育てを終えた登志子は、「難民と地球の緑を考える会」という女性たちを中心とする会の活動にも顔を出していた。[98] 逸己の記憶では、母は会報に何らかの文章を寄せていたかもしれない。その冊子を探しているのだが、まだ見つかっていない。

1998年、74歳の登志子は埼玉県の霊園に墓をつくった。認知症の初期にあった母は、「夢の中に兄が出てきた」と娘に何度も話し、墓を建てたがった。息子たちがお金を出し、ついにお墓を持てたとき、登志子はその小さな墓石に自分の「家族」の名前を刻み込んだ。

大津武敏　　昭和七年一月二日　　行年四十一才
大津八代　　昭和七年九月十六日　　行年三十四才
大津敏　　昭和十二年十二月三日　　行年十七才
大津成　　昭和六年八月三十一日　　行年一才
尹徳祚　　昭和三十九年九月四日　　行年五十三才

戦前に亡くなった両親と兄弟の遺骨は、大津家の墓からこのとき移したそうだ。泰玄と逸己には、子ども時代にその墓を母と訪れた記憶がある。「見上げるぐらい」の大きな墓石だった。大津家との関係が切れたあとも、登志子は家族の墓参りをしていたのだろう。

2014年、泰眞と登志子も埼玉の墓に入り、今では七つの名前が墓石に刻まれている。清瀬の団地には、登志子がかつて満洲にまで持っていった板切れのような位牌が2柱残っていて、母の両親の戒名が記されていた。逸己はそれらも一緒に母の骨壺に入れた。弟の骨壺には、彼が生涯大切にしてきた、朝鮮学校から上智大学に至るすべての校章を入れた。

大津泰眞　平成二十六年五月十六日　享年五十五才
大津登志子　平成二十六年六月二十四日　享年九十才

一人の人間が死ぬと、その人間はいなくなって、物だけが残る。「オモニにせよアボジにせよ、かれらの過去には別に興味はないです」。そう逸己は言った。「自分の両親であった、それだけで十分です」と。

だが、彼女からしか知り得ないことがあった。逸己は遺品を整理しただけでなく、いくつもの記憶を胸にとどめていた。そして、その一部を言葉にしてくれた。

父が亡くなって私が電機会社に勤め始めたとき、オモニの誕生日に3人でお金出し合ってハイヒールのオーダーメイドをしたんですよ。と言っても、私の給料から大半を出して、泰玄には小遣いから出してもらって、弟には「10円出しなさい」って言って。母は後家（ごけ）さんになったときにまだ40代ですから。ハイヒールぐらいあってもいいかなと思って。量販店ではなくて昔の靴屋さんに「バックスキンでお願いします」と言ってつくってもらったんです。喜んだと思います。そういうのあんまり外へ出さない人なので。素直じゃないと言えば素直じゃないんですが、喜んだだろうとは思いますよ。

父が死んでしまったあと、母と子ども3人なので、なんとかこの3人で生きていかなければならないのでね。仲良くしてほしかったし。きょうだい3人揃ってならばそれが最後かもしれません。あとはもうお互いが忙しくて、話をしたりっていうことはなくて。私がほどなく家を出てしまってるので、なおさらありません。もう泰玄たちは、泰玄なんかは、覚えてないかもしれないけれど。

尹紫遠（ユンジャウォン）、登志子（としこ）、泰玄（テヒョン）、逸己（いつこ）、泰眞（テジン）。かれらは同じ場所にいて、違う経験をした。違う選択肢を前にして、違う選択をした。そして、違う場所へとそれぞれ辿り着いた。

その痕跡は静かに薄れてゆく。ゆっくりと消えていく。

どこにも書かれていないことを、ここに書いておきたい。

泰玄、逸己、登志子、泰眞。父も含めた５人の写真は、１枚も残っていない

泰眞の誕生日――テープレコーダー

1964年4月19日、尹紫遠が亡くなる数か月前の音声が残っている。

今日は末っ子の誕生日だ。1959年生まれの泰眞は、この日5歳になった。桜餅（さくらもち）や葬式饅頭（まんじゅう）を用意して、みんなで歌を歌った。

泰眞は保育園で習った「春よ来い」を、逸己は「靴が鳴る（おててつないで）」を、泰玄は「春が来た」を歌った。父が長鼓（チャング）を叩き、母と娘が「アリラン」を歌った。逸己に頼まれて、登志子は「トラジ」も歌った。「蛍の光」を家族で合唱した。

母は泰眞に「自分の名前を書いてごらん」と言った。

録音用のテープの箱に、黒いマジックで、自分で書いてごらんと。

母：「いんたいしん〔尹泰眞〕」とね。書けるかな？

泰眞：うん。

父：おお、うまいねえ。「し」がうまいねえ。

母：うまい。さーすが。よく書けた。

父：さあご飯にしよう、みんな。

母：おめでとう。
泰眞：はい。
兄：おめでとうございます。
姉：おめでとう。
父：泰眞（たいしん）、おめでとう。
母：ありがとうって。
泰眞：どうもありがとう。
父：コマプスㇺニダ、は言えないか？
泰眞：コマッスムニダ。
父：おーん、チャレッタ。うーん。コマプスㇺニダ。うん。うん。

誕生日のご馳走はコロッケとキャベツだった。

父：逸己（いっこ）、お父さんの灰皿持っといで。
母：お父さんの灰皿、店じゃないの？
父：泰眞、持ってこられるかなあ？　向こうのボイラーのところにあるんだけどねえ。
（ガラガラと引き戸を開ける音）

母：泰玄（たいげん）、あんた小さいときこれ［キャベツ］好きだったのよ。覚えてない？
兄：覚えてない。
母：これとコロッケとおいなりさんとカレーだった。
父：逸己は何が好きだったかねえ。
姉：逸己は何でも好きだった。
母：逸己はやっぱし玉子だのお肉だのそんなのが好きだったね。
父：泰眞もキャベツが好きだねえ。
母：キャベツもコロッケも。お兄ちゃんの好みとおんなじねえ。
父：泰玄の誕生日はコロッケいっぱい買ったことあったっけね。大原町いたとき。
母：うん。そこは友達のうちだったね。
父：ああ、皿の音をかちゃかちゃさせちゃいけないな、泰眞。ソースをもっとかけてやりなさい。キャベツにかけてやるんだよ。コロッケにかけなくていい。コロッケにかけると、みんなソース吸っちゃうんだから。

目黒区月光町に4畳半の部屋が一つだけあった。
その隣に洗い場があり、干し場があり、小さな店舗があった。
洗濯屋の家族5人が、そこで暮らしていた。

泰眞の誕生日を録音したテープ

エピローグ

密航者の日記、と聞いたら何かスリリングな内容を期待するかもしれない。だが、いざ「尹紫遠（ユンジャウォン）日記」を読んだら、たぶん拍子抜けする読者も多いのではないだろうか。実際、日記に書かれたことの大半は、お金の心配と妻の悪口だ。

だが、研究者として、在日朝鮮人の一世たちが書き残したものの総量のあまりの少なさを痛感してきた私（宋恵媛（ソンヘウォン））にとっては、この日記は情報がぎっしり詰まった宝箱のようだった。そこに書かれなかったこと、書けなかったことの膨大さも含めて。

「尹紫遠日記」は、在日一世の日記としてはおそらく初めて世に出たものである。刊行は2022年。日本人が書き、残された日記の多さとの、激しい落差がここには存在する。

初期の在日朝鮮人が書いたものの少なさには、二つの要因があると思う。一つはものを書ける人が絶対的に少なかったこと、もう一つは書かれたものを残そうとする人々が次世代以降に出てこなかったことだ。

その背景には、生活するだけで精一杯、教育を受ける機会に恵まれない、文章を発表する場がない、自らも周囲も自分たちの経験を価値あるものとみなさないといった、周縁化された人々に何世代にもわたって課される、諸々の条件が存在する。

戦後すぐの時点では、教育を満足に受けられないまま成人した在日朝鮮人が少なくなかった。同じ時期、日本人の男女を合わせた識字率は約98％に達していたが、例えば在日朝鮮人女性のそれは10％にも満たなかったといわれる。

尹紫遠にも学歴らしい学歴はない。ほぼ独学で日本語を学び、日記を書く習慣を身につけ、短歌を詠み、小説を書くまでになるには、どれだけの努力を必要としたのだろうかとつくづく思う。


在日朝鮮人が戦後日本でものを書くとはどういうことなのか。このような問いかけとともに琥珀書房から日記や作品集を刊行したのは、2022年末のことだった。「尹紫遠日記」は、戦後日本での一朝鮮人の日常を垣間見る手がかりとなっただけではなく、散逸していた彼の様々な作品（本書でもたびたび引用した「人工栄養」や「長安寺」など）を探すための手引き書にもなった。

在日朝鮮人の文学やライティングの研究に携わる者としての私の役割は、それらの忘れ去られたテクストを活字にし、本として残すことで、一応は果たせたと考えていた。

望月優大さんから連絡をもらったのは、これらの刊行とほぼ同時だった。琥珀書房の山本捷馬さんからのメールで「尹紫遠日記」の存在を知り、この日本社会で「尹紫遠日記」が稀少であること自体の意味やその背景について関心を持ったという。

望月さんが関わるウェブマガジン『ニッポン複雑紀行』の記事は以前から読んでいた。調べ物をしていてたまたま辿り着いたのだが、以来、尊敬すべき市井の人々に出会い、その声を聞ける貴重な場として、ときおりサイトを訪れていた。

そこで取り上げられる現代日本の移民や難民をめぐる主題の一つひとつは、もちろんそれぞれに固有のものだ。だが、記事の多くからは既視感というか、他人事とは思えない感じを受けてもいた。

「尹紫遠日記」の最初の頁

当然のことではある。戦後の在日朝鮮人史の始まりと、日本政府の外国人管理システムのそれとは、ぴったり重なっているのだから。いまだ過去の話になっていないことに驚くのを忘れてしまいそうになるほど、その管理システムの初期設定は変わってこなかった。

その後、高田馬場（新宿区）の「ノングインレイ」で望月さんと会った。『ニッポン複雑紀行』の記事（「冷戦下の代理戦争から東京の生活戦争へ。シャン民族料理店「ノングインレイ」スティップさんの人生」）を読み、印象的な写真とともに記憶に鮮明に残っていた場所だ。数時間後、私たちは尹紫遠が書いた「密航者の群」を片手に、旅の計画を立てていた。山口県の仙崎（せんざき）、青海島（おおみじま）、K村、そして韓国・蔚山（ウルサン）にある「日山津（イルサンジン）の入り江」。まずはこれらの地に行ってみよう、と。

その後、スティップさんの記事で撮影を担当した写真家の田川基成（たがわもとなり）さんと3人で、実際に関東、西日本、韓国の各地を訪れた。尹紫遠のご家族からもじっくりとお話を聞いた。以前から色々と助けていただいてきた長男の泰玄（テヒョン）さんばかりでなく、今回は長女の逸己（いつこ）さんともお話をする機会を得た。

家族の写真、手紙、日本や韓国の公的機関が発行した各種の証明書などに加え、「尹泰玄日記」まで見せていただいた。新聞、論文、書籍など、多岐にわたる文献にも、望月さんと改めて当たった。そうするうちに、新たなトピックが次々と浮かび上がってきた。

植民地で生まれ育つということ。いびつな合わせ鏡となった在日朝鮮人と在朝日本人。様々な「密航者」たち。朝鮮戦争のトラウマ。朝鮮人と日本人の間の結婚。日常的な強制送還の恐怖。居住権と国籍問題。ジェンダー化された家庭。子どもにのしかかる貧困。「密航」に至るまでのある朝鮮人男性の人生と、「密航」後に始まったその家族の物語を辿るという本書の構成は、このようにして形づくられた。エゴドキュメント、文学作品、写真や録音テープ、家族への聞き取り、そして現地取材。在日朝鮮人の個人史、家族史の記述にあたってこれだけの材料を用いることができたのは、本当に稀有なことだと思う。「尹紫遠日記」という無名作家のプライベートな記録が息子の泰玄さんに受け継がれたことが、この本のそもそもの前提となっている。取材を重ねていく中で、その背後に逸己さんという「歴史を準備する人」の存在があったことも知った。この日記に価値を見出し、保管した兄妹の意思がなければ、今回の本が生まれることはなかっただろう。

一方で、価値がないとみなしたからではなく、逆に大きな意味を持ったからこそ残され、その後役割を終えて消えたものもあった。尹紫遠の遺作「憲兵の靴」の書きかけの原稿。今から百年前に起きた、関東大震災時の朝鮮人虐殺についての聞き書き風の小説だ。

この原稿は、わずか5歳のときに死別した父の形見として、次男の泰眞(テジン)さんが持っていたという。彼は突如として日本国籍者になったショックを乗り越え、終生朝鮮人として生きた。その弟が2014年に亡くなったのを機に、逸己さんは唯一残っていた父の手書き原稿を処分することに決めた。母も同年に亡くなり、父の死からもちょうど50年だった。

このように、何が残されるか、いつまで残されるかには様々なファクターが絡み合う。

泰玄さんや逸己さんがどこまで両親の人生について知ろうとしたり、自らの人生について知らせたかったりしたかについては、実はひじょうに心もとない。この家族の歴史に接近し、それを書き残す必要性に駆られていたのは、圧倒的に私たちのほうだった。そんな私たちを許容し、理解し、手助けしてくださったお二人には、感謝してもしきれない。

望月さんと私は、ほぼすべての取材や調査を一緒に行ってきた。だが、そこで見たり考えたりしたこと、おぼえた感慨はだいぶ異なると思う。

そのずれをすり合わせることはあまりしなかった。各自が各自の見方や立場から尹紫遠とその家族を理解し、表現しようとした。親のルーツが異なる、複雑な、だがけっして例外的ではなかった家族の歴史を描き出すには、このようなやり方でよかったと考えている。

1946年夏に日本に来たのち、尹紫遠は一度も故郷の江陽里（カンヤンニ）に戻ることがなかった。私たちは80年近くもあとになって、彼の家族ですら行くことのなかったその土地を訪れた。

死ぬ前に故郷に帰れたら、尹紫遠は幸せだったのだろうか。江陽里での取材中にそんなことを考えた。おそらくそうではなかったのではないかと思う。

日本の植民地支配、冷戦と南北分断、日韓外交関係のもつれなど、一人の人間の故郷を奪い、そこに戻ることを阻んだ諸要因を肯定するつもりはない。だが、人も場所も変わり続ける。尹紫遠の居場所はとうの昔になくなっていたはずだ。そういうものだろう。

この取材に関して、ひとつ後悔していることがある。そこで会った女性の一人に名前を書いてもらおうと、なんの気なしに紙とペンを差し出したことだ。現在80代だという彼女はそれらを受け取らず、「あなたが代わりに、聞いた通りに書きなさい」と言った。

蔚山・江陽里

彼女は学校に通う機会を持てなかったかもしれない。そのことに私は考えが至らなかった。彼女が実際に識字者だったのか、そうでなかったのか、それはわからない。

だが事実として、韓国でも日本でも、朝鮮人の少女たちが教育の機会を当たり前のように得られるようになるのは、戦後しばらく経ってからのことだ。

1977年に、大阪の猪飼野（生野区、東成区にまたがる地域）で「オモニハッキョ」（母の学校）が始まった。在日一世を対象とした識字教室だ。植民地期に渡日した姜先玉さんという女性は、そこで日本語の識字を学び始め、1984年に「いちじくの木」と題した4頁の日本語作文を書いた。自身の過去をふりかえる半生記だ[1]。

私は幼い頃に朝鮮から日本に渡ってきました。〔…〕きたときは十一才でした。親とは生きわかれです。言葉もわかりませんでした。戦争中です。どんなことしたらいいのかわかりませんでした。水ものみたいです。親のこいしさもたまりませんでした。うさぎのえさを取りに山へ行きました。心が燃えます。涙が、目にたまるばかりでした。そのあいだ辛いことばかりでした。いちぢく（ママ）の木に実がなっていました。毎日楽しみに生きていました。実はたくさんなっていませんでしたが心のより所でした。木のところへ行くと泣けてきました。そんなことがあってから、三十五年たちました。

10代の初めで朝鮮の親元を離れて日本に来たという姜先玉さんの境遇は、尹紫遠のそれとほぼ重なる。彼女はおそらく、金乙先（キムウルソン）や大津登志子（おおつとしこ）のいくつか年下だろう。両親を早くに失い、戦後は故郷にも行けなかった尹紫遠と異なり、姜先玉さんは韓国で存命だった老母と、数十年ぶりに会うことができた。久しぶりの再会で、彼女は長年心の中でわだかまっていた「辛いこと」を母に話そうとした。

だが、母は耳も傾けなかった。お前は日本に行ったから幸福だよと。戦争が起き、軍事政権下で長い間人々が呻吟（しんぎん）した韓国で生活するよりはましだということなのだろう。

最後まで書くことに執着した尹紫遠の死から10年以上が経ったころ、大阪で暮らす一人の女性が鉛筆を握って書き始めた。姜先玉さんの文章は、数十年ぶりの再会後、もう一度母を訪ねたときの話で締め括られる。自己表現の手立てを得た彼女は、故郷の母を赦（ゆる）し、自らの人生を肯定するようになっていた。

> もう一度国へ帰りました。母親も大変だったなあと思いました。私の下に兄弟が五人もいたのです。父親は早くなくなりました。なんと言う親だろうと思っていましたが、私も子供をもつみになって母の姿を見ますと、笑顔がやさしくみえました。

本書で私たちが紡（つむ）いできた尹紫遠とその家族の物語が、この短くも重厚な自叙伝に連なるものとなっていることを願う。

補遺　密航の時代

本書を閉じるにあたり、尹紫遠(ユンジャウォン)が生きた「密航」の時代を、(1)移動や行動の管理、(2)密航者たち、(3)大村(おおむら)収容所という三つの観点から整理してみたい。「国家」の周縁で、「国民」の枠組みの外で生きるとはどういうことか。日本に住む、声を聞きとられにくい人々に想像を巡らせる一助となれば幸いだ。

管理される身体――旅行証明書から外国人登録証明書まで

尹紫遠の小説『38度線』には、夫婦がこんな会話を交わす場面がある。1945年夏、日本敗戦の直前のことだ。

「ああ！兼二浦(キョミポ)ってまるで牢獄みたいな所ね」
「――兼二浦ばかりじゃないさ。朝鮮全土が牢獄さ――」
（尹紫遠『38度線』167頁）

当時、植民地出身者が見ていた世界はこのようなものだった。尹紫遠の自伝的作品を総合すると、彼は植民地期に、日本の警察に三度、身柄を拘束されている。そのうちの二度はひどい拷問も受けた。

作品中の描写がすべて彼自身の経験だったのか、あるいは書いていない経験がほかにももっとあったのか。今ではそれを知る手立てはほぼ残されていない。

だが、尹紫遠が日本の公権力から「人間扱い」をされてこなかったことは、次の文からもみて取れる。日米安保改定への動きの中で、1958年に岸信介(きしのぶすけ)内閣が提出した警職法(警察官職務執行法)改正案について書いたものだ。警察官の権限を拡大するこの法案には日本中で大きな反対闘争が起こり、のちに廃案となった。

警職法改正には反対です。私においてはリクツをこえたものです。もし私が、戦前、戦時中の日本の警察官から、すこしでも人間扱いをうけていたならば、このたびの警職法改正案に、これほど強烈な憤りはおぼえないでしょう。

(尹紫遠「新警職法案についてのアンケート」179頁[1])

身体に直接加えられる暴力や拘束ばかりではない。

尹紫遠の人生には移動の制限、行動の監視もついてまわった。

彼が初めて日本にやってきた1924年には、警察発給の「旅行証明書」が必要だった。1919年の三一(サミル)独立運動後、朝鮮人の移動を統制するために導入された制度だ。一度は廃止されたものの、関東大震災を契機に復活した(1924年6月に再び廃止)。1928年には、警察が裏書証明をした戸籍謄本(とうほん)や抄本(しょうほん)を提示する「渡航証明書制度」がこれに取って代わった。1932年には、渡航証明書に渡日者の身体的特徴を記すようになった。

尹紫遠が1939年に帰郷し、月陰山(タルムサン)や江陽里(カンヤンニ)を訪れた際には、「一時帰鮮証明書」がなければ日本への再渡航ができなくなっていた。日本の工場や鉱山に就業する朝鮮人労働者を対象にして、1929年に導入された制度だ。

1934年に閣議決定した「朝鮮人移住対策ノ件」、「朝鮮人移住対策要目」では、朝鮮での離村防止や、朝鮮北部と「満洲」への移住奨励など、日本への渡航の抑制が図られた。一方、すでに「内地」に居住する朝鮮人に対する管理体制も、日中戦争、アジア太平洋戦争を背景に強化されていく。

その最たるものが、創氏改名や神社参拝などを強要した協和会への強制加入と、協和会手帳の携帯義務化だろう。尹紫遠も1940年から顔写真つきの協和会手帳を持たされたはずだ。この手帳は、日本の敗戦によって廃止されることになった。

だが、そのわずか2年後には外国人登録令が施行され、日本に暮らす「外国人」たちに外国人登録証明書の携帯が義務化された。少年時代の泰玄が強制送還に対する漠然とした不安を抱いていたように、これは戦後の在日朝鮮人の日常に暗い影を落とし続けた。

「密航者」とは、どのような人たちだったのか?

本書に何度か登場した作家の金史良(1914-50年)は尹紫遠とほぼ同年代の人物だ。彼は1930年代の初めに「密航」を考え、釜山港の埠頭をうろついたことがあった。このとき、彼に密航を思いとどまらせたのは、ある朝鮮人の男が語った過去の経験だった。

船は小さくて怒濤に呑まれんばかりに揺れるし、犬や豚のように船底に積み重ねられた男女三十余名の密航団は、船員達に踏んづけられ虫の息である。喰わず飲まず吐瀉や呻きの中で三日を過ぎ、真暗な夜中に荷物のように投げ出されたのが、又北九州沿岸の方角も名も知らない山際だったそうである。

（金史良「玄海灘密航」60頁）(2)

「一時帰鮮証明書」のなかったその男は、当時住んでいた日本へと「闇船」で渡航しようとした。そんな「密航者」を、訓練を受けた沿岸の日本人住民たちが監視した。

金史良はその後、日本人学生のふりをして関釜連絡船に乗り、日本に到着後に正式な渡航証明書を取得した。彼が旧制佐賀高等学校に通っていた１９３３年頃、地元紙では毎日のように「密航朝鮮人」の検挙が報道されていたという。

僅か八つの小学生が学校へ行く途中、密航団を見付けて駐在所に告発したので表彰されたというでかでかした記事も稀ではなかった。それを読んでいると私は、自分までが来れない所へやって来て監視されているような、いやな気持になることがままあった。

（金史良「玄海灘密航」60－61頁）

この頃には、沿岸地域で密航船を摘発するばかりではなく、日本に住む朝鮮人たちに戸口調査を行い、不正渡航者がいないかも調べていた。(3)

それでも、日本に生きて辿り着ければまだよいほうで、船が途中で難破し、人々が海の「藻屑(もくず)」となることもあった。むろん、その正確な数は今もわからないままだ。

帝国の崩壊後には、朝鮮の南北、そして朝鮮と日本の間に、それぞれ境界線が引かれた。朝鮮半島に引かれた境界線については、ソ連軍や米軍が定めたルールに従わず、38度線を水路や陸路で越境することが「密航」となった。朝鮮人も日本人も同様である。礼成江(レソンガン)上での38度線南下の際、尹紫遠の兄の蓄えた全財産がソ連軍の警備兵に取り上げられたのはその報いだ。満洲を含む38度線以北から南下してきた日本人たちは、1946年の春から本格的に米軍占領地域への「密航」を試みた。

敗戦後の在朝日本人の場合、米軍の公式帰還船が出るよりも先に一日も早く日本に戻るため、あるいは朝鮮で築いた財産を持ち帰るために、「密航」を選ぶケースが多かった。数は少ないが、日本人による朝鮮への「密航」もあった。南朝鮮/韓国発行の新聞で、朝鮮戦争勃発前の頃まで辿れる。主に財産整理、闇商売、密漁などが目的だったようだ。

他方、朝鮮人の場合は、1945年の解放後に日本から朝鮮に戻ったものの生活ができなかったり、離ればなれになった家族と再会する目的で「密航」を選ぶ場合が多かった。朝鮮戦争の前後には、避難、政治亡命、徴兵忌避のために渡航する人々がそこに加わった。「婦人子供の多いのは、家族同伴が多いためである。無職の多いのもその理由である。学生の多いのは、徴兵忌避、学究志望のためである。これらは、他の不法入国外国人と異なる朝鮮人の特長といえよう。面会の目的が多いのも注目される[4]」。朝鮮戦争の休戦協定から2年後、1955年頃の韓国からの「密航者」の傾向を、外務省職員だった森田芳夫はこう分析した。森田はかつて朝鮮総督府に勤務した、朝鮮生まれの人物だ。

国家間の移動が大きく制限されていたこの時期、朝鮮人による朝鮮半島と日本との間の往来には、植民地支配の過去と朝鮮戦争の傷跡とがつねに絡みついていた。

「尹紫遠日記」や泰玄、逸己の証言などからは、尹紫遠の弟・六徳やその妻の君子、最初の妻・金乙先、同郷の金鐘虎、逸己の朝鮮学校時代の友人なども、戦後に玄海灘を渡ったことがうかがえた。

大村収容所のある日常──尹紫遠が書か（け）なかったこと

大村収容所（大村入国者収容所）が朝鮮/韓国人たちを集めて朝鮮半島に集団で送還する場所として機能したのは、1950年から1988年までだ。

1993年12月に大村入国管理センターと改称され、現在に至るまで、オーバーステイとなった人々や難民申請中の人々などが、国籍にかかわらず収容されてきた。

2019年6月24日、大村での長期収容に抗議するハンガーストライキの末に、ナイジェリア人の男性が飢餓死したのは記憶に新しい。(5)

ここでは、尹紫遠が生きた1960年代までの朝鮮人収容所の状況を見てみよう。

1946年当時、密航の末に捕らえられた朝鮮人たちは、佐世保引揚援護局の12号宿舎

現在の大村入国管理センター。手前に防衛省の大村飛行場（旧・大村空港）があり、海上自衛隊の大村航空基地などがそこに所在する

に収容された。乙先も入ったであろう、鉄条網が張り巡らされた針尾（はりお）収容所だ。

　1950年10月、朝鮮戦争勃発による韓国からの避難民流入の懸念に後押しされ、日本の外務省に出入国管理庁が設置された。日本人の引揚げ業務を終えたばかりだった佐世保引揚援護局は、出入国管理庁付属機関の針尾入国者収容所として改組（かいそ）された。大村への移転はその約2か月後だ。

　大村収容所の建物は高さ5メートルのコンクリートの壁で覆われ、敷地の四隅には監視塔が立っていた。所内には鉄格子が至るところにはめ込まれていて、所内では警備官の暴力に対する抗議、所内の待遇改善を求める「狼藉（ろうぜき）」[6]やハンストが頻繁に起きていた。自殺や自殺未遂、収容者同士の争いも相当数にのぼった。

　大村収容所では、「管理する日本人」と「管理される朝鮮人」という戦前の光景が再現されたばかりではない。戦前からの日本居住者と、戦後に初めて南朝鮮／韓国から日本に来た人々の間にも、言葉や習慣の違いによる不和や衝突があったといわれる。さらに、収容所内は朝鮮南北の国家間における代理戦争の場とも化した。

1950年代に入ると、日本と韓国はアメリカの傘の下で外交関係を結ぶための模索を開始した。日韓会談の予備交渉が始まったのは、サンフランシスコ平和条約調印の翌月となる1951年の10月だった。

そのさらに翌月、日本政府は出入国管理令を公布した。そして、1952年4月のサンフランシスコ平和条約発効と同日に外国人登録法を施行し、現在に至る外国人管理体制を敷いた。このとき、日本で暮らす朝鮮人など、それまで日本国籍を持っていた旧植民地の出身者たちに、国籍の選択権は与えられなかった。

一方の韓国政府はこれを受け、大村収容所から韓国への第8次送還（1952年5月）の際、法的地位が未確定だとして、終戦前から日本に在住していた人々を受け入れず日本に送り返した。第一次日韓会談が決裂したすぐあとのことで、1954年6月からはすべての送還者の引き取りを拒否するにようになった。

こうして大村での収容期間は長期化していった。大村に収容されていた人々は、釜山収容所に収容されていた日本人漁船員たちとともに、韓日間の政治取引の材料にもされた。1952年1月の李承晩（イスンマン）大統領による海洋主権宣言以降、日本と韓国の間の「李承晩ライン」（韓国では「平和ライン」）を越えたとして、日本側の漁船が数多く拿捕（だほ）されていた。

日韓の間で相互釈放に関する覚書が調印されたのは、5年以上経った1957年末になってのことだ。その直前、ある大村の収容者はこんな文章を書いていた。

我々は正常な感覚を失っている、自殺者もいれば神経異常者も出た。そしていつ狂い何時死ぬかということよりも、我々は正常な神経を保つことに皆自信を失ってしまった。この責任を誰がとってくれるのだ！〔…〕昨日も苦しんだ、今日も苦しい、そして明日は明日の苦しみが改めて待っているだろう。我々は絶叫する「自由をくれ！」と。

（金元爾「施政者の良識に訴える」25頁）[7]

これを書いた金元爾（キムウォニ）は、韓国政府支持派が集まる金剛（クムガン）寮自治会の代表だった。もともと日本には朝鮮南部の出身者が多いこともあり、韓国支持者は収容所内で多数派だった。同じ頃、北朝鮮支持派の泰山（テサン）寮にいた金春一（キムチュニル）は、寮内で結成された大村朝鮮文学会の機関誌『大村文学』にこのようなエッセイを寄せている。

毎日四時頃になると「受信！」という声が聞え　やがて当局の検閲官の目をとおって開封されている手紙が入ってくる。すると三年も四年も　その愛するひとびとから隔絶されている抑留者たちは最も辛い瞬間をすごさねばならない。〔…〕――来月は釈放があるかも知らない（ママ）。帰国が実現されるかも知れない――と何か確かな根拠がある訳ではないが　そう思って今月を生きる。しかし　その来月になってみればそれは灯ではなくまぼろしであったことがわかるが　抑留者たちは　すぐ又前途に同じ灯のうすくともっているのをみるのである。

（金春一「手紙」37頁）[8]

金春一による「検閲官」、「抑留者」、「釈放」という言葉遣いに、収容者自身がこの場をどう認識していたがよく表れている。

泰山寮の人々は「送還先を選択する権利」、つまり韓国ではなく北朝鮮への送還を求める運動を行った。1958年6月にはハンストを決行し、26人が仮放免されている。

1959年末に在日朝鮮人たちの北朝鮮への「帰国船」が就航すると、大村収容所からそれを利用しての送還が始まった。こうして1970年までに219人（女性は35人）が大村から新潟を経て北朝鮮の清津に渡った。下関、神戸、大阪、横浜から自費出国した人々も16人いる。他方、同年までの韓国への送還者数は累計1万6391人だった。

大村収容所には、女性と子どもを収容した「婦人収容寮」もあった。日本に住む父母に会いにきた娘、夫を訪ねてきた妻、北朝鮮に住む夫のもとへ行こうとした妻などが収容されていた。その一人に、神奈川の川崎に住んでいた裵オクソンという33歳の女性がいた。

彼女は1947年に子どもと朝鮮に帰り、婚家で暮らしていた。が、朝鮮戦争のさなかに家族と離別し、1953年2月に夫の住む川崎に戻った。だが、外国人登録証明書がないため、外を出歩くことすらままならなかった。そんな生活に耐えられず、1957年末に警察署に事情を話しに行ったところ、大村に送られ、強制送還されることになった。[9]

大村の「婦人収容寮」を1950年代末に訪れたある女性記者は、「戦後の引揚者一時寮をそのまま」想起したという。畳敷きの婦人収容寮は、「いかめしすぎて思わず胸がドキッとする」ような扉の内側にあり、「部屋が広く、間じきりもなく押し入れもな」かった。[10] そこでは開所後の約10年間で20人ほどの赤ちゃんが産まれたという。[11] このことからも、「大村」が戦後の朝鮮人の日々の生活といかに地続きのところにあったかが知れよう。

尹紫遠自身は、その日記で針尾収容所にも大村収容所にも一度も言及していない。「収容所」という言葉が日記に出てくるのは一度きりだ。韓国で囚われた日本人の境遇に心を痛める記述である。「釜山収容所に於ける日本人漁夫のよく留生活いたまし。特に韓国側の役人どもの、慰問品「ぬきとり」は恥しくなった」(1957年1月14日)。

「尹紫遠日記」には、38度線越えや玄海灘の「密航」だけでなく、自らの在留資格や国籍への言及も全くない。万が一の「検閲」を恐れ、証拠を残さぬようにしたのだろうか。

1946年夏に東京に戻ったあと、彼の身体の自由が権力の手で直接的に奪われることはなかった。だが、朝鮮の家族に会いに行くための自由があるわけでもなかった。「外国人」——当時は「朝鮮人」とほぼ同義だった[12]——が厳しい監視と管理の対象となった戦後の日本社会で、尹紫遠は「声を聞かれない存在」であることに甘んじるしかなかった。

程度の差こそあれ、日本にいる朝鮮人は、実生活の面ではみんな刑務所にいるようなものかもわからない。

(「尹紫遠日記」1956年12月3日)

「密航」から約10年後の述懐だ。

大村入管近くから見た大村湾。長崎空港も見える

註

【プロローグ】

（1）「四五年一二月、朝鮮半島を米英中ソの四大国による五年間の信託統治のもとに置くという信託統治案が発表されると、朝鮮半島はその賛否をめぐる激しい対立と混乱の坩堝と化した。〔…〕左右の対立は、武装襲撃やテロの応酬など熾烈をきわめ双方に死傷者が相次いだ。殺伐とした空気が解放朝鮮を覆い、深刻な食糧難や失業が南朝鮮社会の混乱に拍車をかけた。それはいったん日本から帰還した朝鮮人の〝逆流〟をもたらす」（水野直樹・文京洙『在日朝鮮人——歴史と現在』岩波新書、2015年、92頁）。

（2）この時期の「密入国者」、「不法入国者」の検挙件数などについては、以下を参照。李英美『出入国管理の社会史——戦後日本の「境界」管理』明石書店、2023年、第3章1。朴沙羅『外国人をつくりだす——戦後日本における「密航」と入国管理制度の運用』ナカニシヤ出版、2017年、第3章1。「在日朝鮮人のこうした逆流は、〝密航〟という形をとらざるをえなかった。占領軍は一度本国へ帰還した朝鮮人の日本への再渡航を堅く禁じていた。占領期に南朝鮮から日本への入国者として公式に記録されているのは、四九年一一月から翌年六月にかけての五〇一人にすぎない。占領軍の記録では密入国者数は一九四六年で約二万二一三二人、そのうち九八％が朝鮮人となっている。〔…〕朝鮮から日本への密航の太い流れは、日韓条約が締結された一九六五年まで続」いたとされる（前掲『在日朝鮮人』93頁）。「日韓条約が締結され、正規入国の道が開かれたことや、六〇年代後半から軌道に乗り始めた韓国の高度成長の影響などによって密航者は減少したが、それでも密航者が途絶えたわけではない。〔…〕八九年に海外渡航が自由化されてようやく、三カ月の親族訪問ビザや一五日の観光ビザを使っての渡航が増え、〈密航〉という形態はほとんどなくなった」（同、215頁）。

（3）同時期に沖縄を含む北緯30度以南が米軍の施政権下に置かれて「内地」から切り離されたように、解体する帝国の周縁部では様々な場所で政治的な境界線の引き直しが行われ、人々の生活領域が突如分断されることもあった。朝鮮では脱植民地化の過程に米ソの分割占領が加わり、非合法の越境としての「密航」の背景となる。

（4）日本では九州の北西部に広がる海を「玄界灘」とするのが一般的だが、朝鮮人の間では「玄海灘」とするのも一般的とされる（朝鮮語読みは「ヒョネタン」）。金史良「玄海灘密航」（1940年）や金達寿『玄海灘』（1954年）など小説の題にもなっており、尹紫遠も作品や日記では「玄海灘」のみを用いている。尹紫遠が金素雲訳編の『朝鮮詩集』（岩波文庫、1954年）に寄せた「解説」では、金素雲による「私は〔…〕〝玄海の橋〟となることを念願して来た者です」との言葉が引かれている。

【密航　1946】

（1）日本側の関釜フェリー株式会社（保有船舶：はまゆう）と、韓国側の釜関フェリー株式会社（保有船舶：星希）が、下関と釜山の間の定期航路（夜行便）を共同で運航している。

（2）Joel Gunter, "Alan Kurdi Death: A Syrian Kurdish Family Forced to Flee," BBC News, September 4, 2015, https://www.bbc.com/news/world-europe-34141716（最終閲覧：2023年10月2日）

（3）済州島と大阪の間にも定期航路があった。「関釜連絡船に加えて、二三年に済州島と大阪の間の直航航路が開設され、済州島の各港から船に乗れば途中で乗り換えることなく大阪に行けるようになった」（前掲『在日朝鮮人』37頁）。

（4）本項「蔚山からの密航船」での尹紫遠「密航者の群」からの引用は48－55頁より。

（5）当時の「密航」に対する取締りにつき、前掲『出入国管理の社会史』、第3章1も参照。

（6）Laurie Brocklebank, *Jayforce: New Zealand and the Military Occupation of Japan 1945-84* (Auckland: Oxford Univ. Press, 1997), 136. より再引用。テッサ・モーリス－スズキ（辛島理人訳）「占領軍への有害な行動——敗戦後日本における移民管理と在日朝鮮人」（岩崎稔・大川正彦・中野敏男・李孝徳編著『継続する植民地主義——ジェンダー／民族／人種／階級』青弓社、２００５年）、77頁でも一部引用されている。以下も参照。Tessa Morris-Suzuki, *Borderline Japan: Foreigners and Frontier Controls in the Postwar Era* (Cambridge: Cambridge University Press, 2012).

（7）K村が黒井村だと示す手がかりを列挙する。「K村」という地名。K村が山口県にあるという記述。船が「響灘から真崎冲を進んでいた」という記述。船から降りた場所の地名（室津岬、八ヵ浜、泊ヵ鼻など）。「K村駅」という駅名。以上を含め、本項「K村の警防団」での尹紫遠「密航者の群」からの引用は34－40頁より。

（8）『山口県警察史　下巻』山口県警察本部、１９８２年、693－694頁

（9）警防団は消防組と防護団を母体とする形で設置された。防護団は空襲に備えるための防空組織だったが、消防組との役割の競合があった。

（10）前掲『山口県警察史　下巻』327頁

（11）警防団の廃止は消防団令の制定に伴う動きだった。日本の警察制度を民主化しようとしたGHQは、その改革の中に、消防の警察からの分離独立をも位置づけていた。

（12）「SCAPIN」は「SCAP」（連合国軍最高司令官）から日本政府への指令を指す。

（13）国立国会図書館に所蔵する「プランゲ文庫」のマイクロフィルムで『関門報知』など当時の新聞を閲覧できる。同文庫は、GHQの「民間検閲支隊」が検閲目的で集めた膨大な出版物が、のちに米・メリーランド大学へ移送されたもの。

（14）前掲『山口県警察史　下巻』694－695頁より再引用。

（15）尹紫遠「密航者の群」74頁

（16）本項「仙崎港の朝鮮人たち」での尹紫遠「密航者の群」からの引用は75－82頁より。

（17）「四五年八月時点で二〇〇万ないし二一〇万人の朝鮮人が内地に居住していたと考えられている」（前掲『在日朝鮮人』80－81頁）。「朝鮮人の帰還についての占領軍の具体策（計画送還）が日本政府に言い渡されるのは四六年三月、それまでにすでにおよそ一四〇万人の在日朝鮮人が、戦地からの引き揚げ船などの片航路などを利用して本国に帰還していた」（同、87頁）。日

本から朝鮮への「帰国」については以下も参照。鈴木久美『在日朝鮮人の「帰国」政策――1945～1946年』緑蔭書房、2017年
(18) 前掲「占領軍への有害な行動」77－78頁
(19) 萩原晋太郎『さらば仙崎引揚港――敗戦・激動の狭間から』マルジュ社、1985年、104頁
(20) 前掲『さらば仙崎引揚港』105頁
(21) 前掲「占領軍への有害な行動」78頁
(22) 福見秀雄『ある防疫作戦』岩波新書、1965年、108頁
(23) C・F・サムス(竹前栄治編訳)『DDT革命――占領期の医療福祉政策を回想する』岩波書店、1986年、165頁
(24) 厚生省援護局編『引揚げと援護三十年の歩み』厚生省、1977年、689頁
(25) 前掲『出入国管理の社会史』83頁
(26) 山本俊一『日本コレラ史』東京大学出版会、1982年、206頁
(27) 前掲『日本コレラ史』207頁
(28) 本項「1946年のコレラ禍」での尹紫遠「密航者の群」からの引用は122－126頁より。

【1章 植民地の子ども】

(1) 「ウ・ヨンウも一役買う――蔚山長生浦鯨文化特区、去年の訪問客が歴代最多」『韓国日報』2023年1月4日［韓国］。https://m.hankookilbo.com/News/Read/A2023010410350001253 (最終閲覧：2023年10月1日)
(2) 中園成生『日本捕鯨史【概説】』古小烏舎、2019年、161頁
(3) 前掲『日本捕鯨史【概説】』162頁
(4) 日本が2019年に国際捕鯨委員会を脱退し、商業捕鯨を再開したことから、山口県などの学校給食で鯨肉の提供を復活させる動きがある。
(5) 神谷丹路『近代日本漁民の朝鮮出漁――朝鮮南部の漁業根拠地長承浦・羅老島・方魚津を中心に』新幹社、2018年、282頁、284頁
(6) 「引揚げ」という語には、日本の加害者性、植民者性を中立的な言葉で覆い隠すという批判もある。日本では、朝鮮北部からの日本人の「引揚げ」を「脱出」と呼ぶが、韓国ではどちらも日本人の「撤退」と呼ぶ。また、「帰還」とい

う語にも、日本生まれの朝鮮人や、朝鮮生まれの日本人にはなじまないという問題が残る。

(7) 真実・和解のための過去事整理委員会『総合報告書3　民間人集団犠牲事件』真実・和解のための過去事整理委員会、2010年［韓国］、90頁

(8) 金賛汀・方鮮姫『風の慟哭——在日朝鮮人女工の生活と歴史』田畑書店、1977年

(9) 李東勲「在朝日本人社会の形成に関する歴史学的研究——居留民団体・植民地空間の変容に着目して」東京大学博士学位論文、2017年、44頁。釜山の在朝日本人社会については、坂本悠一・木村健二『近代植民地都市 釜山』(桜井書店、2007年)、木村健二『近代日本の移民と国家・地域社会』(御茶の水書房、2021年)も参照した。

(10) 本書第1章の註36参照。

(11) フェリス女学院150年史編纂委員会編『関東大震災　女学生の記録——大震火災遭難実記』学校法人フェリス女学院、2010年、191頁

(12) 前掲『関東大震災　女学生の記録』104頁

(13) 戦後、外国籍者は司法試験に合格しても司法研修所に入れず、法曹資格が取得できなかった。金敬得(キムキョンドゥク)の働きかけにより、1977年に司法修習生の国籍条項が撤廃された。

(14)『国勢調査報告 昭和5年　第4巻　府県編 東京府』内閣統計局、1933年

(15) 外村大『在日朝鮮人社会の歴史学的研究——形成・構造・変容』緑蔭書房、2004年、82頁

(16) 尹徳祚「巻末記」『月陰山』2頁

(17) 久間冬美子「鮮女」(市山盛雄編『朝鮮風土歌集』真人社、1935年)、32頁

(18) 川本富子「オモニー」(前掲『朝鮮風土歌集』)、33頁

(19) ただし、日本居住者の妻子の渡航は増加した。

(20) 前掲『在日朝鮮人』27頁

(21) 尾崎宏次編『秋田雨雀日記』未来社、1965－67年

(22)『朝鮮旅行案内』朝鮮総督府鉄道局、1938年

(23) 朝鮮総督府鉄道局の目玉商品は、朝鮮北部の

金剛山観光だった。金剛山四大寺の一つである長安寺がその拠点だった。徳祚の母は、金剛山の長安寺詣でを夢見ていたのかもしれない。

(24) 朝鮮人の38度線南下については、韓国でも情報が限られる。長年、共産主義者（パルゲンイ）、スパイというスティグマを刻まれたからだ。

(25) 兼二浦製鉄所幹部の手記や日本人世話会の報告書には、兼二浦に居住した日本人たちの移動ルートや日付、人数などの詳細が記録されている。1945年10月から翌年3月初めまでに約2千人が38度線を越えたこと、46年4月以降には技術者35人とその家族77人が製鉄所に残り、子どものための日本人人民学校が開校されたことなどは、そのごく一部だ。森田芳夫『朝鮮終戦の記録——米ソ両軍の進駐と日本人の引揚』（巌南堂書店、1964年）参照。

(26) 古庄ゆき子「オモニのうた」『ふるさとの女たち——大分近代女性史序説』ドメス出版、1975年

(27) 前掲『在日朝鮮人』69頁

(28) 前掲『在日朝鮮人』70頁

(29) 尹紫遠『38度線』165頁

(30) この演説のおかげで、多くの在朝日本人の生命が保護されたと言われる。以下に、実際の安在鴻演説の一部を訳出する。「40年間の総督統治はもう過去のものになりました。朝鮮・日本両民族の政治形態がどう変遷しようとも、両国国民は同じアジア民族という国際的な条件のもと、互譲して各自の使命を遂行せねばならぬ運命にあることを正しく認識すべきです。皆さん、日本にいる五百万の朝鮮同胞が日本で同じように受難生活をしていることを思うとき、朝鮮にいる百数十万の日本住民たちの生命と財産を安全に守ってやる必要があることを、聡明な国民の皆さんはよく理解してくださることを信じます」。なお、「五百万」という数は朝鮮の外にいた朝鮮人の総数で、日本には200万人から210万人いたといわれる。

(31) 『38度線』でのソ連軍占領後の兼二浦に関する記述は、前掲『朝鮮終戦の記録』とかなりの部分で重なる。この小説が徳祚の実際の経験に基づいていることは、ここからも窺える。

（32）２０００年の金大中（キムテジュン）大統領と金正日（キムジョンイル）国防委員長による南北首脳会議開催により、非武装地帯内の鉄道復旧工事や地雷除去が進んだ。京義線の再連結事業によって、２００３年に開城駅から板門駅をへて韓国領の汶山（ムンサン）駅に至る区間が開通した。２００７年には京義線と東海線で南北連結列車の試運転を行ったが、定期列車の運行はまだ始まっていない。

（33）『G－2報告書』１９４５年11月３日（釜山・弁天町に住む「竹本ひろ」がソウルの知人に送った１９４５年10月15日付の手紙）。李淵植（舘野晳訳）『朝鮮引揚げと日本人——加害と被害の記憶を超えて』（明石書店、２０１５年）、102頁より再引用。

（34）興安丸は１９４５年8月末に公式引揚船に指定され、博多－釜山間と仙崎－釜山間の運航を開始した。仙崎港へ／からは、約41万人の日本人引揚者と約34万人の朝鮮人帰還者を運んだ。朝鮮戦争時には、国連軍司令部により、日本からの兵力移動や負傷兵輸送のために利用された。１９５３年3月には、中国に残留していた日本人の引揚げに、同年11月以降はナホトカから舞鶴へのシベリア捕虜（朝鮮人兵士もいた）の帰還に使われた。興安丸は、ソ連から日本への最後の引揚船（１９５６年12月）としても知られる。金孝淳（渡辺直紀訳）『朝鮮人シベリア抑留——私は日本軍・人民軍・国軍だった』東京外国語大学出版会、２０２３年を参照。

（35）コレラの蔓延で釜山港の引揚げ業務が休止した１９４６年7月に、釜山日本人世話会は釜山にある寺に安置された日本人の遺骨整理をし、約8千柱を無縁仏の墓として埋骨した。その後、日韓の国交が樹立されるまでの約20年間、日本からこの墓を訪れることはできなかった。１９６６年、元世話会職員の丸山兵一がこの墓の調査を韓国政府に請願し、この一帯が朝鮮戦争時に避難民住宅となり墓が跡形もなくなっていたことが判明した。釜山市はその後、釜山鎮（プサンジン）区唐（タン）甘洞（カムドンサン）山に新たに日本人墓地を建設した。

（36）日本人男性の召集や徴用により、１９３０年代末に「内鮮結婚」は増加した。日本人女性が朝鮮人と結婚すると、彼女たちの戸籍は「内地戸籍」から「朝鮮戸籍」へ移った。彼女たちの一部は、敗戦後に夫と朝鮮に渡ったが、慣れない土地や習慣、日本人への冷たい視線などに耐えきれず、婚姻を解消する女性が続出した。その数は、１９４９年で千人以上に上った。朝鮮戦争勃発後は、夫の戦死などによりさらに増えた。そんな彼女たちが日本に戻る場合、韓国出国許可と日本入国許可が必要だった。手続きを待つ間、彼女たちは当初は釜山港埠頭の日本人収容所に、その後はこの少林寺や赤崎収容所に移された。少林寺には多いときには600人ほどが住んだという。その後、１９５２年にサンフランシスコ平和条約が発効すると、「朝鮮戸籍」者の日本国籍消失により、彼女たちの日本入国はさらに難しくなった。こうして数多くの女性たちが、韓国で困難な生活を強いられたまま、高齢化することになった。

私たちがいざ少林寺に足を踏み入れてみても、日本人妻の痕跡を示すものは何もなかった。代わりに目にしたのは、在日義勇兵の足跡を記した看板だった。朝鮮戦争時、韓国軍や米軍の一

員として日本から従軍した朝鮮人たちだ。その数は6千人以上になる。かれらの日本出国時、国連軍総司令部（マッカーサーが国連軍最高司令官と連合国最高司令官を兼任）は、米軍の機密に属するとして日本政府と連携を取らなかった。義勇兵の除隊は１９５１年から始まるが、日本政府は外国人登録問題を理由にかれらの再入国をなかなか認めなかった。サンフランシスコ平和条約の発行後には、かれらは日本政府の許可を得ず任意に出国した者とされた。こうして１９５２年２月以後は、日本への再入国が不可能になり、242人が韓国に取り残された。「在日学徒義勇軍ナラサラン記念館」http://koreansvjmemo.or.kr/history/svjLife（最終閲覧：２０２３年９月30日）等を参照。

(37)「渡日群が雲集?」『民主衆報』１９４６年８月７日［南朝鮮］

(38) 帝国崩壊後の朝鮮人たちの移動は多方向的なものだった。上海に居住していた舞踊家の崔承喜と、逃亡して中国八路軍地区にいた作家の金史良は、それぞれピョンヤンに向かった。作家

の金達寿は日本に留まった。敗戦直前に日本から朝鮮に一時帰郷した金素雲は、そこで解放を迎え、妻子と離別した。金素雲は1952年末に国際ペン大会の韓国代表としてヴェネチアに赴くが、その帰路に寄港した横浜港で、韓国駐日代表部に韓国旅券を没収された。日本人記者に韓国社会の現状を否定的に語ったためだ。金素雲はその後10年以上の滞日生活を送るが、その間に、徳祚の作品への助言などもした。

【送還 1946】

(1)「密航朝鮮人、釜山に還送」『嶺南日報』(大邱)1946年8月28日[南朝鮮]

(2)「3千人が死の恐怖、海上から陸地の同胞に嘆願」『釜山新聞』1946年5月5日[南朝鮮]

(3)「各検疫所に於ける「コレラ」検疫概況」『引揚検疫史』1巻1部、引揚援護院検疫局、1947年10月、105頁

(4)五十嵐正治「五、佐世保におけるコレラ統計」『引揚検疫史』3巻4部、引揚援護庁、1952年、10-15頁

(5)前掲「各検疫所に於ける「コレラ」検疫概況」104頁

(6)9月20日の時点で、V096号、V089号、V024号の船上での収容者の合計は7383人だった。針尾収容所には3200人いた。『密航同胞調査報告書』在日本朝鮮人連盟、1946年12月[日本]、53頁。

(7)金達寿は「八・一五以後」という自伝的作品で、自らの母が朝鮮から「密航」し、V024号を経て針尾収容所に収容され、その後日本で生活したと記している。前掲『密航同胞調査報告書』7頁によると、朝連がGHQと交渉した結果、針尾の収容者70人が解放されたというが、彼女もその一人だったとみられる。

(8)「渡日者のうち60人が餓死」『釜山新聞』1946年8月28日[南朝鮮]

(9)「かろうじて生きている再渡航同胞」『解放新聞』1946年12月1日[日本]

(10)前掲『密航同胞調査報告書』29-38頁

(11)「帰国同胞が飢餓惨死!」『釜山新聞』1946年8月29日[南朝鮮]

(12)「大淵収容所訪問記」『釜山日報』1950年5月27日［南朝鮮］

【第2章　洗濯屋の家族】

(1) 詩「大同江（その一）」『民主朝鮮』8号、1947年2月（尹紫遠／宋恵媛編・解説『在日朝鮮人作家　尹紫遠未刊行作品選集』琥珀書房、2022年、4頁）。大同江（テドンガン）は、平壌などを通過したのち兼二浦を流れて黄海に注ぐ。

(2) ただし、「作家以外」の場面で「尹紫遠」を使わなかったわけでもないようだ。例えば、泰玄の母子手帳の保護者欄には「尹徳祚」と、表紙には「尹紫遠」と、それぞれ記されている。

(3) サンフランシスコ平和条約発効（1952年4月28日）と同日公布の「法126号（ポツダム宣言の受諾に伴い発する命令に関する件に基く外務省関係諸命令の措置に関する法律）」は、日本国籍を喪失する旧植民地出身者とその子どもの在留について、「別に法律で定めるところによりその者の在留資格及び在留期間が決定されるまでの間、引き続き在留資格を有することなく本邦に在留することができる」と定めた。「当時の外国人登録数は約六〇万人で、その九五％近くがこの「法一二六」該当者であった。例外として暫定措置がとられた人びとのほうが、一般の外国人よりはるかに多いという皮肉な現象が生じた」（田中宏『在日外国人　第三版――法の壁、心の溝』岩波新書、2013年、44－45頁）。

(4)『神奈川県警察年鑑　1957』神奈川県警察本部総務部総務課、1958年、6頁

(5)「目黒の地名　大原町」（目黒区ホームページ）https://www.city.meguro.tokyo.jp/smph/gyosei/shokai_rekishi/konnamachi/michi/chimei/seibu/oohara.html（最終閲覧：2023年10月2日）

(6)「沿革：相模原製作所」（三菱重工ホームページ）https://www.mhi.com/jp/company/location/sagamiharaw/history（最終閲覧：2023年10月2日）

(7) 道場親信『下丸子文化集団とその時代――一九五〇年代サークル文化運動の光芒』みすず書房、2016年、13頁

（8）前掲『総合報告書3　民間人集団犠牲事件』157頁

（9）「四八・一通達による朝鮮学校の閉鎖を第一次とすれば、第二次閉鎖命令となるのは四九・一〇通達といえよう」（田中宏「解説――戦後日本の朝鮮人教育政策と都立朝鮮学校」、梶井陟『都立朝鮮人学校の日本人教師――一九五〇－一九五五』岩波現代文庫、2014年、310頁）。1948年1月24日付通達「朝鮮人設立学校の取扱いについて」、1949年10月13日付通達「朝鮮人学校に対する措置について」を指す。

（10）「外国人登録令が施行される以前に「密航」していた場合、写真と何らかの本人確認書類を持っていれば、問題なく登録申請が受理された可能性が高い」（前掲『外国人をつくりだす』159頁）。

（11）小林聡明『在日朝鮮人のメディア空間――GHQ占領期における新聞発行とそのダイナミズム』風響社、2007年、35－37頁

（12）前掲『在日朝鮮人のメディア空間』、38頁

（13）宋恵媛「GHQ内の朝鮮人通訳たち――検閲・非常事態宣言・朝鮮戦争」『アジア太平洋研究センター年報』17号、2020年2月、24頁

（14）前掲『在日朝鮮人のメディア空間』40－41頁

（15）尹紫遠「人工栄養」16頁

（16）尹徳祚『月陰山』70－71頁

（17）関田克孝・宮田道一『川崎市電の25年』ネコ・パブリッシング、2003年、12頁を参照。

（18）馬場みや子「立川地区」（東京都民生局婦人部福祉課『東京都の婦人保護』東京都民生局婦人部福祉課、1973年）、132頁

（19）尹紫遠「藪にらみ放談」『コリア評論』2巻3号、1958年2月、62－63頁（尹紫遠／宋恵媛編・解説『尹紫遠全集（電子版）』琥珀書房、2022年、787－789頁）

（20）琥珀書房のYouTubeチャンネルで聴くことができる。https://youtu.be/OYKWVL0dwr4

（21）「太平洋戦争のはじまった日だ。あのときは東大久保の秀明荘というアパートにいた」（「尹紫遠日記」1963年12月8日）。「結婚して一週間目に甲順は夫にともなわれて東京に来た。新

宿に近いアパートの四畳半だったが、それから八ヵ月ばかりがたのしい新婚生活だった。景俊はクリーニング工場につとめていて生活は安定だった」(尹紫遠「密航者の群」43頁)。

(22) 稲垣恭子『女学校と女学生――教養・たしなみ・モダン文化』中公新書、2007年、6頁(図序-1)を参照。

(23)「第五編 建築関係者」『建築年鑑 昭和2年度版』建築世界社、1927年、42頁

(24) 新京中央通にあった1934年創業の「吉岡写真場」だと思われる(「新京」『帝国商工信用録 分冊 昭和11年度版』帝国商工会、1936年、3頁)。

(25) 上田貴子「総説(第2部 満洲)」(蘭信三編著『日本帝国をめぐる人口移動の国際社会学』不二出版、2008年)、209-210頁。満洲には同時期に230万人もの朝鮮人がいたことも忘れてはならない。「そのうち、約八〇万人が朝鮮半島に帰還し、一三〇万人が定着の道を歩んだとされる」(田中隆一「朝鮮人の満洲移住」、前掲『日本帝国をめぐる人口移動の国際社会学』185頁)。なお、1945年8月14日の電信で、大東亜省は「居留民はでき得る限り定着の方針を執る」とし、「事実上の民間人の切り捨て」を行っていた。同時に、朝鮮人と台湾人については「追て何等の指示あるまでは従来通りとし虐待等の処置なき様留意す」としていたが、その後に指示が出されることはなく、「彼らに対する保護責任は連合国側へ丸投げされた」(加藤聖文『「大日本帝国」崩壊――東アジアの1945年』中公新書、2009年、57頁)。

(26) 成田龍一は満洲からの日本人の移動を五つの類型に整理した。「(A)「満州」から朝鮮半島に南下したあと、北朝鮮から南朝鮮を経て日本に向う者とともに、(B) いったん「満州」に戻りその地から引揚げる者がいる。また、(C)「満州」の地に止まる者や、(D) 関東軍を中心として、ソ連軍によって北上させられた、いわゆる「抑留」と、(E)「残留」「留用」される人びととがいる」(成田龍一「「引揚げ」と「抑留」」、杉原達他編『岩波講座 アジア・太平洋戦争 4 帝国の戦争経験』岩波書店、200

6年、183頁）。

（27）小林貞紀「平壌における満洲避難民団（三）」（森田芳夫・長田かな子編『朝鮮終戦の記録 資料篇　第三巻――北朝鮮地域日本人の引揚』巌南堂書店、1980年）、70頁

（28）南風洋子「人生観を変えた引揚げ体験」（平和祈念事業特別基金編『平和の礎――海外引揚者が語り継ぐ労苦　19』平和祈念事業特別基金、2009年）、97－98頁

（29）高崎宗司『植民地朝鮮の日本人』岩波新書、2002年、192頁

（30）平壌は特に「脱出」が難しかったとされる。「脱出のむずかしかった最大の理由は、平壌日本人会幹部が「正式引揚近し」のデマを信じていたこと、また、十二月一日に、ソ連軍や保安署から日本人の平壌出入を禁ずる布告がでていて、警備が厳重であったこと、地方では保安署またはソ連軍の黙認だけで脱出できたが、平壌では交渉する機関が多く、ある機関の了解を得ても他の機関が同意せず、関係機関すべてに内密の工作をすることは容易でなかったこと、移動証明書の入手が困難であり、それがなければ鉄道の乗車券が購入できなかったこと、大同江の人道橋の上に監視員がいて地形上の要所をおさえたため、南下が容易でなかったことなどであった」（前掲『朝鮮終戦の記録』497頁）。

（31）前掲『朝鮮終戦の記録』249頁

（32）「それは日本人の女性ばかりが対象でなく、朝鮮人の女性に対しても見さかいがなかったようである。〔…〕暴行をおそれた女は、丸坊主になり、男装をしていた。また特定の女性にたのんで、サービスを引き受けてもらったところも多かった。それが従来の職業女性であることもあり、満州避難民や咸鏡北道避難民のような生活に苦しい女性がえらばれたこともあった。長淵では、金を集めて鎮南浦から朝鮮人職業女性三〇名をつれてきて、身代わりにした」（前掲『朝鮮終戦の記録』210－211頁）。

（33）前掲「人生観を変えた引揚げ体験」104－105頁

（34）前掲「平壌における満洲避難民団（三）」79頁

（35）前掲「平壌における満洲避難民団（三）」84頁

（36）前掲『朝鮮終戦の記録』630頁。なお、成田龍

一は当時の「体験記」について次のように述べている。「一九五〇年前後に、引揚げの体験を公刊できた人びとは、何よりも、時間的、経済的にゆとりのある階層であった。また、「書く」という行為に抵抗が少ない階層でもある。したがって、筆を取りえない（取りえなかった）階層の人びとの体験は、後年に持ち越されることとなる」（前掲「「引揚げ」と「抑留」」184頁）。

（37）『帝国大学出身録』帝国大学出身録編集所、1922年、324頁

（38）「オ（ヲ）之部」『大衆人事録　第11版』帝国秘密探偵社国勢協会、1935年、280頁

（39）哈爾濱批發股份有限公司（1934年設立）の専務取締役。『満洲銀行会社年鑑　昭和10年版』大連商工会議所、1935年、584頁

（40）「屋井乾電池株式会社監査役大津武敏氏は昨年十一月肺壊疽にて千駄ヶ谷鉄道病院に入院し治療中であったが、一月二日午後十時十分死去した。享年四十二、氏は貴族院議員大津淳一郎氏の令息である」（「訃報」『WATT』5巻2号、1932年2月、36頁）。

（41）池田一夫・灘岡陽子・倉科周介「人口動態統計からみた20世紀の結核対策」『東京都健康安全研究センター研究年報』54号、2003年、365頁

（42）泰玄の出産直前にお金の工面を頼った新潟の友人と同じ女性かもしれない（本書153頁を参照）。

（43）目黒区には当時四つの民生事務所（上目黒、下目黒、月光原、柿ノ木坂）があった。1951年6月の社会福祉事業法施行以降は、社会福祉関係の業務が民生委員（目黒区所管）から福祉事務所（東京都所管）へと移行する。目黒区では四つの民生事務所がそのまま福祉事務所になった（『目黒区史　本編　第3版』東京都目黒区、1970年、987頁、996頁）。なお、民生委員制度の元となった方面委員制度の創設にも、登志子の遠戚が関わっている。内務省警保局や台湾総督府などを経て岡山県知事時代の1917年に済世顧問制度を創設した笠井信一だ。登志子から見ると、従姉妹（伯母・勝の娘）の夫の父にあたる。

（44）「生活保護行政は厚生省の管轄だが、その官僚

であった木村忠二郎は、当時の厚生省に公職追放された元特別高等警察の経歴者が集まっていたと回顧している。木村は厚生省に優秀な人材が集まった話として語っているが、それは在日朝鮮人史の文脈では別の意味を帯びる。特高警察は、戦前・戦中に在日朝鮮人を管理・統制する協和会体制を主導した機関であったからである。そして旧生活保護法下で実務を担う民生委員の多くは、戦前に方面委員として貧困者救済の実務にあたった人々であった。しかし、戦前の在日朝鮮人の多くは貧困層にあるとされながら、「生活程度の低さ」を理由とする「二重基準」により要保護・要救護対象から排除されていた。一九三〇年代中盤以降、協和会による支配体制が整備されるようになると、在日朝鮮人の困窮の原因は内地への同化の遅れにあるとされ、救済よりも生活改善を名分とした皇国臣民化が強要された」（金耿昊『積み重なる差別と貧困――在日朝鮮人と生活保護』法政大学出版局、2022年、90頁）。こうした文脈の中で、朝連は民生委員への朝鮮人の就任要求にも取り組んだが、成果は乏しかったようだ（同、54頁、註55）。

(45) 前掲『積み重なる差別と貧困』98頁

(46) 「法務府入国管理局長の鈴木一は一九五二年三月の国会答弁で、貧困であり生活保護を受けているという事実のみでは「退去強制を実施することはしない」と述べている。しかし、生活の現場では「出入国管理令が議会を通過してからは、貧乏人は強制送還の対象になるというので生活保護を受けている人で泣き泣き辞退する人が現れ、また一方では強圧的に脅かしているために恐れをなして辞退する人も出た」という」（前掲『積み重なる差別と貧困』124頁）。

(47) 前掲『積み重なる差別と貧困』101頁

(48) 前掲『在日外国人　第三版』72－73頁

(49) 「日本政府は、共通法や朝鮮戸籍令などの諸法令は新憲法の精神に抵触するものとはみなさず、講和条約成立まではなお有効であるとしていた。これにより朝鮮戸籍・台湾戸籍は、まだ国籍法上は「日本国民」とされていた旧植民地出身者の身分登録として国内法上は引き続き有効なものとして実施されていた。したがって、従前において共通法に基づく内地－外地間の戸籍の変動の結果として「内地人」／「外地人」という法的地位も変動するという家制度に依拠した条理は、新憲法施行後も継続されるものとなった」（遠藤正敬『新版　戸籍と国籍の近現代史――民族・血統・日本人』明石書店、２０２３年、247頁）。

(50)「内地人と朝鮮人・台湾人との間で婚姻や養子縁組などの戸籍の変動を伴う身分行為の届出があった場合、朝鮮および台湾の本籍地に当該届書を送付することは事実上不可能になったので、当事者の戸籍上の変動は内地戸籍にのみ記載されるという変則的な取扱いになった。したがって、元々は内地人でありながら戦後日本において朝鮮人や台湾人の妻や養子となった者は内地の戸籍から除かれるが、外地における戸籍事務処理が不可能なために、朝鮮戸籍または台湾戸籍に「入籍すべき取扱いを受けた者」として扱われた」（前掲『新版　戸籍と国籍の近現代史』248頁）。

(51) 前掲『新版　戸籍と国籍の近現代史』199頁

(52) 前掲『新版　戸籍と国籍の近現代史』236頁

(53) １９２５年の普通選挙法で納税額の制限が外れたことで、選挙資格を持つ内地在住の朝鮮人が増えた。１９１１年生まれの尹紫遠が25歳になり、投票できるようになった可能性があるのは１９３６年（選挙区が設定された市町村での一定期間の居住が必要）。翌１９３７年の衆院選では、植民地期に朝鮮人唯一の衆議院議員となった朴春琴（パクチュングム）が東京の選挙区で二度目の当選を果たした。前掲『在日朝鮮人』57－59頁を参照。

(54) 在日韓人歴史資料館編著『写真で見る在日コリアンの100年――在日韓人歴史資料館図録』明石書店、２００８年、98－99頁

(55)「ＧＨＱの外交局は、韓国政府の要望を一部受け容れ、外登上の国籍に「韓国」「大韓民国」を追加するよう指示したのである。この結果、一九五〇年二月二三日より外登上の国籍として「韓国」「大韓民国」と記入することが可能となった。同日に殖田法務総裁は「今後は本人の希望によって、「朝鮮」なる用語に代え「韓国」

又は「大韓民国」なる用語を使用してさしつかえないこととする」との談話を発表した。この際、法務総裁は「朝鮮」「韓国」はどちらも「単なる用語の問題」であり、「実質的な国籍の問題や国家の承認の問題とは全然関係な」いことを確認した」（鄭栄桓『歴史のなかの朝鮮籍』以文社、２０２２年、130－131頁）。

(56) １９５２年4月19日付通達「平和条約発効に伴う朝鮮人台湾人等に関する国籍及び国籍事務の処理について」による。尹紫遠、泰玄、逸己は通達の「(一) これに伴い、朝鮮人及び台湾人は、内地に在住している者を含めてすべて日本の国籍を喪失する」で、大津登志子は「(三) もと内地人であった者でも、条約の発効前に朝鮮人又は台湾人との婚姻、養子縁組等の身分行為により内地の戸籍から除籍せらるべき事由の生じたものは、朝鮮人又は台湾人であって、条約発効とともに日本の国籍を喪失する」で、それぞれ日本国籍を喪失した。前掲『新版 戸籍と国籍の近現代史』251－252頁を参照。

(57) 高野麻子『指紋と近代――移動する身体の管理と統治の技法』みすず書房、２０１６年、第7章を参照。

(58) 「「わたしは日本人ですけれど」とし子のこの言葉が妙に耳底に残っている。不快な月日」（「尹紫遠日記」１９５７年3月25日）。

(59) 尹泰玄「父と母の思い出」（尹紫遠／宋恵媛『越境の在日朝鮮人作家 尹紫遠の日記が伝えること――国籍なき日々の記録から難民の時代の生をたどって』琥珀書房、２０２２年）、138－139頁

(60) 尹紫遠「密航者の群」113頁

(61) 登志子が日記を読んだだろうことは、広島への家出の直後の日記からも窺える。「この原因はおれの数年前の「日記」からはじまるかも知れない」（「尹紫遠日記」１９６０年9月27日）。

(62) 尹紫遠「密航者の群」98－99頁

(63) 「帰国事業」による帰国者の総数は9万３３４０人（１９５９－８４年）にのぼる（前掲『在日朝鮮人』162－163頁）。また、「日本国籍を持った「日本人妻」に限れば、その数は約一八三〇人とされている。その他、在日朝鮮人の夫と結

婚後に朝鮮籍にすでに変更していた日本人女性もいるとされ、実際の「日本人妻」の正確な数は分からない」（林典子『フォト・ドキュメンタリー　朝鮮に渡った「日本人妻」――60年の記憶』岩波新書、2019年、20頁）。

（64）『賃金構造基本統計調査報告　昭和49年　第3巻』労働大臣官房統計情報部、1975年、98頁

（65）泰玄が大学に進学した1970年の数値。前掲『在日朝鮮人社会の歴史学的研究』466頁

（66）前掲『在日外国人　第三版』136頁

（67）判決は「わが国の大企業が特殊の例外を除き、在日朝鮮人を朝鮮人であるというだけの理由で、これが採用を拒みつづけているという現実」と述べた（前掲『在日外国人　第三版』139頁）。

（68）前掲『目黒区史　本編　第3版』782頁、1184頁

（69）前掲『目黒区史　本編　第3版』972－973頁

（70）Brocklebank, op. cit., 143.

（71）福島鋳郎編著『G．H．Q．東京占領地図』雄松堂出版、1987年

（72）ノーマ・フィールド／内海愛子『平和の種をはこぶ風になれ――ノーマ・フィールドさんとシカゴで話す。』梨の木舎、2007年、146頁

（73）前掲『平和の種をはこぶ風になれ』132－133頁

（74）ノーマ・フィールド（聞き手：岩崎稔・成田龍一）『ノーマ・フィールドは語る――戦後・文学・希望』岩波書店、2010年、15頁

（75）『新修世田谷区史　下巻』東京都世田谷区、1962年、977頁

（76）泰玄が入学した1956年、小学校年齢の在日朝鮮人児童のうち朝鮮学校在籍者は11・0%（前掲『在日朝鮮人社会の歴史学的研究』419頁）。

（77）前掲『新修世田谷区史　下巻』977頁

（78）朝連四全大会での活動経過報告は、初等学校が541校、中等学校が7校、高等学院等が30校とした（前掲『在日朝鮮人』111頁）。

（79）前掲「解説――戦後日本の朝鮮人教育政策と都立朝鮮学校」306頁

（80）前掲『在日外国人　第三版』65頁

（81）四原則は東京都教委による「東京都立朝鮮人学校設置に関する規則」（1949年12月20日）

が定めた。①教育用語は日本語とすること、②民族課目は課外とし、中学校では朝鮮語を外国語として取り扱うこと、③現在の施設をこれ以上拡充させないこと、④朝鮮人教員は民族課目以外は担当させないこと（崔紗華「朝鮮人学校存廃問題の歴史過程　1945-1957――グローバル・ヒストリーの視点から」早稲田大学博士学位論文、2020年、156頁）。

(82) 前掲「朝鮮人学校存廃問題の歴史過程　1945-1957」157頁

(83)『東京朝鮮人商工便覧　1959年度版』東京朝鮮人商工会、1958年、104頁。及び『日本金融名鑑　1962年版』日本金融通信社、1961年、752頁。高遠衡は、荒川区三河島を中心とする植民地期からの済州島高内里出身者のコミュニティに属し、高が経営する平和閣では「在日高内里親睦会」の定期総会なども開かれていた。1961年6月に浅草観音温泉で開かれた敬老慰安大会では、実行委員長の高による挨拶などがあったのち、「中央芸術団及平和閣芸者の合流で古典舞踊、独唱がなごやかな雰囲気で包まれた」。この「平和閣芸者」が、子ども時代の泰玄が出会った女性たちだったかもしれない（李仁子「移住者の「故郷」とアイデンティティ――在日済州道出身者の移住過程と葬送儀礼からみる「安住」の希求」京都大学博士学位論文、2001年、390頁、400頁）。

(84) 前掲『新修世田谷区史　下巻』1033頁

(85) 大多和雅絵『戦後夜間中学校の歴史――学齢超過者の教育を受ける権利をめぐって』六花出版、2017年、175頁

(86) 尾杉利雄・長田三男『夜間中学・定時制高校の研究』校倉書房、1967年、79-80頁

(87)「（鎮海）在日僑胞母国訪問団一行約200名が〔8月〕8日午前、韓国艦隊73艦便で軍港第一埠頭に到着。海軍軍楽隊の壮大な歓迎を受けた。去る7月30日故国の地を踏んだ僑胞学生約500人はソウルと釜山で夏季学校教育を受け、この日ノ・ウンシク釜山夏季学校長の引率でここ鎮海に来た。第1陣約200人はこの日、海兵基地、海兵新兵訓練所と、海軍士官学校を見学した」（「軍港を訪問　在日僑胞学生一同」『馬山日報』

1966年8月10日［韓国］）。

(88)「朝鮮籍は国籍ではない。［…］朝鮮籍とは、帝国の時代に日本に「移住した」朝鮮人とその子孫［…］を分類するために、戦後の日本で創り出されたカテゴリーである」（李里花「なぜ朝鮮籍なのか」、李里花編著『朝鮮籍とは何か――トランスナショナルの視点から』明石書店、2021年、3頁）。同書では「国籍未確認」との見方も示されている（髙希麗「朝鮮籍在日朝鮮人の国籍とは？――法学の観点から」、前掲『朝鮮籍とは何か』30頁）。

(89) 前掲『在日朝鮮人』160－164頁を参照。「出足が不調であった協定永住の申請は、申請締めきり一年を控えた頃から韓国政府と民団の猛烈な追いこみが奏功したのか、申請が急増した。日本政府も、協定永住権取得にともなう居住経歴審査や戦後入国者の永住権取得審査の緩和などの措置をとって［…］民団の申請促進運動をバックアップした」（同、161頁）。また、協定永住のメリットには国民健康保険に入れることがあり、「日本企業の就職差別の壁が厚く社会保険からほとんど排除されていた在日朝鮮人にとっては極めて切実であった」（同、162頁）。なお、朝鮮籍者の減少には前述の北朝鮮への「帰国事業」（1959－84年）も大きく影響した。

(90) 前掲『歴史のなかの朝鮮籍』324－332頁参照。「総連は［1970年の］八月三日と四日、朝鮮籍への組織的な変更申請を行った。［…］東京都で三六一人、大阪府で約一〇〇〇人、神奈川県で約七〇〇人、兵庫県で約四〇〇人ほどであり、申請の理由は「文字を知らなかったので他人に登録を頼んだら、韓国籍になっていた」「役所のミスで韓国籍にされた」「韓国にいる肉親に会いたくて仕方なく韓国籍にしたが、北朝鮮支持である」などであった」（同、331－332頁）。

(91) 三菱重工爆破事件につき、松下竜一『狼煙を見よ――東アジア反日武装戦線〝狼〟部隊』河出書房新社、2017年、第4、5章を参照。

(92) 木村幹『韓国現代史――大統領たちの栄光と蹉跌』中公新書、163－164頁を参照。

(93) インドシナ難民問題への対応を背景とした難民条約の批准（1981年）を受け、国民年金法から国籍条項が削除された（児童手当三法でも同様）。だが、日本政府は新たに対象となった人々に必要な経過措置を整備せず、在日朝鮮人をはじめとする多くの外国人が無年金状態のままに置かれた。登志子もその一人だ。前掲『在日外国人　第三版』171頁、174－175頁を参照。なお、同年の入管令改正で法律名が入管法となった際に、「協定永住を取得しなかった者（約二七万）に、特例により「永住」（特例永住）を許可する制度が導入され」ている（同、46頁）。

（94）前掲「父と母の思い出」24頁

（95）遠藤は続けて「認知以外の身分行為による民族籍の変更は従前通りに認めていたのであるから、政府としての意思の統一性を欠いた行政方針であった」としている（前掲『新版　戸籍と国籍の近現代史』248頁）。この時期、認知では民族籍の変動が起きないが、婚姻などでは起きるという形での不統一があったことになる。

（96）1991年1月の日韓覚書を受け、法務省は同年5月制定の「入管特例法」で、「法126」、「法126の子」、「協定永住者」、「特例永住」を「特別永住者」に一本化した（前掲『在日外国人　第三版』43－47頁を参照）。そのため、「協定永住者」だった泰玄も同年「特別永住者」となり、翌年に帰化で日本国籍となった。なお、当時は韓国籍者であった泰玄と日本国籍者である妻の間の娘が日本国籍を持って生まれたのには、父系血統主義を父母両系に改めた国籍法改正（1985年）が影響している。

（97）「お母さんの童話　入選作品きまる」という記事で、全国256人の応募から1等1人、2等3人、3等3人の作品が選ばれたことが伝えられている（『小学生朝日新聞』1955年4月24日）。

（98）1980年代に「難民と地球の緑を考える会」に集った人々の中には、1990年結成の「高麗博物館をつくる会」でも活動した人々がいた。登志子は前者に参加し、後者も（おそらくカンパなどで）応援していたようだ。高麗博物館は2001年に新宿の大久保に開館している。

【エピローグ】

（1）姜先玉「いちじくの木」『オモニたちの文集』

2号、1984年、15－18頁

【補遺　密航の時代】

（1）尹紫遠「新警職法案についてのアンケート」『新日本文学』19巻3号、1959年1月

（2）金史良「玄海灘密航」『金史良全集4』河出書房新社、1973年、59－61頁

（3）前掲『在日朝鮮人』51頁

（4）森田芳夫『在日朝鮮人処遇の推移と現状』法務研修所、1955年、149頁

（5）大村入国管理センターには2019年11月時点で男性74人が収容されていた。出身国別内訳はスリランカ11人、ブラジル9人、イラン8人、ペルー8人、ヴェトナム7人等。坂東雄介・安藤由香里・小坂田裕子「大村入国管理センターに聞く――被収容者の実態に関するインタビュー調査」（『商学討究』71巻2・3合併号、2020年12月、254－255頁）参照。

（6）法務省大村入国者収容所編『大村入国者収容所二十年史』法務省大村入国者収容所、1970年、95－100頁

（7）金元爾「施政者の良識に訴える」『白葉（はくよう）』2号、1957年11月、25頁

（8）金春一「手紙」『大村文学』創刊号、1957年、37頁（宋恵媛編『在日朝鮮人文学資料集一九五四－七〇』緑蔭書房、2016年所収）

（9）「逆境に陥った朝鮮婦人を救おう」『朝鮮民報』1958年8月9日

（10）鎌田信子「ルポルタージュ大村収容所をたずねて」『親和』68号、1959年6月、7頁

（11）前掲「ルポルタージュ大村収容所をたずねて」11頁

（12）1950年の国勢調査によると、在留外国人総数59万8696人のうち、「韓国・朝鮮」が54万4903人と約91％を占めている（台湾、マカオを含む「中国」がそれに次ぐ4万4881人、「アメリカ」が4962人）。国立社会保障・人口問題研究所ホームページ「表10－1　国籍別総在留外国人人口　1950～2012年」https://www.ipss.go.jp/syoushika/tohkei/Popular/P_Detail2014.asp?fname=T10-01.htm（最終閲覧：2023年10月1日）

参考文献

尹紫遠の主な作品や日記などに加え、現時点で手に取りやすい参考文献を記した。その他は註を参照。

尹紫遠『38度線』早川書房、1950年
尹紫遠／宋恵媛『越境の在日朝鮮人作家　尹紫遠の日記が伝えること――国籍なき日々の記録から難民の時代の生をたどって』琥珀書房、2022年
尹紫遠／宋恵媛編・解説『在日朝鮮人作家　尹紫遠未刊行作品選集』琥珀書房、2022年
尹紫遠／宋恵媛解説『月陰山（復刻版）』琥珀書房、2022年
尹紫遠／宋恵媛編・解説『尹紫遠全集（電子版）』琥珀書房、2022年
宋恵媛『「在日朝鮮人文学史」のために――声なき声のポリフォニー』岩波書店、2014年
李淵植（舘野晳訳）『朝鮮引揚げと日本――加害と被害の記憶を超えて』明石書店、2015年
遠藤正敬『新版　戸籍と国籍の近現代史――民族・血統・日本人』明石書店、2023年
加藤聖文『「大日本帝国」崩壊――東アジアの1945年』中公新書、2009年
金耿昊『積み重なる差別と貧困――在日朝鮮人と生活保護』法政大学出版局、2022年
鈴木江理子・児玉晃一編著『入管問題とは何か――終わらない〈密室の人権侵害〉』明石書店、2022年
田中宏『在日外国人　第三版――法の壁、心の溝』岩波新書、2013年
水野直樹・文京洙『在日朝鮮人――歴史と現在』岩波新書、2015年
李英美『出入国管理の社会史――戦後日本の「境界」管理』明石書店、2023年

謝辞

本書の執筆にあたっては、多くの方々からご教示とご協力をいただいた。ここに記して謝意を表したい。まず尹泰玄氏、逸己氏に改めての感謝を申し上げる。さらに、江陽里で出会った方々、山本捷馬氏、水野直樹氏、徐東千氏、谷川竜一氏、張新民氏、宮崎雅子氏、米川朋希氏、成尾珠々氏、雄倉風香氏、ほかにも数多くの方にご助力をいただいた。

本書の制作に関わってくださった方々にもお礼を伝えたい。すべてのお名前をあげることはできないが、本企画の元となる取材やウェブマガジン『ニッポン複雑紀行』との連携を支えてくださった認定ＮＰＯ法人難民支援協会の皆様、1枚も写真が残っていない「徳永ランドリー」と「5人の家族写真」を描いてくださった木内達朗氏、全体のデザインを担当くださった小川恵子氏、冒頭の口絵や人物及び資料の頁を整えてくださった髙井愛氏、様々な地図を作成くださったアトリエ・プランの皆様、ありがとうございました。

最後に、東京から蔚山まで一緒に様々な場所をめぐり、私たちが見た一つひとつの風景を写真に収めてくださった田川基成氏、著者からの数々の無理難題に応えながら、いつも丁寧なコメントとともに励まし続けてくださった柏書房の天野潤平氏、二人と一緒でなければ本書はつくれなかった。そして、一緒につくれたことを嬉しく思っています。

宋恵媛・望月優大

［文］

宋恵媛（ソン・ヘウォン）

博士（学術）。著書に『「在日朝鮮人文学史」のために――声なき声のポリフォニー』（岩波書店、2014年／ソミョン出版、2019年［韓国］）、編著に『越境の在日朝鮮人作家　尹紫遠の日記が伝えること』（琥珀書房、2022年）、『在日朝鮮女性作品集』（緑蔭書房、2014年）、『在日朝鮮人文学資料集』（緑蔭書房、2016年）等。

［文］

望月優大（もちづき・ひろき）

ライター。著書に『ふたつの日本――「移民国家」の建前と現実』（講談社現代新書、2019年）。認定NPO法人難民支援協会が運営するウェブマガジン『ニッポン複雑紀行』の編集長を務める。様々な社会問題に取り組む非営利団体の支援にも携わっている。

［写真］

田川基成（たがわ・もとなり）

写真家。長崎県出身。土地と記憶、移民と文化などをテーマに作品を撮る。千葉に暮らすムスリムのバングラデシュ移民家族の5年間の生活を写した「ジャシム一家」で第20回三木淳賞。故郷・長崎の離島沿岸部への約4年に渡る旅を記録した写真集『見果てぬ海』（赤々舎）で2022年日本写真協会新人賞を受賞。『ニッポン複雑紀行』で撮影を担当する。

密航のち洗濯　ときどき作家

2024年1月24日　第1刷発行
2024年9月15日　第3刷発行

文　宋恵媛＋望月優大
写真　田川基成
発行者　富澤凡子
発行所　柏書房株式会社
東京都文京区本郷2-15-13（〒113-0033）
電話（03）3830-1891［営業］
（03）3830-1894［編集］

装丁　小川恵子（瀬戸内デザイン）
装画　木内達朗
地図　株式会社アトリエ・プラン
デザイン協力　髙井愛
組版　株式会社キャップス
印刷・製本　中央精版印刷株式会社

ISBN978-4-7601-5556-9